KB113564

조연의 반격은 없다 III

초판 1쇄 발행일 2020년 06월 22일
초판 2쇄 발행일 2021년 02월 22일

지은이 | 박귀리
펴낸이 | 김기선

편집부 | 김아름, 박신혜, 신현정, 현혜원, 김수린, 한혜정
표지디자인 | MUI
내지디자인 | 한주희

펴낸곳 | 와이엠북스(YMBOOKS)
출판등록 | 2012년 7월 17일 (제2014-17호)
주소 | 서울시 도봉구 노해로 379, 802호(창동, 대성빌딩)
전화 | 02)906-7768 / 팩스 | 02)906-7769
E-mail | ymbooks@nate.com

ISBN 979-11-322-5575-8 (04810)
ISBN 979-11-322-5572-7 (set)

© 박귀리 2020 Printed in Korea

값 11,000원

조연의 반격은 없다

박귀리 장편소설

ym
BOOKS

차 례

Episode 16.
빌힐름
: 열두 번째 삶에서

유독 따스했던 십이월의 마지막 날.

빌힐름은 그해 세상에 태어났다. 다나한 2세가 황위에 오른 후 낳은 첫 적자였기에 빌힐름은 태어나자마자 황자가 되었다. 그렌페르크 제국은 황손 탄생일에 민간 및 귀족의 출산을 금지한다. 따라서 공식적으로 기록된, 그해 마지막 날에 태어난 아이는 그렌페르크 제국의 황손이 전부였다.

빌힐름은 날 때부터 다나한 2세의 총애를 무한히 받았다. 그가 다나한 2세의 첫 자식이기 때문은 당연하고, 무엇보다 하나를 배우면 열을 아는 총명함 덕이 가장 컸다. 날 때부터 성숙하고 차분했던 빌힐름은 그의 스승들이 혀를 내두를 정도로 사고의 깊이가 남달랐다. 모두들 빌힐름 조나단 레그윈이 황위에 오른다면 그렌페르크 제국에 태평성대가 찾아올 것이라 칭송했다. 그들은 빌힐름이 황태자가 되리라 믿어 의심치 않았다. 황실의 유일한 적자이기 때문에 다나한 2세의 총애가 저물 날은 절대 오지 않으리란 평이 지배적이었다. 유일한 적자. 그렌페르크 제국에서, 빌힐름은 황실의 유일한 적자였다.

"비비안느."

모두가 빌힐름을 그리 대우했다. 실상은 조금 다르다고 하더라도.

"너는 이 아비의 말이 말처럼 들리지 않는 게냐?"

다나한 2세의 지적에 비비안느가 고개를 돌렸다. 새하얀 낯에는 표정이랄 것이 없었다. 그녀는 고저 없는 목소리로 대답했다.

"아니요, 들었습니다."

"한데 딴짓을 하는구나."

"전부 빌힐름에게 하시는 말씀이잖아요. 제가 귀 기울일 필요 있을까요?"

비비안느는 빌힐름의 유일한 친남매로, 둘은 쌍둥이였다. 하지만 비비안느는 그렌페르크 제국에서 황녀 취급을 받지 못했다. 적녀의 신체나 정신에 이상이 있는 것도 아니었으나 황제는 비비안느를 서자만도 못하게 대했다.

모두들 그 이유를 비비안느가 늦게 태어난 쌍둥이이기 때문이라 여겼다. 누군가는 황후가 비비안느를 낳다가 영원히 눈을 감았기 때문이라고도 했다. 그러나 빌힐름은 두 예측 모두 진실이 아님을 알고 있었다. 미적지근한 비비안느의 태도에 다나한 2세가 노성을 터트렸다.

"비비안느, 너는 언제쯤 그 반골 같은 성향을 고치려는 게냐? 그게 레그윈 가문의 후계자가 보일 태도라고 생각하는 건 아니겠지!"

멍청한 년, 대충 대답하고 말면 될 것. 빌힐름은 이 시간이 가장 지루했다. 굳이 반박해 이 지루한 시간을 늘리는 비비안느의 주둥이를 꿰매고 싶을 정도였다. 그러나 그런 생각을 추호도 모를 비비안느는 오늘도 다나한 2세에게 대적하기 바빴다.

"누가 저를 그렌페르크 제국의 황녀로 생각하겠어요? 그 누구도 그리 여기지 않을걸요. 빌힐름의 시녀는 저를 꿔다 놓은 보릿자루 취급하더군요."

"네가 신분에 맞게 군다면 그럴 일도 없었을 테지! 하아, 됐다. 너와 대화하니 내 머리가 다 아프구나. 당장 이 방을 나가거라."

다나한 2세의 명령에 비비안느는 기다렸다는 듯이 방을 나갔다. 다나한 2세는 멀어지는 비비안느의 뒷모습도 보기 싫다는 양 고개를 돌려 버렸다.

"저건 아무짝에도 쓸모없어. 같은 배에서 태어났으면서 하나는 멍청하기 그지없군."

빌힐름은 영혼 없이 대답했다.

"얼굴은 예쁘장하니 어느 방면으로든 쓸모가 있겠지요."

"저 잘난 줄 알고 사는데 얼굴이 다 무슨 소용이겠느냐? 비비안느는 레그윈 가문의 수치다! 여태껏 그리도 제멋대로인 계집애를 본 적이 없어."

그렇담 이용해 먹기 위해 어릴 적부터 싸고돌기라도 했어야지. 하지만 빌힐름은 가만히 입을 닫았다. 황제는 옳은 말이든 그른 말이든, 제 주장에 토 다는 행위를 몹시 싫어했다. 그러니 하고 싶은 말이 있다면 시간이 조금 흐른 후 조심스럽게 제의하는 편이 나았다. 머저리만도 못한 여동생은 그 사실을 모르는 듯했지만.

"네가 가르쳐라."

그러나 이어지는 명령에는 빌힐름조차 토를 달지 않을 수 없었다.

"고작 십 분 늦게 태어난 누이입니다. 제가 가르치면 무얼 가르치겠습니까?"

"너는 내 뒤를 이을 자식이야. 그렌페르크 제국의 황위를 잇기 위해서는 사람을 무는 개를 아주 잘 다룰 줄 알아야 하지."

"비비안느를 개 다루듯 하라는 말씀이십니까?"

다나한 2세는 부정하지 않았다.

"레그윈 가문의 미래를 위해서 비비안느는 반드시 필요하다. 그 애를 타이르든 무얼 하든, 네 말에 잘 따르도록 만들거라."

그 말은 즉 개 다루듯 해도 상관없다는 뜻이었다. 빌힐름은 비비안느가 필요하다고 강조하는 다나한 2세에게 공감할 수 없었다. 필요하다면 불필요한 소모품처럼 대하질 말아야지. 그런 주제에 본인에게 일을 떠넘기다니. 빌힐름은 다나한 2세의 무심함과 멍청함에 짜증이 났다.

"잘 따르기만 하면 됩니까?"

"그래."

빌힐름은 다나한 2세의 눈에서 기대감을 읽었다. 그 흐릿한 눈동자 속에서, 빌힐름은 죽어 간 여자들의 비명을 떠올렸다. 육포처럼 붉던 하녀의 얼굴과 유리병 속에 담겨지던 머리들. 다나한 2세는 여자의 피를 보면 흥분하는 광인이었다. 빌힐름과 비비안느는 열 살 무렵에 그 사실을 접했다. 황제가 몸소 그들 앞에서 유희를 위해 사람을 어찌 사냥해야 하는지 시범을 보인 탓이다. 그때, 비비안느는 다나한 2세에게 이렇게 말했다.

'아버지는 짐승과도 같아요. 반드시 천벌받을 거예요.'

그러나 빌힐름은 아무 말도 하지 않았다. 아무런 감흥도 느끼지 못한 까닭이다.

그날부터 그럭저럭 동등하다고 할 수 있었던 남매의 대우가 완전히 달라졌다. 다나한 2세의 성향을 이해하지 못한 비비안느는 황제를 반목했고, 다나한 2세 역시 비비안느를 없는 자식 취급했다. 빌힐름은 비비안느가 피를 두려워했기에 다나한 2세의 총애를 받지 못한 것이라 여겼다. 하지만 『태양이 흐르는 강』 서약을 알게 되고, 그 일원이 된 후에는 점차 생각이 바뀌었다.

레그윈 가문 대대로 내려오는 '하늘의 힘'은 적통 장자에게만 대물림된다. 다나한 2세가 비비안느를 버린 이유는, 빌힐름이 그 '하늘의 힘'을 지녔기 때문이었다.

"비비."

그날 저녁, 빌힐름은 비비안느를 찾아갔다. 여동생은 울고 있었다. 얼마나 오래 울었는지 눈가가 벌겋다. 아닌 척해도 다나한 2세의 냉대에 마음이 찢어질 만큼 아팠던 모양이다. 제아무리 쓰레기 같은 아버지라 할지라도 비비안느는 제 핏줄에 그리 모질지 못했다.

"빌힐름, 네가 이 시간에 내 방까지는 무슨 일이야?"

비비안느는 경계 어린 눈빛으로 빌힐름을 노려봤다. 근 몇 년 동안 사적인 만남이라곤 단 한 번도 없던 빌힐름이 기사를 대동하고 나타났으니 당연한 반응이었다. 빌힐름은 대답 없이 손을 들었다. 그러자 황실 기사들이 비비안느의 양팔을 속박하고 무릎 꿇렸다. 비비안느가 당황스러운 얼굴로 몸을 비틀었다.

"무엄한 것들! 황녀의 몸에 손을 대다니, 뭐하는 짓이냐! 빌힐름, 이게…"

비비안느의 의문은 입 밖으로 온전히 나오지 못했다. 기사의 커다란 손이 그녀의 입을 막았기 때문이다. 그런 어동생의 얼굴을 내려나보며, 빌힐름이 부드러운 어조로 입을 열었다.

"비비. 네게 매번 말했었지. 무얼 하든 상관하지 않을 테니, 내가 번거로운 일을 하게만 만들지 말라고."

비비안느가 열심히 발버둥 쳤지만, 고작 어린 여자 한 명이 장정 둘을 밀어낼 수 있을 리 만무했다.

"으, 읍!"

"네가 내 말에 따르지 않은 이유는 고통을 모르기 때문이란다, 비비."

'그들'이 레그윈 가문에 반발하지 못하고 복종하는 이유 역시 바로 그것 때문이었다. 고통과 공포에 학습되어 있기 때문에. 긴 시간 개처럼 살아 온 역사가 피에 새겨졌기 때문에.

"오늘부터 네 그 돼먹지 않은 성정을 고쳐 주마. 이 오라비에게 고맙게 생각하렴."

비비안느의 두 눈이 두려움으로 물들었다. 그날부터 빌힐름은 비비안느를 길들였다. 다나한 2세는 종종 제 맘에 드는 사냥감을 동쪽 숲에 숨겨 개처럼 기르곤 했는데, 빌힐름은 그 방식을 비비안느에게 그대로 사용했다. 반복된 폭력과 정신적 핍박 속에서 긴 시간을 버티도록 하는 것이다.

빌힐름은 그 과정에서 동정심도, 즐거움도 느끼지 않았다. 그저 해야 하기에 할 뿐이었다. 그는 감흥 없는 표정으로 다 죽어 가는 비비안느에게 세뇌를 반복했다.

"너 같은 아이를 불결한 아이라고 부른단다."

"등을 낮추고 살아가렴, 비비. 쓸모가 없다면 눈에 보이지라도 말아야지."

"널 사랑하는 사람은 아무도 없어."

"같은 핏줄이라도 너와 나는 달라, 비비. 스스로를 개라고 생각하는 게 옳지."

정의로우나 고집이 셌던 그의 여동생은 점차 순종적으로 변해 갔다. 한 계절이 다 흐르기도 전에 총명했던 두 눈은 빛을 잃었다.

한데 비비안느에게는 그가 다나한 2세로부터 물려받은 개들과 조금 다른 점이 존재했다. 등의 살 껍질이 벗겨져도 보름이면 새살이 완전히 올랐다. 빠진 손톱도 마찬가지였다. 혹시나 싶어 다리를 부러뜨리면 한 달 만에 다시 걸을 수 있게 되었다.

빌힐름은 의구심을 가졌다. 그는 자신에게 일어난 일처럼 기묘하게 말을 바꾸어 다나한 2세에게 이 비이상적인 회복력의 근원을 물었다. 다나한 2세는 올 것이 왔다는 반응으로, 그에게 가르치듯 답했다.

"그건 빌힐름, 네가 하늘의 힘을 지닌 까닭이다. 힘을 지닌 자들은 불사에 가까운 육체를 가지지. 하루가 흐르면 뚫린 상처에 새살이 나고, 이틀이 흐르면 부러진 뼈가 다시 붙게 되는 것이다."

그는 드물게 진중한 표정으로 빌힐름에게 당부했다.

"그 사실을 네게 알리지 않은 이유는 귀한 황손의 육체에 쉬이 상해를 입을까 염려스러운 마음 때문이었거늘. 너는 레그윈 가문의 후손이자 장차 그렌페르크 제국의 미래를 책임질 하늘의 힘을 지닌 후계자다. 그러니 불사의 힘을 지녔다고 육체에 상해를 입는 일은 없어야 할 게다."

빌힐름은 황제의 말을 단번에 이해할 수 없었다. 하늘의 힘을 지닌 자는 비비안느가 아닌 그였다. 한데 왜 제 쌍둥이 누이가 불사의 육체를 지녔단 말인가.

'…비비안느의 골절이 이틀 만에 회복되었었나?'

아니었다. 게다가 뚫리기는커녕 뜯겨진 피부가 회복되기까지는 보름이 소요되었다. 마치 불완전한 불사의 힘을 지닌 것처럼. 그날, 빌힐름은 직감했다. 그만이 지녀야 할 '하늘의 힘'이 비비안느에게도 주어졌단 사실을.

빌힐름은 처음으로 위기의식을 느꼈다. 어느 날, 그는 달리는 말에서 떨어져 양다리와 양팔에 자의로 골절상을 입었다. 한 계절은 꼼짝도 못할 몸 상태였으나, 고작 한 달 만에 침상에서 일어났다. 평범하다고 하기에는 너무 빠르고, 불사라고 하기에는 너무나 느린 회복. 빌힐름의 예측이 맞아 떨어진 것이다.

그러나 문제는 현저히 감퇴한 회복력이 아니었다. 가장 위험한 부분은 캐롤드와 잉고르드의 능력자를 제어하는 하늘의 힘이 어떠한 상태일지 예측할 수 없다는 점이었다.

불사의 육체가 반쪽이 됐으니, 제어의 힘도 온전하지 못할 확률이 높았다.

'운이 좋다면 내 세대는 문제없이 지나가겠지만, 그렇지 않다면 레그윈 가문은 곧 대가 끊길 수도 있다.'

미래를 보는 힘인 '태양의 힘'은 그리 큰 걸림돌이 되지 않는다고 생각했다. 지금껏 그래왔듯 우리에 가두어 놓고 개처럼 기르면 되니까. 하지만 시간을 돌리는 힘인 '강의 힘'은 아니었다.

'이미 여러 번 회귀가 반복된 후라면?'

그렇담 그것으로 이미 끝이다. 길고 길었던 『태양이 흐르는 강』 서약과 레그윈 황실의 시대가 종말을 맞이한다는 뜻일 테니.

몸을 회복한 빌힐름은 곧장 예일 성으로 향했다. 강의 힘을 지닌 잉고르드의 후계자가 갇힌 곳이었다. 그곳에 도착해 리히튼 잉고르드에게 물었다. 아니, 묻기도 전에 마치 그의 방문을 기다리고 있었다는 듯, 리히튼이 먼저 입을 열었다.

"내게 강의 힘을 사용할 수 있느냐고 물어보기 위해 찾아왔다면, 그렇다고 대답해 주지. 과거를 몇 번 돌렸느냐고 묻는다면 열한 번이라고 대답하겠다. 레그윈이 무너지느냐는 물음에는 그럴 예정이라고 해 두겠어."

그야말로 쓰레기를 쳐다보는 냉랭한 시선이었다.

'열한 번.'

그렇다면 리히튼은 오늘을 열두 번째로 보았다는 뜻이었다. 오늘과 똑같은 날이 그리도 잦게 반복되었다는 소리인가. 빌힐름의 예상은 옳았다. 리히튼 잉고르드는 강의 힘을 사용할 수 있었으며, 이미 여러 번 시간을 반복한 후였다.

내심 놀랐지만, 절망감이 느껴지지는 않았다. 미련을 버렸기 때문일까? 그러나 미련이 하나 없는 세상이라 할지라도, 그 세상이 한순간에 무너지는 기분은 참으로 오묘했다. 때문에 빌힐름은 한참의 시간이 흐른 후에야 리히튼의 말에 반응할 수 있었다.

"나는 지금 당장 너를 죽일 수도 있다. 불사의 힘도 심장이 뚫리면 무력하다는 걸 모르는 건가?"

리히튼은 이런 대화마저 무료하다는 양, 느리게 눈을 깜빡이며 대답했다.

"네 그 말도 몇 번째 듣는지 모르겠군. 죽일 거면 죽이고, 말 거면 가라.

여기서 날 죽여 봤자 미래가 조금 더 밀리는 것에 불과하겠지만."

그렇담 정말 죽여 버릴까. 그러나 빌힐름은 금세 포기했다. 리히튼 잉고르드의 눈을 본 순간, 섬광처럼 깨달은 바가 존재했기 때문이다. 그는 빌힐름 본인보다도 빌힐름 조나단 레그윈에 대해 더 자세히 꿰뚫고 있었다. 아마 자신을 죽이지 않을 거란 사실 또한. 성으로 돌아온 후에는 깊은 고민에 빠졌다. 뒤늦게나마 미래를 바꿀 수 있는 방법을 강구하기 시작했다. 그러다 문득 떠오른 방도가 있었다.

'당장 자식을 낳아 하늘의 힘을 물려준다면, 강의 힘을 제어할 수 있을까?'

유일한 실마리를 찾은 듯한 느낌에, 빌힐름은 곧장 다나한 2세를 찾아갔다. 레그윈의 핏줄을 존속하기 위해서 내린 결정은 아니었다. 애초에 빌힐름은 생물이든 사물이든 그 어떤 것에게도 애정이라는 감정을 느낀 적이 없었다. 단지 자신의 발아래에 두어야 할 존재를 제어할 수 없단 사실이 마음에 들지 않았을 뿐이다. 빌힐름은 다나한 2세에게 물었다.

"폐하. 저의 부인이 제 자식을 낳는다면, 그 즉시 하늘의 힘이 계승되는 겁니까?"

물음에 대한 다나한 2세의 대답은 이러했다.

"레그윈도, 캐롤드도, 잉고르드도… 모든 힘의 후계자들은 아이를 낳지 못한다."

공교롭게도, 들려온 답은 조금도 예상하지 못한 이야기였다.

"빌힐름, 너는 부인과 첩을 가질 수 있으나 아이를 가질 순 없어. 그래서 비비안느가 있는 게다. 네 누이가 귀한 혈통의 사내와 혼인하여 네 후계자를 낳아 줄 것이다. 새로운 후계자가 태어난다면 너 역시 내가 그러했듯 불사의 힘을 잃겠지."

황위는 대대로 하늘의 힘을 지닌 자가 차지했다. 그 말은 즉, 빌힐름과 비비안느 또한 레그윈 가문에서 태어나기는 했으나 다나한 2세의 친자식이 아니라는 의미였다.

'개족보나 마찬가지인가.'

열 명에 다다르는 다나한 2세의 사생아들 역시 마찬가지다. 그들은 황제의 건강이 온전하다는 것을 내보이기 위한 가짜 도구에 지나지 않았을 것이다. 내가 멍청했군. 리히튼 잉고르드가 이 사실을 몰랐을 리 없을 텐데.

"마음에 드는 여자라도 생긴 것이냐? 네 눈에 들다니 참으로 대단한 숙녀로구나. 어느 가문의 누구지?"

다나한 2세는 퍽 흥미로운 얼굴이 되어 빌힐름을 내려다봤다. '하하.' 빌힐름은 목을 젖히고 미친 듯이 웃었다. 얼마나 크고 경박한 웃음이었는지, 나중에는 진노한 다나한 2세가 그를 쫓아낼 정도였다. 그러나 빌힐름은 쫓겨난 후에도 웃음을 멈출 수 없었다. 시종장이 그에게 물었다.

"무엇이 그리도 즐거우신 겁니까? 전하의 그런 모습은 처음 봅니다."

"카이로 백작. 나는 즐거운 게 아니라, 우스워서 웃는 것에 불과해. 즐거운 것과 우스운 것은 엄연히 다르지."

안타깝지만, 다나한 2세의 바람은 이루어지지 않을 것이다. 황위 후계자를 낳아야 할 비비안느도 그처럼 하늘의 힘을 지녔기 때문이다. 따라서 빌힐름도, 비비안느도 아이를 낳을 수 없었다. 지난 이백 년이 넘는 그렌페르크의 역사 속에서, 황위를 잇는 자는 늘 레그윈 가문의 적통이었다. 그러나 다나한 2세가 그토록 사랑했던 전통의 레그윈 가문은 다나한 2세 본인의 대에 멸문하게 되는 것이다.

그날 이후 빌힐름은 생각을 고쳐먹었다. 이 게임은 이미 승자가 정해진 게임이었다. 그렇다면 더는 발버둥 칠 이유가 없지 않겠는가? 이제는 억지로 주어진 옷에 몸을 끼워 맞출 필요가 없었다. 빌힐름은 원하는 대로 거리낌 없이 살기로 했다. 국가와 가문의 명예를 위해 본능을 감추려하지 않았다. 스스로를 위해서 힘을 기르고 검을 휘둘렀다. 밟고 선 피 웅덩이가 깊어질수록 모두가 그를 두려워하고 우러러봤다.

빌힐름이 움직이기 시작한 시기가 비비안느가 별채에 갇혀 살기 시작한 시기와 겹친 터라 황성에는 '다나한 2세의 광증이 황자와 황녀를 망쳤다'는 소문이 은근하게 돌았다. 다나한 2세는 그런 빌힐름을 다그치기는커녕 멀찍이서 관망하기만 했다. 그동안 빌힐름은 자신이 유일하게 흥미를 느꼈던, '말하는 개'를 키우는 일에도 많은 공을 들였다. 그러나 황실에 깊게 관여하는 주요 가문들만 이 사실을 알았을 뿐, 대외적으로 그는 여전히 재능 있고 매력적인 황자였다.

"지루하군."

그런 그가 간과했던 중요한 진실이 하나 있었으니.

"지루해."

제아무리 흥미로운 일이라도, 정도와 제한 없이 즐기기만 한다면 금방 싫증을 느끼게 된다는 점이었다. 어느 순간부터 그는 내일이 새롭지 않았다. 기대되는 사건도, 인물도 더는 나타나지 않았다. 그저 시간이 흐르는 대로 살아갈 뿐이었다. 빌힐름의 세상은 완전한 회색이 되어 버리고 말았다. 하지만 다행스럽게도, 하늘은 그가 무료한 생을 살아가도록 내버려 두지 않았다. 하늘이 보낸 그의 여자, 아그레인 캐롤드는 빌힐름이 삶의 전환점을 맞도록 한, 이 세상의 유일무이한 인물이었다.

아그레인 캐롤드. 캐롤드 가문 대대로 내려오는 '태양의 힘'을 지닌 소녀. 그녀가 진짜 후계자라는 사실은 우연한 과정에서 밝혀졌다. 힐 성의 삼 층에서 떨어진 수잔 캐롤드가 그 자리에서 즉사했기 때문이었다. 수잔 캐롤드는 캐롤드 가문이 황실에 바친 '태양의 힘'의 후계자였다. 캐롤드 가문이 『태양이 흐르는 강』 서약에 반발했단 사실을 알게 된 다나한 2세는, 바로 다음날 빌힐름과 황실 기사단을 캐롤드로 보냈다. 캐롤드 저택은 반역죄를 명목으로 하루아침에 불바다가 되었다.

아그레인은 그 과정에서 살아 있는 시체가 되어 끌려왔다. 빌힐름에게 아그레인이 특별한 이유 중 하나는, 그녀가 쉬이 절망하지 않는다는 점에 존재했다. 빌힐름은 그 이유가 핏줄의 복수에 의거한단 사실을 알고 있었다. 아그레인은 쓰러지지 않는 풀꽃이었다. 어여쁘고 하찮았지만 결코 죽지는 않았다. 귀족 영애로선 감당 못할 그 어떤 수치와 고통에도 아그레인은 삶을 포기하지 않았다. 눈물로 범벅이던 낮도 다음날이면 언제 그랬냐는 듯 말간 웃음을 되찾았다.

그럼에도 여름의 초목과 같이 빛나는 두 눈은 늘 그를 향한 살의를 숨기지 못했다. 아그레인은 복수를 꿈꾸었고, 그랬기에 살아 있었다. 제아무리 밟아도 지겹도록 다시 일어났다. 그녀를 곁에 두니 리히튼의 존재는 금방 잊혀졌다. 언제부턴가는 지친 아그레인이 목숨을 포기해 버리지는 않을까, 하는 걱정이 일기도 했다.

그때부터 빌힐름은 일정한 선을 지키고 그 선 안에 아그레인을 가두었다. 옆에 서면 정신을 잃게 할 정도로 황홀한 향을 풍겼음에도 목숨을 내버릴까 두려워 그 여린 몸을 취하지 않았다. 빌힐름에게 있어 아그레인은 그토록 사랑스러운 존재였다. 어쩌면 정말 사랑일지도 몰랐다. 그의 잿빛 세상에서, 오직 아그레인만이 선명한 초록빛을 띄었다. 빌힐름은 그의 사랑스러운 아그레인과 꽤 행복한 시간을 보냈다. 리히튼이 그녀를 데리고 황성 밖으로 도망치기 전까지는.

"그래, 아그레인…."

그때, 주인 없이 텅 비어 버린 힐 성을 마주했을 때.

"희망을 느껴야 더 깊은 절망을 맞이하는 법이니까."

빌힐름은 처음으로 피가 식는 기분을 느꼈다. 그는 곧바로 다나한 2세에게가 직접 리히튼과 아그레인을 끌고 오겠다고 선언했다. 그러나 놀랍게도, 다나한 2세는 기다렸다는 듯 불허했다.

"그들을 쫓지 말거라."

"어째서입니까?"

"황실이 리히튼 잉고르드와 약속했기 때문이다. 태양의 힘과 강의 힘을 우리 레그윈 가문에 바치는 대가로, 『태양이 흐르는 강』 서약은 곧 파기될 게다."

빌힐름은 헛웃음을 숨길 수 없었다. 지금 이 순간에도 아그레인은 황성에서 한 발자국씩 멀어지고 있었다. 한데 뭐? 힘을 바치는 대가로 서약을 파기해?

"백 년이 넘도록 연구했으나 내리 실패해 온 염원을 그가 어찌 가능케 한다는 겁니까?"

술잔을 비운 다나한 2세가 욕망에 번들거리는 시선으로 조용히 답했다.

"무어 리올을 아느냐?"

무어 리올은 리올 백작 가문의 장녀로, 다나한 2세의 유일한 조카이자 빌힐름의 유일한 사촌이었다.

"잉고르드 가문이 독자적으로 힘과 혈족의 관계성을 연구해 왔다고 하더군. 그 결과로 무어 리올에게 두 번째 태양의 힘이 발현할 거라 예측했다. 미래를 보는 힘이 캐롤드 가문을 벗어날 수 있을 거라 말했지."

그건 너무나 갑작스러운 이야기였다.

"그리고 나흘 전, 리히튼 잉고르드의 주장이 사실임이 밝혀졌다. 무어 리올이 미래를 보았다고 하더군. 그 아이가 예지한 미래 중 몇 가지는 실제 내 머릿속에 그려둔 미래였다. 다만, 스스로를 다른 이로 착각하는 부작용이 있는 듯했으나…."

다나한 2세가 손짓하자 곁에 앉아 있던 여자가 술병을 기울였다. 그 모습이 기특한 건지, 아니면 다른 이유가 있어서인지 다나한 2세는 새어 나오는 웃음을 참지 못했다.

"그 부작용이 다 무슨 대수겠느냐? 드디어 우리 레그윈 가문이 모든 힘을 가질 수 있게 된 게야! 잉고르드 공작이 직접 짐을 찾아와, 서약을 파기하는 대가로 우리에게 모든 힘을 바치겠다고 약조했다. 벌써 절반이 이루어지지 않았느냐? 황실은 잉고르드의 실험을 전폭적으로 지지하기로 결정했지."

아! 빌힐름은 다나한 2세의 멍청함에 탄식했다. 황제가 결국 리히튼이 만들어 놓은 덫에 완전히 걸리고 만 것이다. 무어 리올이 태양의 힘을 지닌 채 태어났다고? 그럴 리 없었다. 과거를 반복해 온 리히튼이 견고하게 쌓아 올려놓은 속임수일 게 분명했다. 조금만 머리를 굴려도 알 수 있는 사실이지 않은가?

하지만 빌힐름은 황제의 무지에 대해 하나하나 파고들어 직접 설명할 필요성을 느끼지 못했다. 다나한 2세가 리히튼의 진실을 알고 그를 잡아 죽인다고 해도, 미래는 변하지 않을 것이다. 강의 힘을 이용해 다시 과거로 돌아가면 그만일 테니까. 이는 빌힐름과 비비안느가 쌍둥이로 태어난 이상 피할 수 없는 필멸이었다.

"이건 혁명의 시작이다, 빌힐름. 이 실험이 성공한다면…. 우리 레그윈은 그렌페르크 제국만이 아니라, 전 대륙의 주인이 되는 거야. 짐이 바로 그 혁명의 기점이 될 것이다. 네게 제국이 아닌 대륙을 물려주마, 아들아."

빌힐름은 다나한 2세가 헛된 기대에 부풀어 술잔을 기울이는 모습을 말없이 응시했다. 결국, 이 모든 건 의미 없다. 황실의 미래는 리히튼 잉고르드가 짜놓은 판대로 흘러가는 것에 불과했다. 그도, 눈앞의 황제도. 빌힐름에게 남은 건 아그레인밖에 없었다. 그래, 다른 건 필요 없었다. 그렌페르크 제국이고 대륙이고, 누가 주인이든 알 바 아니었다.

'그러니 아그레인만은 내 손에 쥐어야겠어.'

이 회색빛 세상에서 유일하게 색을 가진 아그레인.

빌힐름은 그것 하나면 족했다. 아그레인 캐롤드는 내 거야. 그것이 열두 번째로 반복된 삶에서 빌힐름이 가진 유일한 욕구였다.

3부

Episode 17.
솔레르

페사는 그렌페르크 북쪽의 작은 땅으로, 살인이 한 번 일어나면 영시 전체가 뒤집어질 정도로 퍽 평화로운 지역이다.

솔레르는 그런 페사 영지에 터전을 둔 약사 집안의 외동딸이었다. 가업을 잇기 위해 공부에 매진하는 그녀에게는 특별한 점이 있었는데, 보기 드문 미인이라는 점이었다. 솔레르의 미모는 근방 영지에까지 정평이 나 있었다. 그녀를 보기 위해 반나절을 달려 페사까지 오는 남자가 있을 정도였다. 하지만 솔레르의 친부는 그녀에게 다가오는 남자들을 소똥에 몰린 파리로 취급했다. 귀족과 상인은 갖가지 보석과 금화를 바치며 솔레르를 부인이나 첩으로 들이길 원했다. 그럴 때마다 솔레르의 친부가 죽어도 안 된다며 미쳐 날뛰는 통에 누구도 그녀를 데려갈 수 없었다. 솔레르의 집안은 페사 영지의 유일한 약사 집안이었기에, 페사 자작이 그들의 편의에 특별히 신경 써준 덕도 있었다.

혹자는 미인으로 태어나 고생하는 솔레르를 안타깝게 여겼고, 혹자는 여자는 미모만 가지면 그 외의 것들도 다 가질 수 있다며 그녀를 질투했다. 하지만 페사 영지인들은 상냥한 성정을 지닌 솔레르를 가엾게 여기거나 질투할 뿐, 미워하지는 않았다. 정확하게 표현하자면 대놓고 미워하지는 않았다.

"그래서, 너희는 봤니? 검은매 기사단 말이야."

"당연하지! 페사에서 겨우 사흘간 묵는다는데 담장을 넘어서라도 봐야 하지 않겠어?"

"어떻든?"

"잉고르드 공작 가문의 기사단답게 하나같이 잘생기고 날씬하더라. 이곳의 산적 같은 사내들과는 분위기부터가 달라."

"글쎄, 곁을 지나가면 귀부인들처럼 향긋한 향이 난다니까?"

"페사에 머물면서 처녀나 한 명 꼬시려는 수작이겠지."

"날 꼬셔 주면 소원이 없겠다. 나와 사랑에 빠지면 나도 잉고르드 영지로 데려가 주겠지? 아아… 이 지긋지긋한 시골을 벗어나서 큰 도시로 떠나고 싶다."

네 얼굴을 봐라. 어느 기사가 미쳤다고 너 같은 애를 집으로 데려가겠어? 양심이 있다면 거울이라도 보면서 지껄이렴. 물론 입 밖으로 내민 질책은 아니었다. 속마음과 상반되는 순진한 미소를 지으며, 솔레르는 제 친우에게 말했다.

"네 매력이라면 그 대단하다는 검은매 기사단의 기사들도 한눈에 반하고 말 거야."

그녀의 칭찬에 한참 머리를 맞대고 대화하던 여자들이 고개를 주억였다.

"물론이지! 우리 정도면 페사에 있기 아까운 미녀라구."

"오늘 가서 꼬셔 봐. 내 사파이어 머리핀도 빌려줄게!"

그 촌스러운 머리핀을 꽂는다고 못난이가 사람이 될까?

"보니까 정오가 되면 광장에 모여서 카드 게임을 하는 모양이더라. 오늘 정오가 되자마자 그리로 가자!"

"좋아!"

까르르 웃던 여자들이 하나둘 웃음을 멈추더니, 돌연 솔레르를 향해 고개를 돌렸다. 그리고는 당연하다는 투로 입을 열었다.

"너는 안 갈 거지? 솔레르는 남자를 싫어하잖아."

"솔레르가 남자를 싫어해서 얼마나 다행인지 몰라. 이 예쁘장한 얼굴을 가지고 이 남자 저 남자, 꼬리 치고 다녔다면 이곳 분위기도 안 좋았을걸?"

"애, 솔레르. 너는 검은매 기사단에 관심 없지? 그치?"

솔레르는 밝은 웃음 뒤로 영악함을 숨긴 제 친우들을 천천히 둘러봤다.

그녀는 이미 알고 있었다. 이건 강요다. 그들은 친구라는 이름으로, 솔레르에게 남자를 멀리할 것을 강요하고 있었다. 그 추한 시기와 질투를 견뎌 온 게 벌써 몇 년째인지 모르겠다.

'그 남자들과 어깨라도 부딪혔다간 나를 또 남자에 미친 계집애로 몰아가겠지.'

진짜 여우는 내가 아닌 너희들이야. 하지만 솔레르는 오늘도 외톨이가 되지 않기 위해 고개를 끄덕였다. 그녀가 할 수 있는 거라곤 마음속으로 그들을 헐뜯는 게 전부였다.

"응, 공부할 부분이 많아서 오늘은 아무래도 너희랑 어울리지 못할 것 같아."

"걱정 마, 솔레르! 광장에서 어떤 일이 있었는지는 우리가 내일 자세히 알려 줄게."

"남자에 관심 없는 네게는 덜 흥미롭겠지만… 그래도 꽤 즐거운 주제가 될 거야."

이윽고 그들의 관심은 다시 검은매 기사단으로 옮겨졌다. 금발의 기사가 가장 잘생겼다는 둥, 귀부인의 후원을 받는 기사도 있을 거라는 둥 다양한 이야기가 오고갔다. 하지만 늘 그래왔듯, 솔레르는 남자가 화두인 대화에서는 겉돌아야 했다.

"설마… 그 여자가 나오지는 않겠지?"

"그 여자?"

한창 대화가 무르익어 가던 시점이었다. 남 헐뜯기를 가장 즐겨하는 여자가 은근슬쩍 화제를 뒤바꾸었다. 솔레르는 친구가 가리킨 '그 여자'가 누구를 지칭하는지 알 것 같았다. 길에서 마주칠 때마다 이 친구가 한시도 눈을 떼지 못하던 그 여자를 말하는 것일 터였다.

"언덕 아래의 그 노란 지붕 집 여자 말이야. 한 달 전에 갑자기 나타났던…."

"아아. 빨간 머리의 여자를 말하는 거구나. 이름이 뭐라고 했지? 수잔?"

"나, 그 여자 꺼림칙해. 엄청 칙칙하지 않니? 말수도 없고… 혼자 지내는 걸 생각해서 대화하려 해도, 고작 인사만 하고 지나가고."

또 시작이구나. 솔레르는 뒷담화를 늘어놓기 시작한 여자들에게서 고개를 돌려 버렸다. 폐사 영지의 숙녀들 가운데 도는 헛소문은 대개가 이 모임에서 생성된 소문들이었다. 아무래도 이번 타깃은 영지에 새로 들어온 또래의 여자인 듯했다. 여자들은 더없이 진지한 표정으로 목소리를 낮추었다.

"그 소문 들었니? 남자들에게는 그렇게 몹시 상냥하다던데. 우리 앞에서 하는 꼴이랑은 다르대!"

"세상에. 어쩜 그런 계집애가 폐사에 왔담?"

"걸음걸이는 또 얼마나 살랑살랑하던지. 남자들이 제 뒷모습에 홀리는 걸 즐기는 게 틀림없어."

인사밖에 나눠보지 못했다면서 어찌 저리 쉽게 험담하는지 모르겠다. 솔레르가 아는 '노란 지붕 집의 여자'에 대한 정보는 고아한 분위기를 지닌 적발의 미인이라는 점이 전부였는데.

'더하자면 조금… 지쳐 보이기도 하고, 위태로워 보이기도 하고.'

생각해 보니 꺼림칙하다는 표현도 완전히 틀린 것은 아니었다. 노란 지붕 집의 여자는 폐사의 사람들과 너무나도 다른 분위기를 지녔기 때문이다. 해가 떴을 때보다 져 있을 때 더 자주 보인다는 점도 한몫했다.

"애, 솔레르. 너도 그런 여자랑 함부로 어울리지 마. 그 여자가 못된 여우 짓을 알려 줄 수도 있어. 알았지?"

"아, 응…."

단언컨대 노란 지붕 집의 여자는 그들에게 일말의 관심도 없을 것이다. 교류라고는 인사와 간단한 안부가 전부였으니 당연했다. 얼마 지나지 않아서, 여자들은 몸을 치장하기 위해 한시 바삐 솔레르의 집을 떠났다. 그제야 솔레르의 귀는 휴식을 취할 수 있었다. 겨울의 끝 무렵이라 그런지 날이 꽤 따스했다. 마음 같아선 산책이라도 즐기고 싶었지만, 오늘은 친구들과의 약속을 지키기 위해서 집을 나가면 안 된다. 솔레르는 한숨을 내쉬며 방으로 돌아갔다.

예상하지 못한 손님이 방문한 건 정오가 조금 지난 후였다.

"안녕하세요, 솔레르 양."

솔레르는 놀랄 수밖에 없었다. 그도 그럴 게 방문자는 노란 지붕 집의 여자, 수잔이었던 것이다. 가까이서 본 여자는 어렴풋이 기억하고 있던 것보다 훨씬 아름다웠다. 풍성한 적발도 적발이지만, 결 좋은 흰 피부에 에메랄드처럼 박힌 녹안이 유독 시선을 사로잡았다. 그래서 솔레르는 한동안 멍하니 눈을 깜빡여야 했다. 이토록 화려한 미모를 지닌 여자는 그녀의 생에 처음이었다. 황족이 버린 첩일 수도 있다는 소문이 그럴싸하게 느껴졌다.

"테너 씨는 안 계신가요?"

"아… 네, 네. 아버지는 잠시 약을 구하러 영지를 나가셨어요. 한데 무슨 일로…?"

잠시 말이 없던 수잔은 힘없이 고개를 주억였다.

"그렇군요. 별건 아니고 제가 최근 심한 불면증을 겪고 있어서요. 약을 부탁드리려 왔어요."

그 말을 듣고서야 검게 내려앉은 수잔의 눈매가 눈에 들어왔다. 그녀의 낯에는 생기가 없었다. 시체 같은 느낌은 아니었고, 며칠 밤을 샌 듯 굉장히 피곤해 보였다. 조곤조곤한 목소리도 병에 걸린 것처럼 추욱 늘어져 있었다. 솔레르는 이 여자, 수잔이 이곳에 정착한 직후 아버지께서 하셨던 말씀을 떠올렸다.

'도통 뭘 하다 온 여자인지 모르겠더구나. 몸가짐은 귀부인과 다름없는데, 허드렛일을 아주 잘하는 게 이상해. 웬만하면 그 여자를 가까이하지 말려무나. 새벽에 갑자기 나타난 것도 그렇고 여러모로 위험한 여자 같다.'

아버지의 촉은 대체로 맞았다. 하지만 솔레르에게는 잠들지 못해 다 죽어가는 눈앞의 여자가 그리 위협적으로 느껴지지 않았다. 오히려 정체를 알 수 없어 함부로 말을 걸 수 없었던 어제까지와 달리, 지금의 수잔은 사람처럼 느껴졌다. 수잔이 솔레르에게 물었다.

"테너 씨는 언제쯤 돌아오시나요?"

"아마 나흘 후면 돌아오실 거예요."

"고마워요. 그럼 그때 다시 찾아올게요."

그렇게 작은 어깨가 멀어지려 할 때였다. 솔레르는 본능적으로 수잔을 붙잡았다.

"제, 제가 만들어 드릴까요?"

그에 수잔이 천천히 등을 돌렸다. 한때 남자들의 구애와 여자들의 시기를 못 버티고 극심한 불면증에 시달렸던 솔레르였다. 때문에 그녀는 수잔의 고통을 이해할 수 있었다.

"저도 어릴 적에 불면증이 심했거든요. 아직 배울 게 많기는 해도, 불면증 치료약 정도는 만들 수 있어요."

생각해 보면 수잔의 처지도 그녀와 다를 바 없지 않은가. 여자들은 없는 소문을 지어내 수잔을 험담하고, 남자들은 그런 수잔의 뒷모습을 훔쳐보기 바쁘다. 심지어 수잔은 가족 한 명 없이 혼자였다. 솔레르는 그런 그녀를 돕고 싶었다. 어떻게 말하면 얄팍한 동정심이었다.

"그렇게 해 주신다면야 고맙죠. 그럼 부탁드릴게요, 솔레르 양."

다행히 수잔은 그녀의 제안을 기꺼이 받아들였다. 솔레르는 오늘 저녁을 기약하고 수잔을 돌려보낸 후, 급히 약을 제조하기 시작했다. 환자를 위해서 직접 약을 제조하는 건 처음인지라, 긴장으로 가슴 안쪽이 온종일 떨렸다.

그날을 기점으로 솔레르의 인생이 완전히 뒤바뀌었다.

늦은 저녁, 수잔에게 불면증 치료약을 전해 주기 직전. 내일이 돼서야 찾아올 것 같았던 친우들이 우르르 솔레르의 집을 방문했다. 술에 취했는지 발갛게 달아오른 그들의 낯은 평소보다 몇 배 더 들떠 있었다.

"얘, 솔레르! 너 그 이야기 들었니?"

"페사 자작가에서 한 달 동안 일할 하녀들을 구한대."

귀족 가문에서 고용인을 구한단 소식이 그리 들뜰 일이었을까. 그것도 고작 한 달이지 않은가? 여자들은 어리둥절한 그녀 앞에서 줄지어 입을 열었다.

"한데 이 한 달 일한다는 자리가 참 별거야."

"글쎄, 대단한 혈통의 귀족이 한 달간 페사 저택에서 묵는다더라고."

"억 소리가 나올 정도로 잘생기고 젊은 미남이래. 인어의 비늘처럼 투명한 백금발을 지닌 미남."

"부인과 함께 오지 않은 걸 봐선 미혼인 게 분명해. 그 대단한 귀족을 모시기 위해 한 달 동안만 일할 하녀를 뽑는 거지."

여자들 사이에는 그런 꿈이 있다. 잘생기고 부유하며 로맨틱한 귀족 남자를 만나, 낭만적인 사랑에 빠지는 꿈이. 하나같이 반짝이는 눈을 보아하니 솔레르의 친우들은 모두 그런 꿈에 빠져 있는 듯 했다.

"그렇게 대단한 귀족이라면 페사 저택에서 일하고 있던 베테랑 하녀들이 대접하지 않을까?"

"네 말이 맞아. 하지만 혹시 모르잖아? 무려 한 달이라구. 그 한 달 동안 백금발의 귀족 나리를 한 번 못 뵈겠어?"

봐서 무엇 하려고? 귀족 가문의 하녀들은 태도도 태도지만, 외모도 중요하게 봤다. 그런 곳에 너희가 들어가 봤자 들꽃을 받쳐 주는 잡초밖에 안 될걸.

"우린 모두 그 일에 지원할 생각이야. 봉급도 두 배래. 용돈 벌이인 셈이지. 아마 이 동네 처녀들은 죄다 달려들지 않을까?"

두 배의 봉급이라면 나쁘지 않은 조건이었다. 임시 고용이니만큼 가벼운 잡일만 처리할 게 분명했으니, 그들 말대로 용돈 벌이에 적합해 보였다. 하지만 솔레르는 가업을 이어야 했기 때문에 한 달 동안 약방을 비울 수 없었다. 친우들 역시 그 사실을 알았기에 좋아라하고 알리러 왔을 터였다.

"게다가 페사를 방문했다는 그 귀족이 말이야…"

한 여자가 아주 대단한 비밀이라도 되는 듯 고개를 낮추고 속삭였다.

"우리 같은 사람은 감히 만나 볼 수 없는, 아주 대단한 귀족이라는 거야."

그녀는 무덤덤한 솔레르의 반응을 보고선 두 주먹을 꽉 쥐고 호들갑 떨었다.

"솔레르, 이 바보야! 아직도 모르겠니? 검은매 기사단이 왜 이 시골구석을 지나가겠어?"

"얘는… 확실하지도 않은 걸 알려서 뭐하려구."

옆에 앉은 친우가 솔레르의 눈치를 보며 여자의 어깨를 건드렸다. 솔레르가 알지 말았으면 하는 얼굴이었다. 그 귀족이 누구길래 저런 반응일까. 그러나 솔레르가 묻지 않아도, 잔뜩 흥분한 여자가 알아서 입을 열었다.

"잉고르드 공작이 찾아온 거야, 그 대단한 잉고르드 가문의 가주!"

리히튼 잉고르드 공작. 그 이름이라면 정치에 무관심한 솔레르도 익히 알고 있었다. 서거한 전 황제인 다나한 2세의 이름보다도 더 자주 들려온 이름이었던 까닭이다. 잉고르드 공작이 지닌 권력과 부는 그렌페르크 제국의 최정상에 존재했다. 황위 후계를 앞두고 있던 빌힐름 황자가 돌연 습격을 받게 된 사건도 리히튼 공작의 계략이라는 평이 지배적이었다. 빌힐름 황자가 추락하고 비비안느 황녀의 즉위가 결정된 현 시점에서, 리히튼 잉고르드 공작의 위용은 황제도 부럽지 않았다.

"잉고르드 공작은 바람둥이이지만 아직 미혼이야. 최근에 월 백작 가문의 차녀와 약혼을 앞두고 있었지만 파기됐대."

"황족도 울고 간다는 권력을 지닌 남자잖아. 어디 첩이 대수겠어? 공작의 눈에 들기만 하면 인생 펴는 거라고!"

망상에 젖어 깔깔거리던 여자들은 금세 차분해졌다. 그리고 늘 그래왔듯, 가만히 앉아 있던 솔레르에게 압박을 가하기 시작했다.

"물론 솔레르, 너는… 공부하느라 하녀 일은 생각도 못하겠지만. 그렇지?"

"안타깝다. 솔레르, 너라면 분명 각하의 눈에 들 수 있을 텐데. 하지만 가업을 잇기 위해선 열심히 공부하는 게 옳아. 한 달도 길어."

"너 하나만 보고 사시는 아버지를 생각해야지."

한숨이 나왔다. 그 대단하신 공작 나리의 눈에 너희가 들어오겠어? 너희가 질투해 마지않는 내 얼굴조차 그분의 눈엔 띄지도 않을 텐데. 길가의 돌멩이와 다름없는 너희가 눈에 들어오겠냐구. 물론 마음속으로만 화를 식혔다. 갑작스레 찾아온 친구들은 그렇게 터무니없는 꿈을 가진 후 사라졌다. 그들의 바람이 너무나 허황되게 느껴진 탓일까? 비웃을 기분도 나지 않았다. 그녀는 익숙하게 친구들의 흔적을 치우고 집을 나왔다. 수잔에게 약속했던 불면증 치료약을 전해 줄 시간이었다. 그녀의 집을 방문해 약을 건네자, 수잔이 감사 인사를 건넸다.

"공부하는 중이라 들었는데…. 시간을 할애해 주어서 고마워요, 솔레르 양."

"부작용이 생기면 곧장 찾아오세요. 약을 먹은 후에 잠들어도 그리 개운하지 않을 거예요. 음. 한데 혹시… 심리적으로 스트레스를 많이 받고 있나요?"

잠시 고민하던 수잔이 아무렇지 않은 얼굴로 고개를 저었다.

"아니요. 전혀 없어요."

"없지 않을 거예요. 잘 고민해 보세요, 수잔 양. 그 근원을 알지 못하면 불면증도 치료되지 않을 테니까요."

솔레르의 눈에 수잔은 사연이 많은 여자로 보였다. 아마 그녀뿐만 아니라 영지민 모두가 그리 느끼고 있겠지. 그러니 친구들 사이에서도 이상한 소문이 도는 것일 터였다.

'내가 도와주어야 할까?'

솔레르 본인 역시 불면증을 이겨 냈던 경험이 있지 않은가. 수잔은 여자의 몸으로 낯선 타지에서 혼자 적응해 가고 있었다. 아버지는 수잔을 멀리하라고 하셨지만, 이상하게도 솔레르는 그녀를 무시할 수 없었다. 그때였다. 어디선가 말발굽 소리가 크게 울리더니, 커다란 덩치를 지닌 남자가 그들 곁으로 뛰어왔다.

"…니빌 씨?"

솔레르에게는 낯익은 인물이었다. 페사 가문의 일원이 병을 앓을 때마다, 집까지 찾아와 아버지를 저택까지 모셔가던 남자였기 때문이다.

"아! 마침 솔레르 양도 있군! 잘됐어. 수잔 양과 솔레르 양에게 부탁할 게 있어서 그러는데, 잠시 시간을 빌려도 되겠소?"

솔레르는 어리둥절한 기분으로 수잔을 향해 고개를 돌렸다. 수잔은 별달리 경계하는 기색 없이 니빌과 솔레르를 집 안으로 들였다. 니빌은 수잔이 차를 내오기도 전에 급히 입을 떼었다.

"다름이 아니라… 한 달간 페사 저택에서 일해 줄 수 있나 묻기 위해 찾아왔소."

아무래도 니빌의 용건은 그녀가 친구들에게서 전해 들었던 그 사안인 듯했다. 솔레르가 되물었다.

"혹시 임시로 고용할 하녀를 구한다는 공문을 말씀하시는 건가요?"

"맞소. 높으신 분이 갑작스레 찾아온 터라 이런저런 일로 바쁜 참이오."

"다른 여자들도 많을 텐데 왜 꼭 우리인가요?"

귀족 가문은 고용인을 고용할 때 외모를 중요시 여긴다. 한데 하필이면 찾는 이가 자신과 수잔이라니? 너무나도 뻔한 목적이지 않은가. 솔레르는 표정을 굳히고 되물었다.

"얼굴이 쓸 만해서요?"

그녀는 불쾌함을 느꼈다. 그 대단하다는 귀족 나리에게 페사 영지의 미녀들을 바칠 의도일 게 분명했다. 그러나 니빌은 두 눈을 동그랗게 뜨더니 황급히 손을 내저었다.

"뭐? 하하하! 아니오, 그런 게 아니야…. 솔레르 양에게 부탁하는 이유는, 테너 씨가 자리를 비운 상황에서 솔레르 양이 페사 영지의 유일한 약사이기 때문이오. 그리고 수잔 양에게 부탁하는 까닭은 일전에 귀족가에서 하녀 일을 했던 때가 있다고 들었기 때문이지."

아! 솔레르는 고개를 푹 숙였다.

'세상에, 맞아…. 지금 상황에서 약사라고 할 법한 사람은 나밖에 없구나.'

이렇게 민망할 수가 없었다. 솔레르는 얼굴로 몰리는 열을 손부채질로 식히며 등을 숙여 사과했다.

"죄송해요, 니빌 씨. 제가 억측을…."

"아니오, 괜찮소. 생각해 보니 충분히 의심할 만하오."

크흠. 니빌 역시 겸연쩍었는지, 짧게 헛기침을 했다. 그리고는 곧 솔레르와 수잔에게 재차 부탁했다.

"부탁하오, 솔레르 양. 폐사 영지가 워낙 작아, 만약의 사태에 대응해 줄 수 있는 사람은 솔레르 양밖에 없소. 수잔 양도 마찬가지요. 적어도 두 명의 고용인 자리가 비는데, 이 영지에서 하녀 일을 해 본 여자는 수잔 양밖에 없지 뭐요?"

정말 급한 모양이구나. 솔레르는 힐끔, 수잔의 반응을 살폈다. 이것으로 귀족이 숨겨둔 첩이라느니, 버려진 귀족 가문의 서녀라느니 등은 전부 헛소문이었다는 게 확실해졌다. 수잔을 멀리할 이유가 없어진 것이다.

'하녀 일을 했었다니. 생각보다 굉장히 평범했구나.'

그렇다면 과연 무엇이 저 여자를 잠 못 들게 하는 걸까? 순간, 수잔과 눈이 마주쳤다. 솔레르는 자신이 그녀를 빤히 보고 있었음을 인지하고 급히 시선을 돌렸다.

'지, 지금 일에만 집중하자.'

아버지는 집을 비우셨으므로, 이번 일은 혼자서 결정해야 했다. 지체 높은 귀족의 건강을 책임지는 건 몹시 위험한 일이었다. 그만큼 보상이 크다고 하더라도, 솔레르는 아직 배우는 처지이지 않은가? 귀인의 몸에 해라도 입히게 되면 무슨 벌을 받게 될지 몰랐다.

"한데 그 귀인이란 분이 누군가요?"

그녀가 고민하는 사이 수잔이 니빌에게 물었다. 니빌은 두 눈을 날카롭게 뜨고 주변을 살피다가 조심스럽게 입을 열었다.

"리히튼 잉고르드 공작 각하요."

그 소문이 사실이었구나.

"노파심에 말해 두는데, 수잔 양이 직접 그분을 모실 필요는 없소. 각하는 우리 저택의 하녀가 모실 테니 수잔 양은 빈자리만 한 달간 메꾸어 주면 되는 거요."

하지만 솔레르는 직접 공작을 치료해야 했다.

'그렇다면 더더욱 제안을 거절해야겠네.'

상대는 무려 비비안느 황녀를 황위에 올린 인물이었다. 잘못 엮이면 삼대가 복을 내놓아야 할 수도 있었다. 거절하기 직전, 솔레르는 수잔을 힐긋 훔쳐봤다. 불안함 때문일까? 그녀보다 조금 더 연상으로 보이는 수잔이 어떤 결정을 내릴지 궁금했다.

'…어?'

수잔은, 두 손에 얼굴을 묻고 있었다. 조금의 미동도 없이. 당황한 솔레르와 니빌이 서로를 바라보며 조용히 입을 다물었다. 그 상태로 꽤 긴 시간이 지났다. 다시 고개를 든 수잔의 표정은 이전과 동일했다. 다소 피곤해 보이는 낯과 가라앉은 눈매 그대로였다는 뜻이다. 달라진 점이 있다면… 무언가 다짐한 듯, 푹 꺼져 있던 눈빛이 결연하게 빛났다.

"좋아요, 할게요."

솔레르는 당황했다. 제안을 받아들이겠다고?

'그러고 보니 수잔 양은 나와 달리 손해 볼 게 없구나!'

이윽고 모두의 눈이 솔레르에게로 향했다. 니빌의 시선은 더없이 간절했다. 멍하니 입을 벌리고 있던 솔레르는 자신도 모르게 고개를 끄덕였다.

"저, 저도 할게요."

말한 직후 얼마나 후회했는지 모른다.

'다시 안 된다고 말할까? 말해야겠지?'

고민의 고민을 거듭한 끝에, 솔레르는 수잔의 집을 나서며 니빌에게 다가 갔다. 미안하지만 결정을 물러야겠다고 말하려던 참이었다. 그러나 니빌은 쏜살같이 달려 나가 말을 타곤 사라져 버렸다. 아무래도 거절하려는 솔레르 의 낌새를 눈치챈 모양이었다.

이튿날. 솔레르는 결국 이른 아침부터 집 앞에 대기하고 있는 페사 가 문의 마차를 타고 들어가야 했다. 저택 안은 조용하면서도 소란스러웠다. 한겨울임에도 정원사들이 달라붙어 나무와 땅을 손보고 있었다. 어쩐지 그녀를 데리러 온 마부도 평소보다 훨씬 더 단정한 차림인 것처럼 느껴졌 다.

'수잔 양은 이미 도착했을까?'

지난 새벽에는 결국 한숨도 자지 못했다. 고민 끝에, 솔레르는 다가올 한 달을 기회라 여기기로 마음먹었다. 고작 한 달뿐이라지만 고위 귀족의 약사 가 되는 것이 아닌가? 남은 평생 동안 다신 오지 않을 경험일 터였다.

"어서 오십시오, 솔레르 아가씨."

"오랜만이에요."

솔레르는 시종을 따라 저택 안쪽으로 깊숙이 들어갔다. 그녀는 본관에서 오 분가량을 더 이동해야 나오는 오랜 고택으로 안내받았다. 본래 잉고르드 공작쯤 되면 본관에서 대접받으며 지내야 함이 옳다. 한데 공작은 어째서 이런 누추한 고택을 선택한 것일까?

"그런데 저는 어디로 가는 건가요?"

삐걱거리는 나무 계단을 밟으며, 솔레르가 시종에게 물었다. 본래 약사는 일이 생겨야 불려 오기 때문이다.

"리히튼 잉고르드 공작 각하께서 기다리십니다."

그 대답에 솔레르는 심장이 멈출 뻔했다.

'내가 잉고르드 공작을 만나다니….'

무려 그 리히튼 잉고르드였다. 다나한 2세가 버린 자식이나 다름없던 비비안느 황녀를 황위에 앉힌, 그렌페르크 제국의 실세. 항간에는 살인귀라는 소문이 돌기도 했으나, 아버지께서는 '대개 그 정도의 권력을 지닌 귀족에겐 그런 악평이 뒤따르기 마련'이라고 말씀하셨다. 그래서인지 솔레르는 공작이 무섭기보다 과연 어떤 존재일지 궁금했다.

"한데 공작 각하씩이나 되시는 분이 어찌 저를…."

"아무나 그분의 약사가 될 수 없는 까닭입니다."

물음에 대한 응답은 시종이 아닌 다른 이에게 들렸다. 목소리의 주인은 대여섯 발자국 긴니편에 등을 곧게 편 채 서 있었나. 매서운 인상은 아니었으나, 어쩐지 함부로 대할 수 없는 품위가 풍기는 남자였다. 누구일까. 그는 조심스럽게 다가온 솔레르에게 자신을 소개했다.

"만나서 반갑습니다, 솔레르 그룩 양. 저는 리히튼 잉고르드 공작 각하를 모시는 베르크네라고 합니다."

솔레르는 말없이 놀랐다. 리히튼 공작을 따라올 정도면 최측근이라는 뜻일 텐데, 그녀의 눈에 비친 베르크네는 너무나 젊었다.

"안녕하세요, 베르크네 씨. 편하게 솔레르라고 불러 주세요."

"그러지요. 긴장하실 필요 없습니다, 솔레르 양. 각하께서는 솔레르 양과 가벼운 대화 몇 마디만 나눈 후 돌려보내실 겁니다."

그 대화 몇 마디 때문에 입 안의 침이 다 마를 지경이었다. 베르크네는 솔레르가 마음의 준비를 하기도 전에 벌컥 문을 열었다. 솔레르는 비명을 삼키며 베르크네의 뒤를 따라 들어갔다. 급하게 방 안을 꾸몄는지 확실히 저택의 외관과 통로에 비해선 방의 내부가 고상했다. 솔레르는 몸을 낮추고

한 발 한 발 조심스럽게 걸음을 옮겼다.

"각하. 약사 솔레르 그록 양을 데려왔습니다."

그녀가 리히튼 잉고르드 공작을 만난 첫 감상은 단출했다.

'고요해.'

공작은 마치, 파문 하나 없이 잔잔한 가을 끝자락의 호수와도 같았다. 그는 숨을 쉬지 않는 듯했다. 인형처럼 아름답다는 뜻이기도 했으나, 생기라고 할 것이 느껴지지 않았기 때문이다. 그렇다고 시체처럼 보이지는 않았다. 그랬기에 남자를 호수라고 표현한 것이었다. 공작에게서는 보는 것만으론 깊이를 알 수 없는 안개 같은 분위기가 존재했다. 한마디로 말하자면 리히튼 공작은 다가가는 것조차 몹시 버거운 인물이었다.

"안녕하세요, 각하. 저는 솔레르 그록입니다. 아직 견습에 불과하나, 페사 영지의 유일한 의원인 아버지께서 자리를 비우셨기에 제가 오게 되었습니다. 해가 가지 않도록 최선을 다해 보필하겠습니다."

목소리가 떨리지는 않았을까? 말은 제대로 나온 걸까? 솔레르는 고개를 땅에 박은 채 덜덜 떨었다. 공작의 대답을 기다리는 일 초가 한 시간처럼 느껴졌다.

"생각보다 더 어리군."

들려오는 공작의 음성은 분위기만큼이나 차분했다. 솔레르는 천천히 고개를 들었다. 공작은 창가에 기댄 채 그녀를 바라보고 있었다.

"견습이라 했는데, 환자를 위해서 약을 제조한 적은 있나?"

솔직하게 대답하는 것이 차후를 위해 좋을 거라 생각했다.

"최근에 한 번 있습니다."

"누구에게, 무슨 일로?"

얼마나 세세하게 설명해야 하나 고민하다가, 아는 대로 전부 고했다.

"분수 광장 북쪽의 노란 지붕에 수잔이라는 여자가 사는데, 그 여자의 불면증 치료약을 제조했었습니다."

착각이 아니라면 순간 방 안의 공기가 차갑게 얼어붙은 듯했다. 그녀의 눈을 응시하고 있던 공작이 시선을 느릿하게 창밖으로 돌렸다. 그에 솔레르는 눈치를 살폈다. 조심한다고 조심했는데, 무언가 실수를 했던 걸까? 엎친 데 덮친 격으로 베르크네가 조용히 방을 나갔다. 당황한 솔레르는 깊게 숨을 들이 쉬었다. 공직과 독대하려니 인 그래도 답답했던 숨이 이제는 꽉 막힌 것만 같았다. 오랜 적막 끝에 공작이 입을 열었다.

"수잔이라는 여자가 어떤 사람인지 궁금한데. 그녀에 대해 설명해 줄 수 있겠는가?"

처음에는 별걸 다 묻는구나 싶었지만, 이내 곧 생각을 바꾸었다.

'혹시… 내 긴장을 덜어 주려는 호의인가?'

그리 여기니 무서웠던 가슴이 조금이나마 가벼워지는 기분이 들었다. 솔레르는 숨을 들이마시고 최대한 말을 고르며 대답했다.

"그녀는 한 달하고도 보름 전에 폐사에 정착했습니다. 진한 적발에 녹안을 지녔는데, 근방에 사는 영지민 중에서 가장 하얀 피부를 지녔습니다. 몸은 가녀리지만 자세가 좋아 허약한 느낌은 아닙니다."

이런 식으로 설명하는 게 맞는 걸까 하는 마음으로 리히튼 공작을 바라봤다. 그는 창밖으로 시선을 고정한 채 묵묵히 솔레르의 말을 듣고 있었다. 적어도 실수하고 있는 것 같지는 않은 듯했다. 솔레르는 말을 이었다.

"저와도 그렇고, 주위 사람들과 그렇다 할 교류가 없는 터라 찾아왔을 때 많이 놀랐습니다. 불면증 치료약을 요구했는데, 앞서 말씀드렸듯이 아버지께서 자리를 비우셨기 때문에 제가 대신 제조하게 되었습니다. 불면증이 얼마나 고통스러운지 알기에 도움을 주고 싶은 마음에서요."

마땅한 반응이랄 것 없이, 그녀가 선 방은 두 번째 침묵에 휩싸였다. 이것으로 부족한 건가. 억지로라도 말을 이으려던 솔레르에게 리히튼 공작이 한 박자 늦게 물었다.

"그녀는 어떠한 이유로 불면증을 앓았지?"

바람에 흔들리는 낙엽처럼 메마르고 건조한 목소리였다.

"물어봤으나 그녀 스스로도 이유를 모르는 듯 했습니다."

"얼마나 겪은 것처럼 보였나?"

"정확히 얼마나 앓았는지는 모르지만, 보통 불면증 때문에 찾아오는 환자들은 장기간 불면증으로 고통 받은 환자들입니다."

어째서인지, 수잔의 보호자에게 수잔이 겪는 증상을 고하는 기분이다. 리히튼 공작은 예상했던 것보다 훨씬 다정한 사람일 수도. 솔레르는 자신도 모르게 공작의 옆얼굴로 고정되는 제 시선을 바닥으로 내렸다.

"그녀와 교류하는 이가 딱히 없다고 했던 것 같은데."

"예."

"나는 앞으로 한 달 동안 페사에서 지낼 예정이나, 따로 솔레르 양을 부르게 될 날은 없을 거다. 병치레로 고생할 일이 없을 테니까."

확신하는 투였다. 그렇다면야 솔레르의 입장에선 감읍할 일이었다. 평소처럼 공부하면서 거액의 용돈 벌이를 할 수 있을 테니까.

"그러나 가능하다면 그 한 달 동안 이 저택에서 지내 주었으면 하는군."

"아…."

공작은 그녀에게 마치 명령하듯 제안했다.

"봉급은 열 배로 올리도록 하지. 가능하겠나?"

하녀 봉급의 열 배. 그야말로 입이 떡 벌어지는 숫자였다. 여자 한 명이 귀족가에서 일 년을 일해야 벌 수 있는 봉급이지 않은가. 무슨 연유에서일까? 무슨 연유로 내게 이리 잘해 주는 거지? 아닌 척하려 해도, 숨겨지지 않는 기대가 자꾸만 솔레르의 머릿속을 헤집었다. 흥분에 도취되어 있던 친구들의 목소리가 그녀의 귓등을 후려쳤다.

'잉고르드 공작은 바람둥이지만 아직 미혼이야.'

'황족도 울고 간다는 권력을 지닌 남자잖아. 첩이 어디 대수겠어? 공작의 눈에 들기만 하면 인생 펴는 거라고!'

'안타깝다. 솔레르 너라면 분명 공작 각하의 눈에 들 수 있을 텐데.'

아, 아니야. 이럴 때일수록 헛된 생각 말고 정신 차려야 했다. 이제껏 친구들의 헛된 망상을 비웃어 온 게 바로 그녀였다. 니는 그 애들과 달라. 솔레르는 스스로에게 현실을 직시해야 한다며 다독였다.

"예, 알겠습니다."

"시종에게 마차를 부탁해 두지. 아래에서 기다리도록."

그것으로 리히튼 공작과의 독대는 끝났다. 워낙 긴장하고 있었던 터라 어떤 대화가 오갔었는지 제대로 기억나지 않았다. 솔레르는 멍하니 저택을 나왔다. 아무래도 집으로 돌아가 짐을 조금 옮겨야 할 듯싶었다. 그때, 저 멀리 익숙한 적발의 여자가 보였다. 흔들림 없이 곧게 걷는 걸음의 주인은 수잔이 분명했다.

"수잔 양!"

걸음을 멈춘 수잔이 천천히 솔레르에게로 몸을 돌렸다. 그녀는 평소와 다름없는 모습이었다.

"지쳐 보이네요, 솔레르 양. 무슨 일 있었나요?"

"그, 그런가요? 리히튼 공작 각하를 만나 뵙느라 긴장해서 그런가 봐요."

말하면서도 자랑하는 투처럼 들리지 않았을까, 걱정했다. 수잔의 반응이 무덤덤한 걸 봐선 잘 숨긴 듯했다.

"미안해요, 수잔. 공작 각하께서 제게 이것저것 물으셨는데, 어쩌다 보니 수잔의 이야기도 나와서요. 당신의 불면증에 대해서 알려 드려야 했어요."

"신경 쓰지 마요. 그 정도는 상관없으니까."

정말로 상관하지 않는 얼굴이었다. 솔레르는 이상하게 애가 탔다. 그래서

인지 굳이 알리려 하지 않았던 이야기들까지 입에 담고 말았다.

"또…. 저 이곳에서 한 달간 지내게 됐어요. 각하께서 제안하셨거든요. 그러니 아픈 곳이 생기면 바로 찾아오세요."

이번에는 어떻게 반응할까? 솔레르는 기묘한 기대감을 갖고 수잔을 뚫어져라 쳐다봤다.

"당신은 참 상냥하군요. 그럴게요."

하지만 돌아온 건 맥 빠지는 반응이 전부였다. 그녀가 무어라 더 입을 열기도 전에, 수잔은 등을 돌렸다. 솔레르는 마차가 도착하기 전까지 그녀의 뒷모습을 조용히 응시했다. 괜스레 자신의 행동이 부끄럽게 느껴졌다.

Episode 18.
페사

페사 자작 가문은 내가 하녀로서 세 번째로 일하게 된 귀족 가문이다.

트리비아체 가문에서 일할 때만 해도 하녀 일을 이리도 오래 하게 될 줄은 몰랐다. 이 정도면 내 천직은 하녀 일이 아니었을까, 싶을 정도였다. 분위기로 치자면 페사 가문은 일하기에 가장 편한 곳이었다. 나쁘게 말해서 고용인들이 대체로 게을렀다는 의미다. 니빌을 제외하면 하녀장도 집사도, 모두 적당하게만 일하는 느낌이었다.

그래도 나는 페사가 퍽 마음에 들었다. 연고가 없는 탓에 집 밖을 나서면 뒤따라오는 시선과 말들도 적잖았지만, 그마저도 나쁘지 않았다. 이곳에서 살아가는 시간들은 내게 마치 한낮의 신기루처럼 느껴졌다. 아주 오랜만에 느껴보는 평화로움이었다.

'두 달이 지나서야 이곳에 익숙해진 건가?'

처음부터 페사가 살 만한 땅이라고 느꼈던 건 아니다. 페사는 황성에서 일주일가량을 멈추지 않고 달려온 곳이었다. 중간에 말과 마부가 정확히 두 번 바뀌었다. 식사는 마차 안에서 해결했지만 목욕은 당연히 꿈도 못 꾸었다.

나는 현금만 잔뜩 챙긴 거지꼴이 되어서 폐사에 처음으로 도착했다. 그리고 일주일은 노란 지붕 집에서 시체처럼 지냈다. 남은 식료와 물을 이용해 말 그대로 생을 연명하기만 했다. 하루하루 몸에 생기가 빠져 가는 게 느껴졌다. 그럼에도 나는 아무런 행동도 하지 않았다. 복수라는 목적이 배제된 삶이란, 내게 너무나 낯선 시간이었다.

'이보시오. 당신은 이곳에 죽으러 온 거요?'

절대 열리지 않을 것 같았던 문이 처음으로 열린 건, 일주일에서 사흘이 더 흐른 뒤였다.

'폐사를 당신의 무덤으로 택한 거면 말리지 않겠소. 하지만 적어도 이 집이 아닌 저 뒷산에서 소리 없이 죽었으면 하는군. 폐사의 사람들은 오랜 시간 평화롭게 살아온 터라, 당신 같은 젊은 여자의 죽음은 여러모로 안 좋은 영향만 끼칠 거요.'

그렇게 말한 남자는 바닥에 널브러진 내 어깨 옆으로 작은 바구니를 놓고 나갔다. 머리가 아찔해질 정도로 황홀한 냄새가 코를 찔렀다. 남자가 가져온, 갓 지은 빵의 냄새였다. 나는 남자가 놓고 간 빵과 우유를 미친 듯이 입 안으로 쑤셔 넣었다. 눈과 머리가 맑아졌지만 잠시의 일이었다. 나는 다시 바퀴벌레처럼 하루하루를 연명했다. 남자는 그로부터 이틀 후에도 나를 찾아왔다.

'이보시오. 아직도 그러고 있는 거요? 처자의 젊음이 아깝군. 당신의 옆집에 사는 노인은 일흔이 되어서도 먹고 살기 위해 밭을 가꾸는데 말이지.'

그 다음의 다음날도.

'오늘은 말린 과일을 좀 가져왔소. 물이나 우유에 띄워 마시면 먹을 만하지.'

그 다음의 다음의 다음날도.

'내 이름은 니빌이요. 아가씨의 이름은 뭐요? 아니지, 일단 좀 씻읍시다. 마구간 냄새가 다 나는군.'

정신을 차렸을 때, 나는 거지꼴에서 탈피하고 사람 모습을 하고 있었다. 그때부터 나는 조금씩 몸을 움직였다. 남자가 빗자루를 놓고 가면 가구 밑을 쓸었고 걸레를 두고 가면 바닥을 닦았다. 그것만으로도 사나흘이 눈 깜짝할 새 훌쩍 흘렀다. 내 말동무는 옆집에 사는 노인과 니빌이 전부였다. 그들은 이틀에 한 번씩 돌아가며 날 찾아와 시답잖은 대화를 하고 사라졌다.

'수잔 양은 몇 살이오?'

'스물은 넘었지만 서른은 안 됐어요.'

'나는 몇 살처럼 보이오?'

'서른은 넘었으나 마흔은 안 되어 보이네요.'

'무슨 일을 하다 왔소?'

'하녀 일을 했어요.'

'어쩌다 이곳까지 오게 된 거요?'

'살려고 발버둥 치다 보니 여기까지 오게 됐네요.'

니빌은 커다란 손으로 내 어깨를 두들기며 말했다.

'나는 페사 가문의 일원이고, 따라서 페사의 사람들은 내 가족이나 마찬가지요. 내가 당신을 도우겠소. 그러니 앞으로도 발버둥 치며 잘 살아 보시오.'

그날부터 니빌의 방문은 뜸해졌다. 대신 그는 장정을 불러 내 집의 보수를 도왔다. 덕분에 내 집은 사람이 살 만한 곳이 되었다.

그렇게 며칠이 흘렀을까? 얼마 지나지 않아 집에 커다란 나무 상자가 도착했다. 못으로 단단하게 밀봉되어 안의 물건을 확인하는 데만 반나절이 걸렸다. 내게 도착한 건 다름 아닌 발레리아의 머리가 든 유리병이었다. 황성에서 급히 도망치느라 미처 데려오지 못했었는데.

'드디어 그 좁은 유리병에서 나올 수 있겠어. 다행이지 않니?'

다음날 오전에 유리병을 들고 뒷산에 올랐다. 서너 시간 동안 흙길을 따라 올라 푸른 새싹이 돋기 시작한 너른 초원에 도착했다. 나는 그곳에 발레리아의 머리를 묻었다. 완전히 묻고 나자 모든 것이 허무하게 느껴졌다. 그래도 어찌할 도리가 없었다. 나는 살기 위해서 황성을 나오지 않았는가. 발레리아의 머리를 보내 준 이가 리히튼인지, 비비안느인지, 모리타트인지는 모를 일이었으나, 고맙다는 말을 전하고 싶었다.

그날 이후부터는 조금씩 안정을 되찾았다. 다만, 늦은 밤마다 머릿속을 지배하는 리히튼의 생각을 떨쳐낼 수 없었다. 마지막 날 보았던 그의 불안한 시선과 체념한 듯 어두운 낯이 망막에 맺혀 아른거렸다. 사막처럼 삭막하던 목소리가 귓가에서 떠나지 않았다.

비비안느가 아닌 리히튼을 찾아갔더라면 지금과는 조금 달랐을까? 분명히 달랐겠지. 후회도 많이 했다. 그와의 관계가 어찌 변할지 몰라 두려워서 도망친 내가 몹시 한심하게 느껴졌다.

리히튼이 보고 싶었다. 시간이 흐를수록 그를 향한 감정이 옅어지기는커녕 점차 강해지고 있었다. 그를 생각하느라 며칠 내리 밤잠을 설쳐서 불면증이 생겼다. 한데 리히튼은 더 멀어지지 않고 한 발자국 앞으로 다가왔다. 리히튼이 어떤 생각으로 폐사를 방문했는지는 모른다. 어쩌면 우연의 우연일 수도 있었고, 고의적으로 날 찾아온 것일 수도 있었다. 아니, 아무리 고민해도 후자가 맞았다.

'날 이곳에 보낸 게 비비안느니까 리히튼이 모를 수 없어.'

하지만… 하지만 혹시 모르니까.

"하아."

이래서 리히튼의 일로 고민하면 나만 힘들어진다. 근시일 내 이 욕심을 이겨내지 못하고 리히튼의 방을 쳐들어갈 수도 있을 거라고 생각했다. 아마, 못 그럴 확률이 더 높지만.

"오늘은 리히튼 각하께서도 본관에서 저녁 식사를 하실 겁니다."

이른 오전. 일과를 앞둔 하녀장의 말에 고용인들이 웅성거리기 시작했다. 그녀 역시 리히튼의 방문에 긴장했는지 말하는 동안 짧은 한숨을 여러 번 내쉬었다.

"때문에 점심 이후부터는 식사를 준비하느라 매우 바쁠 거예요. 다들 정신 똑바로 차리세요. 작은 실수 하나라도 용납하지 못합니다."

"예."

고용인들의 얼굴이 긴장으로 굳었다. 나는 그들 틈 사이에 껴 대충 아침을 먹고 청소를 시작했다.

오늘은 페사 가문에서 일한 지 사흘이 되는 날이었다. 그동안 단 한 번도 리히튼을 만나지 못했다. 그가 내 존재를 모른다고 생각하지는 않았지만, 리히튼은 사흘 동안 저택 외곽의 정원에서 나온 적이 없었다. 정말 이곳에서 묵고 있기는 한가 의심될 정도였다.

"아가씨와 도련님이 무척 들뜨신 것 같아요."

잡생각을 떨치기 위해 한참 공들여 계단을 닦던 때였다. 페사에서 오래 일한 하녀가 내게 다가와 말했다. 나는 부드럽게 웃으며 대답했다.

"저라도 그럴 거예요. 그렇게 대단하신 분을 뵐 기회는 많지 않으니까."

"오늘 저녁이 되면 페사 부인이 아가씨를 각하 앞에 내보이느라 기를 쓰실 걸요?"

"혹시 모르죠. 아가씨의 미모와 심성이 워낙 고우시니 각하와 잘될 수도…."

그렇게 마음에도 없는 소릴 하다보면 어느새 점심이 훌쩍 지나 있었다. 이제부터는 식탁이 부러질 만큼 화려한 저녁 식사를 준비해야 했기에 상당히 바쁠 터였다. 특히나 고용인들의 수도 적은 페사에서 누가 무슨 일을 맡느냐는 중요하지 않았다. 일이 떨어지면 쉬고, 생기면 누군가가 당장 나설 뿐이었다.

"여기! 누가 도련님께 차를 가져다 줘!"

때문에 나는 엉겁결에 티 트레이를 끌고 주방을 나와야 했다. 마침 손이 비어 있던 사람이 나밖에 없었던 탓이다. 잡일만 했지, 시중을 드는 건 처음이었다. 나는 페사 가문의 장남이 기다리고 있다는 응접실을 향해서 조심스럽게 발을 디뎠다.

"…그때 비비안느 전하를 뵙고 다짐했습니다. 부끄럽지 않은 사람이 되어 그분의 방패가 되어 드리겠다고!"

응접실은 아담하고 따스했다. 페사의 도련님은 누군지 모를 남자와 이야기를 나누고 있었다. 정확히는 혼자 떠드는 것에 가까웠다. 도련님의 맞은편 소파에 앉은 남자는 흰 종이에 말없이 무언가를 그리고 있었다. 나는 그들의 뒤쪽에 위치한 테이블에서 조용히 차를 준비하기 시작했다. 도련님은 무언가에 잔뜩 심취해 남자에게 일장연설을 펼치는 듯했다. 잠시 후, 남자의 고개가 살짝 창가로 돌아갔다. 보이는 것은 옆선에 불과했으나, 나는 단번에 알아챌 수 있었다. 남자는 다름 아닌 리히튼이었다.

'아….'

심장이 미친 듯이 뛰기 시작했다. 당연한 소리였지만, 그는 나의 존재를 전혀 눈치채지 못한 상태였다.

"제게도 그런 기회가 생길까요, 각하?"

"그거야 본인만이 알겠지. 내가 그대의 기회까지 두고 볼 순 없는 노릇이니까."

담담한 리히튼의 대답에 페사 가문의 도련님이 민망하다는 듯 얼굴을 붉혔다.

"각하께서는 항상 옳은 말씀만 하셔서 제가 참 부끄러워지네요."

나는 차를 따르면서 리히튼이 그리는 그림을 힐끔 살폈다. 그가 쥔 연필이 그려내는 선은 상당히 유려했다. 마치 낙서라도 하듯 가벼운 획이었으나, 한데 모이니 훌륭한 화병을 완성시켰다. 그런 와중에도 도련님의 순수한 호기심과 호기가 든 질문을 무시하지 않고 대답했다. 도련님이 말을 이었다.

"검은매 기사단의 그 대단한 킨 경이 가문의 명예를 되찾았다는 소식을 들었습니다. 억울하게 눈 감은 전 캐롤드 후작의 숙원이 드디어 풀렸군요. 모두 각하의 노고라고 칭송합니다."

"익히 알고 있었다는 듯한 어투처럼 들리는군."

"캐롤드처럼 명망 있는 가문이 갑작스레 명을 달리하는 경우는 무척 드물지 않습니까? 아버지께서 말씀하셨습니다. 반역죄는 마치 흐르는 물 같아서, 원하는 틀에 쉬이 끼워 맞출 수 있다고요."

킨이 살았구나. 찻잔에 차를 따르는 손이 부들부들 떨렸다. 나를 대신해 황족 시해 혐의를 뒤집어썼음에도, 살아남아서 멸문했던 가문까지 일으켰다. 도련님이 말했듯, 이 모든 게 리히튼의 은혜임이 분명했다.

'그리고 언젠가는… 캐롤드로 돌아와 줘.'

킨. 정말 그런 날이 올 수 있는 걸까? …정말로?

"경솔해. 자네의 아버지가 다른 말은 안 했나? 그런 경솔한 발언은 쉬이 입에 담는 것이 아니라고."

리히튼의 지적에 도련님이 멋쩍게 웃었다.

"하하. 예에…. 각하를 뵈어서 그런가, 제가 너무 들뜬 모양입니다."

"이해하네."

리히튼의 목소리와 어조는 몹시 평화롭게 보였다. 폐사의 고즈넉한 공기에 알맞은 평온함이었다. 하지만 나는 보이는 것이 전부가 아니라는 것을 안다. 그에게선 외나무다리를 한 발로 오른 것처럼 불안한 위태로움이 느껴졌다. 잉고르드와 황성에서 보였던 그의 예민하거나, 우울하거나, 진흙탕에 머리를 박고 숨 쉬는 듯한 분위기는 더 이상 느껴지지 않았음에도. 그럼에도 리히튼은 무언가 어긋나 보였다.

'사람들 앞에서 속내를 숨기는 게 정말 능숙하구나.'

그 사실이 내 마음을 더없이 무겁게 만들었다. 보이지 않는 리히튼의 얼굴이 궁금했다. 그는 지금 무슨 표정을 하고 있을까?

"아, 차를 이리로 줘! 내가 직접 각하께 드리지."

그리 말하며 달려오는 도련님의 얼굴이 완연한 행복으로 젖어 있었다. 리히튼을 향한 그의 호의와 경애는 꾸며진 것이 아니었다. 그는 진정으로 리히튼을 존중했고, 그 마음을 숨기고 싶어 하지 않았다.

'리히튼이 대단한 남자이기는 해.'

보통 대단한 게 아니라, 몹시 대단한 남자야. 리히튼은 마지막까지 고개를 돌리지 않았고, 할 일을 마친 나는 방을 나왔다.

'어쩐지 아쉽다.'

아쉬웠지만 억지로 그를 아는 체하고 싶지 않았다. 아직 한 달이라는 시간이 남기도 했고….

'어쩌면 리히튼은 내가 도망갔다는 사실만으로 만족할 수도 있어.'

그와 나는 닮았다. 긴 시간 염원해 온 숙원이란, 삶을 잇는 원동력인 동시에 삶을 망쳐 버리는 주범이다. 우리는 그 숙원을 이루기 위해 살아왔다는 점에서 쌍둥이처럼 닮아 있었다. 나는 복수를 위해 살았고, 그 복수를 끝마친 후에는 허무함을 못 이겨 자살했다. 리히튼도 마찬가지였다. 그는 나를 살리기 위해 살아왔다. 그것이 리히튼의 숙원이었으니까.

"누구, 손 남는 사람 있어? 저택 뒤편에 가서 솔레르 양을 모셔 와야 해. 부인께서 긴장이 심하신지 복통을 호소하셔!"

"제가 갈게요."

"아, 수잔. 그래… 너라면 안심이지. 부탁할게."

나는 빌힐름을 죽이고 황성에서 도망쳤다. 길고 긴 시간을 건너, 리히튼의 숙원이 결국 이루어진 것이다. 내가 황성에서 도망친 그날. 리히튼이 어떠한 감정을 느꼈을지 감히 공감할 수 있을 것 같았다. 티 트레이를 놓고 주방을 벗어나며 깊게 한숨을 내쉬었다.

'내가 리히튼을 망쳤어.'

리히튼은 나를 증오한다. 그건 애증에 가까웠다. 나는 빌힐름을 통해서 애증이란 것이 사람을 얼마나 갉아먹는지 배웠다. 상대방이 살아도 괴롭고, 죽어도 괴로운 것이 바로 애증이었다. 두 달 반을 페사에서 지내며, 나는 뒤늦게나마 이 괴로움에서 벗어나는 방법이 없다는 것을 인정했다. 내 스스로를 돌아볼 수 있게 된 것이다.

'리히튼도 그럴 거야. 우리는 닮았으니까.'

내가 곁에 있으면 그는 평생을 괴로워하며 살겠지만⋯ 내가 떠나면, 그 괴로움을 인정하고 스스로를 위한 삶을 살게 되겠지. 부디 그러기를 바랐다. 내가 없는 세상에서, 리히튼이 자신을 위한 시간을 살아가길 바랐다. 어쩌면 나를 영영 잊게 된다 하더라도.

"수잔?"

솔레르는 본관 뒤쪽에 마련해 둔 약방에서 커다란 책을 펼친 채 공부하고 있었다. 나는 그녀에게 페사 부인이 아프다는 사정을 전하고 함께 본관으로 향했다. 솔레르는 페사 저택 밖에서 봤을 때보다 훨씬 혈색이 좋아 보였다.

"불면증은 어때요, 수잔?"

그녀는 하루걸러 한 번씩 나의 건강을 확인했다. 아무래도 나를 자신이 돌봐야 하는 환자로 인식한 것 같았다.

"많이 나아졌어요."

"다행이에요. 확실히 이곳에 온 후 수잔의 안색이 좋아진 것 같아요."

그녀의 말에 동의한다. 나는 머릿속에서 끊임없이 날 괴롭히던 리히튼이 눈앞에 존재한다는 사실만으로 불면증에서 벗어날 수 있었다.

"몸이 피곤한데 불면증이 무슨 소용이겠어요. 머릿속이 복잡할 땐 몸을 움직이는 게 최고인가 봐요."

고개를 끄덕인 솔레르가 조심스레 나를 불렀다.

"저어, 수잔."

"네."

"혹시 별관에서 일할 생각은 없나요?"

갑작스러운 제의였다.

"생각이 있고 말고를 떠나서, 그런 건 제가 결정할 사안이 아니에요."

"아니요, 아무래도… 가능할 것 같아요."

"가능하다니요?"

"제가 하루 종일 공부만 하는 모습이 리히튼 각하의 눈에는 무료하게 보였나 봐요. 저번에 수잔을 언급했던 걸 기억하고 계셨는지, 원한다면 별관으로 데려오라고 하셨어요."

솔레르의 말은 나를 다소 혼란스럽게 만들었기에, 되묻지 않을 수 없었다.

"나를요?"

"네. 하녀장께 먼저 여쭈었었는데, 수잔은 일도 깔끔하게 잘하니 문제없을 거라고 허락하셨어요. 그러니까…. 수잔만 괜찮다면 별관에서 일했으면 해요."

리히튼이 내가 이곳에 있다는 걸 모른다고 생각되지는 않았다.

'나를 만나고 싶다는 의미인가?'

그간 단 한 번도 나를 찾아오지 않았던 그였다. 게다가 내가 페사 저택까지 와 리히튼을 만나게 된 일은 완벽한 우연에 불과했다. 이런 식으로 나를 부르고, 그 사실을 숨기지 않는다는 건….

'그에게 나의 존재가 이제는 이 정도밖에 되지 않는다는 뜻일까.'

가슴 안쪽이 아팠다. 머리는 다행이라고 여기는 게 분명한데. 마음은 정반대인 듯했다.

"조금 생각해 볼게요."

나의 대답에 솔레르가 환한 웃음을 지었다.

"부담스러운 마음 이해해요. 하지만 리히튼 각하는 생각하는 것만큼 강압적이고 무서운 분이 아니에요. 오히려 아랫것들의 마음을 이해해 주시는, 굉장히 자비로우신 분이죠. 기다리고 있을게요."

리히튼은 자비로운 게 아니라 다른 일에 관심을 두지 않는 것에 불과하다. 솔레르에게 그런 제안을 한 이유도 한 번쯤 나를 만나려는 의도일 테니까.

"이해해 줘서 고마워요."

그날 밤, 페사 저택은 영주 가족의 화목하고 즐거운 웃음으로 가득했다. 나는 페사의 활기찬 분위기 속에서 꾸역꾸역 눈을 감아 겨우 잠들었다.

리히튼과는 생각보다 훨씬 더 자주 마주쳤다. 그와 눈이 마주쳤다는 의미는 아니고, 그의 뒤에서 하녀로서 은근하게 도울 일이 잦았다는 뜻이다. 페사의 장녀는 시 낭송을 즐겼는데, 요즘처럼 추위가 가시고 햇빛이 내리쬐는 날이면 정원에 가족을 불러 시를 낭송하곤 했다. 그 자리에는 리히튼과 솔레르도 늘 함께였다. 하녀장은 리히튼이 함께 하는 자리엔 신중하고 꼼꼼한 하녀들을 보냈는데, 그 하녀들에는 나도 포함되어 있었다.

"수잔, 이번에 네가 추천했던 농장의 홍차를 주문했단다. 부인께서 향이 아주 고급스럽다고 좋아하시더구나."

"뭘요."

"있는 듯 없는 듯 나타나 차를 타 주고 가는 것도 만족스러워하셨다. 당분 간은 네가 윗분들을 도와주거라."

내가 하녀로 일했던 트리비아체와 잉고르드는 이곳 페사에 비하면 제도 에서 가까운 곳에 위치한, 커다란 영지였다. 게다가 내게는 황성에서 지내 온 경험도 있으니, 이제껏 습득해 온 상류층의 생활 지식들이 페사 부인의 마음에 든 것 같았다. 나는 차와 간식을 준비해 정원으로 나갔다. 언제나처 럼 리히튼 곁을 차지한 페사의 남매가 종달새처럼 까르르 울어 댔다.

"제리가 쓴 시는 제 것에 비하면 욕심 많은 딱따구리에 불과해요. 시끄럽 기만 하니까요!"

"누이야말로 욕심 많은 수컷 공작새지. 이해하지 못할 괴상한 시만 써 온 주제에, 각하께서 오시니 구구절절 사랑을 읊은 시만 낭송하잖아?"

"내, 내가 언제 그랬다고 그러니?"

나는 뒤쪽 정원 테이블에서 차를 우리기 시작했다. 그동안 페사의 아가씨 가 붉어진 얼굴로 소리쳤다.

"나는 다, 단지 리히튼 각하께서 사랑의 시를 좋아하시는 것 같아 그랬을 뿐이야!"

"허. 각하께서 사랑의 시를 선호하신다고? 이곳에서 함께 지낸 지 며칠이 흘렀는데 아직도 몰라? 리히튼 각하께서는 고작 사랑 놀음에 빠질 분이 아 니시라고. 대업을 위해 인생을 바치실 사내대장부라면 모를까."

"애, 제리. 그런 경솔한 소리는 조심해야 한다. 타인을 함부로 판단하는 건 옳지 않아."

곁에 앉아 있던 페사 부인이 제리를 나무랐다.

"저는 사람을 아는 데 하루면 충분하다고 생각해요, 어머니. 한데 각하께 서는 페사에 오신 지 일주일이 다 되어 가니, 서로를 알기에 차고 넘치는 시 간이었죠."

"신중하지 못한 소리하지 말렴. 사람의 진정한 내면은 고작 하루 이틀로 알 수 없어."

"누이. 그 사람이 어떻게 살아왔는지는 얼굴에서 다 드러난다는 격언 몰라? 앞으로 일 년을 더 각하와 산다고 해도 내 생각은 바뀌지 않을걸."

"어쩜, 그런 생각 얕은 티가 나는 소리를 하다니! 각하. 각하께서도 그리 생각하세요?"

그리 묻는 아가씨의 얼굴이 긴장으로 굳었다. 리히튼은 다리를 꼰 채 여유로운 자세로 앉아 있었다. 좌중을 쭉 훑는 그의 시선의 끝은, 찰나의 순간 내게서 멈추었다. 나도 모르게 숨이 멈추었다. 그의 눈이 정확히 나를 향하고 있었다. 심장이 터질 듯 뛰었다. 그러나 곧 무슨 일이 있었냐는 듯, 리히튼은 내게서 자연스럽게 고개를 돌렸다. 모르는 척하는구나. 내심 그 모습에 상처를 입었다. 돌연 모든 일에 대한 의욕이 사라지는 기분이었다. 얼마 지나지 않아서 리히튼이 대답했다.

"굳이 따지자면…. 나도 제리의 의견에 동의하는 축에 속하지."

부드러운 음성이었으나, 동시에 약간의 흥미도 느껴지지 않았다.

"거봐!"

"하지만 궁금하기는 하군. 모든 사람이 나의 첫인상을 '대업을 위해 인생을 바칠 사내대장부'로 인식할지."

잠시 침묵이 내려앉았다. 이대로라면 곧 하나둘 손을 들어 자신이 느낀 리히튼의 첫인상을 밝힐 분위기였다. 그러나 그 전에 리히튼이 먼저 선수를 쳤다.

"저 하녀에게 나의 첫인상을 물어보면 되겠군."

시선의 끝은 정확히 나를 향하고 있었다.

'…나?'

예상하지 못한 상황에 당혹스럽게 주위를 둘러봤으나, 이 주위에 하녀라고는 내가 전부였다.

"그대의 눈에도 내가 사랑 놀음에 빠지지 않을 사람처럼 안 보이나?"

확실한 건, 나보다 다른 이들이 더 당황했다는 점이다.

"각하? 외람된 말씀이지만, 저 하녀는…."

"괜찮아요, 어머니. 각하께서는 하녀라고 해서 무시하거나 타박할 분이 아니니까요! 이봐, 하녀. 각하의 질문을 받았다는 걸 감사히 여기라고. 뜸들이지 말고 어서 대답하도록 해."

다들 숨을 죽인 채 나만 쳐다봤다. 고요해진 분위기 속에서 오직 리히튼만이 여상했다. 그는 느슨했던 자세를 곧게 편 후 나를 똑바로 응시하고 있었다.

'무슨 생각이지?'

나를 골리려는 심상인가. 샐쭉해진 표정을 숨기지 않고 그를 노려보듯 응시했다. 리히튼이라면 충분히 그럴 만했다. 잠깐이나마 서운했던 감정은 쥐도 새도 모르게 사라진 후였다.

"고작 하녀인 제가…. 어찌 리히튼 잉고르드 각하의 첫인상을 논하겠습니까?"

질문을 물려 달라는 의미로 허리를 숙였다. 그러나 페사 도련님이 나를 닦달했다.

"어허! 어서 말해보래도? 아까도 말했지만, 각하께서는 네 대답이 마음에 들지 않는다고 해서 나무랄 분이 아니시다. 나 역시 궁금하니까 어서 말해 봐."

저 빌어먹을 꼬마가. 고개를 들어 힐끔, 리히튼을 확인했다. 낯선 하녀를 대하던 시선은 더 이상 존재하지 않았다. 그는 지금 퍽 즐거워하고 있었다. 다름 아닌 내가 난감해하는 이 상황을.

'역시 날 골리려던 게 맞았어.'

나 혼자 도망쳐서 잘 살고 있는 모습에 배가 아팠던 걸까? 순간 그런 생각이 들었다. 리히튼 잉고르드가 폐사에 온 까닭은, 날 괴롭히기 위함일 수도 있다고.

"각하. 정말 제가 어떤 대답을 하든 벌을 내리지 않으실 겁니까?"

내 물음에 기다렸다는 듯 리히튼이 긍정했다.

"하녀 한 명을 벌준다고 해서 내 명예가 높아지지는 않지."

"그렇다면 대답하겠습니다."

나는 뒤쪽 정원 테이블에서 남는 의자를 끌어와 앉았다. 내가 자리에 앉자 리히튼의 눈동자에 이채가 서렸다. 어디 한 번 해 보라는 표정이었고, 나는 그에 착실히 보답했다.

"각하에 대한 제 첫인상은 제리 도련님과 같습니다."

"대업을 위해 인생을 바칠 사내대장부로 보인다는 의미인가?"

"아니요. 사랑 놀음을 모른다는 평에 더 가까워요."

"이유는?"

"사랑이란 건 오직 한 사람만을 위한 마음이에요. 하지만 각하께서는 진실 된 사랑이라 여기기엔 너무나 많은 여자들과 단기간에 교제하셨죠. 설마 그 여자들을 모두 사랑했다고 말씀하시진 않겠죠?"

리히튼과 엮인 여자들은 전부 나의 기억을 지니고 있던 여자들이었다. 리히튼은 그들을 레그원 가문을 무너뜨리고 네 가문에 복수하는 데 이용했다. 그렇다면, 리히튼은 그들에게 정말 아무런 감정도 느끼지 못했을까? 나는 리히튼의 입으로 직접 그 대답을 듣고 싶었다.

"물은 건 나에 대한 첫인상인데, 수잔 양은 다른 이야기를 하고 있군."

"다른 이야기가 아닙니다. 그 소문이 각하에 대한 저의 첫인상이니까요."

이 말은 진심이었다. 한때 내게 리히튼이라는 존재는 소설 『태양이 흐르는 강』 속의 악역, 리히튼 잉고르드였으니까. 리히튼은 주저 없이 입을 열었다.

"그대가 말하는 소문이 번복된 약혼을 말하는 것이라면, 귀족들 중에는 연애 감정으로 결혼하는 자가 없다. 만약 약혼이 아닌 또 다른 소문을 말하는 것이라면, 그 소문들이 전부 사실이란 보장은 없지."

나는 미간을 찡그렸다. 두루뭉술하게 피해갈 뿐, 확실한 부정은 아니지 않은가?

"그 말은 즉 많은 여자들과의 스캔들이 모두 헛소문이란 뜻인가요?"

"헛소문일지 진실일지에 대해서는 수잔 양도 충분히 판단할 수 있으리라 보는데."

"제가 그걸 어떻게 판단해요? 혹시 모르죠. 할 일, 못할 일 다 했을지."

리히튼이 모욕적인 소리라 주장해도 할 말 없는 발언이었다. 그러나 나는 그가 나를 타박하지 않으리라 확신하고 있었다. 그에 대한 방증으로, 리히튼은 기분 상한 티를 내기는커녕 흥미가 만연한 표정이었다. 하지만 다른 이들의 눈에는 그리 보이지 않은 모양이다.

"수잔…."

솔레르가 불안한 눈빛으로 내 옷깃을 쥐었다.

"죄송합니다, 각하. 못 배운 하녀라 아직 말을 가릴 줄 모릅니다."

이어지는 페사 부인의 말에는 하마터면 코웃음이 나올 뻔했다. 그 어떤 말을 해도 너그럽게 넘어가 줄 거라면서?

"할 일, 못할 일 다 했던 여자는 따로 있지."

그때 들려온 리히튼의 대답에 사위가 다시 고요해졌다. …아. 나는 지극한 혼란을 느끼며 두 눈을 멍하니 깜짝였다. 내 표정 변화 하나하나를 꼼꼼하게 뜯어 살피던 리히튼이 뻔뻔한 낯으로 말을 이었다.

"내 생에 그런 짓을 할 여자는 지금까지도, 앞으로도 오직 한 명밖에 없어. 수잔 양이 궁금하다면 그 여자의 이름을 알려 주지."

나는 속으로 커다란 비명을 내질렀다. 고개를 내저으며 황급하게 몸을 일으켰다. 착각이 아니라면 리히튼은 옅게 미소 짓고 있었다. 그 같지 않은 낯선 웃음도, 수치를 모르며 지껄이는 혀도 내겐 너무나 놀라운 것들이었다.

"각하의 사생활을 캐내려는 의도는 아니었습니다. 죄송합니다, 각하. 저는 먼저 일어나겠습니다. 차는 다시 가져다 드릴게요."

이보다 더 빠를 수 없는 움직임으로 사리를 떴다. 내가 당황한 이유는 단하나였다. 어쩐지 그의 입에서 '아그레인 캐롤드'라는 이름이 나올 것 같았기 때문이다.

'내 생에 그런 짓을 할 여자는 지금까지도, 앞으로도 오직 한 명밖에 없어.'

목이 막히고 얼굴에 열이 몰렸다. 나는 침착하게 숨을 들이켰다. 아니야, 수잔. 리히튼이 말한 여자는 네가 아닐 수도 있잖아.

'내가 아니라면….'

그건 그것대로 열이 날 일이다. 오직 나를 위해 열네 번의 시간을 되돌린 남자가, 사랑은 다른 여자랑 한다고?

"수잔!"

그때였다. 누군가 내 곁으로 급하게 뛰어 오는 소리가 들렸다.

"괜찮아요, 수잔? 미안해요. 내가 도와주었어야 했는데…."

솔레르였다.

"걱정하지 마요. 나는 아무렇지도 않으니까."

"본래 저리 짓궂으신 분이 아니에요. 너무 마음에 담아 두지 마세요."

리히튼이 그런 성격이 아니란 건 내가 가장 잘 안다.

'…아니, 이제 와서 생각해 보면 내가 잘못 알고 있었던 것 같기도 하고.'

사람의 성격이 두 달 반 만에 뒤바뀔 수 있는 거였나. 아니면 본래부터 사람을 놀릴 때는 그런 얼굴도 할 줄 알았던 건가. 리히튼의 웃음이 머릿속에 각인되어 지워지지 않았다. 그에게선 절대 볼 수 없을 거라 여겼던 소년 같은 웃음이었다.

"그런데 각하께서는 당신이 수잔이라는 걸 어떻게 아셨던 걸까요? 수잔의 인상착의를 한 번도 언급한 적이 없는데…."

그야 내가 누구인지 아주 잘 아는 사람이니까. 심지어는 '수잔'은 가명이고 '아그레인 캐롤드'가 진명인 것도 알지. 리히튼과의 대화 한 번이 내게 미친 영향은 몹시 컸다. 아직도 얼굴의 열이 식지 않았는데, 리히튼을 생각할 때마다 무거웠던 마음이 느슨하게 풀려 버린 것이다.

"솔레르. 저번에 했던 제안, 아직도 유효한가요? 별관의 하녀로 내가 들어왔으면 한다는 이야기요."

솔레르가 반색하며 고개를 주억였다.

"물론이죠! 수잔이 와 준다면 남은 시간을 더 즐겁게 보낼 수 있을 거예요."

"그렇다면 언제부터 들어가면 될까요?"

"오늘 하녀장님께 말씀드릴게요. 각하를 모시는 일이니까 인수인계도 필요하고…."

"인수인계는 필요 없어요."

잉고르드에서 리히튼의 시중만 몇 달을 들었다. 인수인계 같은 건 내게 시간 낭비에 불과했다.

"설명 정도만 들으면 충분할 거예요. 솔레르의 말대로 남은 삼 주를 더 편하게 보냈으면 좋겠네요."

내가 당하고만 못 사는 성격이라서. 머릿속에 박힌 리히튼의 웃음기 서린 눈매를 억지로 지워냈다. 나는 다른 하녀에게 대신 정원으로 나가 주길 부탁하기 위해 주방으로 발을 디뎠다.

다음날. 해가 뜨자마자 나는 별관으로 재배정되었다. 인수인계는 필요 없다고 말했지만, 폐사 저택의 사람들이 내 출신을 아는 것도 아니었기에 오전 내내 하녀를 따라 별관을 돌아다녀야 했다.

"나는 여기서 사 년을 일했어. 그런데 너희 같은 뜨내기들 때문에 뒷전이 된다는 게 말이 돼?"

하녀는 십 분에 한 번씩 분에 넘치는 얼굴로 내게 화풀이를 했다.

"귀족들이 그리 쉬운 줄 알아? 얼마나 더럽고 악랄하게 노는데. 너희처럼 예쁘장한 얼굴 하나만 믿고 나댔다가는 단물만 쏙 뜯기고 버려질걸."

처음에는 상대하는 것도 귀찮아 한 귀로 듣고 한 귀로 흘리려고 했다.

"아니면 각하의 몸종이라도 되고 싶은 거니? 응? 네 젊음을 무기로?"

한데 십 분 간격이 오 분이 되고, 오 분 간격이 일 분이 되었을 때는 생각이 조금 바뀌었다. 솔레르가 내게 함께하자는 제안을 한 데는 다 이유가 있었던 것이다. 이런 여자와는 하루도 함께하기 싫었을 터였다.

"그분이 너를 거들떠보기라도 할까? 어디서 굴러 들어와선⋯."

"입 닥쳐."

이제는 참는 것조차도 짜증이 나 내버려 둘 수가 없었다. 나는 언젠가부터 습관처럼 옷 안쪽에 지니게 된 작은 나이프를 빼어 들곤 말했다.

"시끄러워서 참을 수가 있어야지. 아니면 혀가 뽑혀야 닥칠래?"

하녀는 비명도 지르지 못하고 숨만 들이키다가 도망쳤다.

당한 대로 갚아야겠다는 마음에 솔레르의 제안을 받아들였다. 하지만 잘 따져보면 '리히튼에게 당했다'라 표현하기에는 분명한 어폐가 존재했다. 그가 직접적으로 내 이름을 거론한 것도 아니었다. 단순히 '할 일, 못할 일 다 했던 여자는 따로 있다' 정도로만 언급했을 뿐.

'그 존재가 나라고 여기는 것도 어찌 보면 자의식 과잉이지.'

그래서 나는 주어진 일에 충실하기로 했다. 담당하는 구역이 본관에서 별관으로 바뀌었을 뿐, 하녀로서의 명분을 다했다. 어차피 하녀란 주인이 방을 비울 때만 나타나 정리하고 가는 사람이었다. 잉고르드에서 지내던 시절의 기억을 되살려 그의 흔적을 깨끗하게 청소했다.

물론, 당시처럼 완벽하게 일을 끝내지는 않았다. 무언가 억울했다. 그렇다고 해서 구정물로 침구를 세탁한다거나, 일부러 셔츠를 뒤집은 채 걸어둔 것은 아니었다. 리히튼은 세간에 알려진 것보다 훨씬 예민하고 까다로운 남자다. 나는 미세한 부분에서 그의 심기를 건드리고 싶었다. 책상 위의 만년필을 거꾸로 놓아두기. 책장의 책을 위아래 거꾸로 꽂아 두기. 테이블과 의자 사이의 간격을 반 뼘 더 넓게 두기. …음.

"너무 유치한가."

알아도 그만둘 마음은 없었다. 그만둘 필요도 없어 보였다. 벌써 이틀이 흘렀지만, 리히튼에게선 아무런 반응도 없었던 것이다. 심지어는 그 며칠 동안 리히튼의 얼굴 한 번을 보지 못했다. 그래서인지 몰라도, 나의 유치한 짓거리는 날이 갈수록 대담해지고 있었다.

'오늘은 어디를 더 건드려 볼까.'

그 어느 때보다 진지한 눈으로 장식장을 올려다봤다. 리히튼은 장식장의 위에서 두 번째 칸에 늘 독이 든 유리병이나 술잔을 두곤 했다. 페사에서 또한 마찬가지였다.

'두 번째 칸의 물건을 세 번째 칸으로 옮길까?'

까치발을 들고 깨끗하게 장식된 술잔 쪽으로 팔을 뻗었다. 본래는 나무 사다리를 가져와야 하지만, 장난치는 일로 사다리까지 가져오려니 양심이 찔렸기 때문이다. 그렇게 닿을락 말락하는 손끝을 힘겹게 밀어 넣는 순간. 내 몸이 돌연 날아오르듯 허공으로 솟았다.

"아?"

어깨가 절로 움츠러들 정도로 시야가 급격하게 높아졌다. 나는 숨도 제대로 못 쉰 채 그 자리에서 굳어 버렸다. 조심스레 시선을 내리니, 내 허리를 휘감은 맨 팔뚝이 보였다. 접어올린 셔츠 소매 아래로 팔뚝을 산맥처럼 가로지르는 핏줄이 나타났다. 흰 피부였으나, 골격은 웬만한 남자보다 훨씬 단단하고 두터웠다. 내 허리를 한 팔로 감아 들 정도니 힘은 말할 것도 없었다.

"뭘 그리 넋 빼고 있는 거지? 잔을 꺼내려면 어서 꺼내."

그의 핀잔에 나도 모르게 와인 잔을 한 개 집어 들었다. 남자는 김빠진 음성으로 등 뒤에서 채근했다.

"겨우 하나? 어느 세월에 다 청소하려고?"

처음부터 청소할 마음은 없었다. 안 되겠다 싶어 들고 있던 잔을 제자리에 돌려놓고 남자의 팔 안에서 벗어나려 했다. 하지만 남자는 당연하다는 듯 꼼짝도 안 했고, 결국 상체를 돌려 나를 받친 너른 어깨를 밀어내야 했다.

"각하. 됐으니 이만…"

이만 내려와 주세요, 라고 말하려 했는데. 막상 그와 눈이 마주치자 입술이 잘 움직이지 않았다. 세 달 가까이가 흘렀어도 절대 잊지 못했던 눈이었다. 서릿바람처럼 차가운 청회색 눈동자. 하지만 지금은 예전만큼 서늘하게 느껴지지 않았다. 내가 말을 잇지 못하자 오히려 남자의 양쪽 눈이 서서히 가늘어졌다.

"청소하려는 게 아니었나?"

"아니에요. 내려 주세요."

"아니면. 또 그 얌체 같은 짓거리를 하려고?"

물론 그럴 의도였지! 내려가기 위해 몸을 흔들자 남자, 리히튼은 내 허리를 더 강하게 옥죄었다. 나는 홧김에 그의 어깨를 세게 깨물었다.

"읏."

앓는 소리가 들렸으나 놀란 눈치는 아니었다. 리히튼은 말 그대로 어쩔 수 없다는 듯한 표정이 되어 나를 내려놨다. 그리고 내게 물린 어깨를 가볍게 뒤로 돌렸다.

"설마 물기까지 할 줄은. 하기야 내가 너를 개로 키우기는 했지."

어이가 없었다.

"함부로 제 몸에 손대지 말아 주세요."

"함부로?"

"저는 페사의 하녀이지, 리히튼 각하께 바쳐진 여자가 아닙니다."

하. 보란 듯이 코웃음 친 리히튼이 순식간에 거리를 좁혔다. 본능적으로 뒷걸음질 쳤으나, 등 뒤는 이미 장식장으로 가로막힌 상태였다.

"그렇다면 여기서 내 여자로 만들면 되겠군."

그는 내게로 시선을 고정한 채, 한쪽 팔만 뻗어 활짝 열린 위쪽 장식장의 유리문을 닫았다.

"하녀에서 공작 부인이라니, 다들 뒤로 넘어갈 만한 신분 상승이야. 적어도 그대에게 손해는 아니겠어. 그렇지?"

어린아이를 달래는 목소리도 이보다 더 달콤할 순 없을 터였다. 타이르듯 말하는 그의 음성은 따스한 우유에 녹인 크림과 초콜릿처럼 감미롭고 부드러웠다. 무감각하거나 냉혹하거나, 혹은 울 것처럼 절절하던 그는 더 이상 존재하지 않았다.

눈앞의 그는 한때 연회에서 보았던 것처럼, 여유를 잃지 않고 분위기를 주도해 가는 남자였다. 심지어는 능글맞기까지 했다. 내가 알던 리히튼은 이러지 않았는데. 나는 되레 당황해 바보처럼 굴어야 했다.

"지금 저 놀리세요?"

"누가, 내가? 나는 농담을 별로 좋아하지 않아. 연회장에서야 눈치껏 받아 주기는 해도."

리히튼은 자연스레 내 허리에 팔을 둘렀다. 나는 화들짝 놀라 그의 손을 내쳤다. 잘 내쳐지지도 않아서 뺨 때리듯 손등을 때리고 밀어내야 했다. 그럼에도 리히튼의 표정은 조금도 흐트러지지 않고 여유롭기만 했다. 심지어는 아무렇지 않게 다시 손을 뻗기에, 그 손을 쳐내며 경고했다.

"죄송하지만 공작 부인이라는 신분은 제 취향이 아니라서요. 다른 사람을 구해 보시죠. 제 몸에 손도 그만 대시고요."

"어째서?"

어째서냐고? 이유 같은 건 없다. 그냥 거절을 위한 거절이었으니까. 한데 우습게도 리히튼은 퍽 진지해진 표정으로 나를 설득했다.

"잉고르드 부인이라는 자리는 취향의 문제가 아닐 텐데. 나는 그렌페르크의 황제가 그대의 발등에 입 맞추게 할 수 있다."

헛소리하지 말라는 반박은 나오지 못했다. 그러면 충분히 가능한 일이라고 생각했다.

"나는 네게 무엇이든 바칠 수 있지. 세상에서 가장 아름다운 보석, 세상에서 가장 호화로운 음식, 세상에서 가장 높은 성과 세상에서 가장 화려한 정원…."

기분이 이상했다. 이상해서 입 안이 바짝 메마르고 목이 탔다. 그에게 장난기가 느껴지지 않아서. 마치 내게 구애하는 것처럼 느껴져서. 그래서 진심으로 묻고 싶어졌다.

"폐사에는 왜 온 거야?"

내 정면에서 살짝 몸을 튼 그가 장식장에 어깨를 기댔다.

"설마 우연히 머물게 된 거라 말하지는 않겠지, 리히튼."

그는 할 말이 많은 얼굴이었다. 하지만 곧장 입을 열지 않고 느리게 눈을 깜빡이다 바닥으로 시선을 고정했다. 고요한 얼굴은 내가 알고 있던 그 리히튼 잉고르드가 맞았다. 한참 만에 입을 연 리히튼의 목소리는 지독한 몸살을 앓은 것처럼 무겁게 쉬어 있었다.

"네가 죽지 않고 황성을 떠났다는 소식을 들었을 때…."

나는 숨을 죽이고 그의 말에 귀를 기울였다.

"처음에는 그저 살아 있으면 된다고, 그것으로 충분하다고 생각했지. 그 사실만으로도 내게는 차고 넘쳤어."

말끝이 미세하게 흔들렸다. 리히튼은 여전히 고개를 들지 않았고, 그 얼굴이 내게는 넋을 놓은 것처럼 보였다.

"그날 이후, 나는 목적을 상실했다. 네가 빌힐름을 죽이고 매번 스스로 목숨을 끊었던 이유를 확실히 깨달은 거야. 한때 내가 상상했던 그 감정과는 너무나도 다르더군. 기쁘지만 허망했고, 내 존재의 의의가 사라진 기분을 실감했다."

리히튼의 모든 말이, 내게는 태산처럼 무겁게 느껴졌다. 남의 이야기를 하는 듯 무덤덤한 음성에서는 역설적이게도 그의 진심이 녹아들어 있었다. 나는 그러한 사실이 서글펐다. 심장이 꽉 짓눌린 것처럼 괴로웠다. 다른 누구도 아닌 리히튼이, 다른 감정도 아닌 그 허망함을 느꼈다는 사실이… 말 위에서 굴러 떨어졌을 때보다 나를 더욱 고통스럽게 만들었다.

"하지만 계속 살아가야 했어. 열흘 같은 하루를 버티고, 이 년 같은 일주일을 버텨야했지."

왜냐는 물음 대신 용기 내 손을 뻗어 그의 뺨을 감쌌다. 독에 중독되었을 적, 파충류의 피부처럼 차갑고 서늘한 감촉이 아니었다. 그에게선 사람의 온기가 느껴졌다. 손바닥 아래로 맞닿은 살은 부드럽고 따스했다. 리히튼은 숨을 뱉어 내듯 읊조렸다.

"네가 돌아올까 봐."

그제야 흐릿한 호수의 안개 같은 눈동자가 나를 바라봤다. 커다란 손이 내 손등을 덮었다. 가여운 리히튼.

"네가 돌아올까 봐, 아그레인. 혹시 모를 그 순간이 찾아올까 봐 나는…."

아아, 나의 가련하고 사랑스러운 리히튼.

"나는 자꾸 욕심이 난 거야."

누가 먼저였는지는 모른다. 그와 나는 입을 맞추었다. 뜨거운 숨결이 맞닿은 입술은 더없이 황홀했다. 내 몸을 감싸는 리히튼의 몸짓은 그 어느 때보다 조심스럽고 정중했다. 마치 내가 살아 있는 게 맞는지 확인하려는 것처럼. 부드러운 움직임은 더듬듯 내 어깨를 타고 내려가 허리와 등을 끌어안았다. 리히튼의 손이 내 턱을 쥐고 빌리자 우리의 숨이 너 깊고 농밀하게 뒤섞였다. 내 전부를 집어삼키기라도 할 것처럼 고개를 비틀어 입 안을 헤집었다.

나는 호흡하기도 벅차 그에게 끌려다니기만 했다. 내 등을 조심스럽게 쓸어내리는 손짓과 달리, 그의 뜨거운 입술은 내 입가를 맴돌다가 살을 깨물고 목선을 따라 흘렀다. 눈앞이 어지럽고 이성은 열에 녹아내려 뭉근해졌다. 이대로 어두운 밤이 내려왔으면 좋겠다고 생각했다. 세상이 꺼지지 않으면 이대로 모든 걸 놓아 버릴 것만 같아서. 내게 고정된 리히튼의 시선을 피해 불이 꺼진 어딘가로 숨고 싶었다. 가장 어둡고, 뜨거운 밤의 아래로.

이튿날에는 이른 오전부터 보슬비가 내렸다. 잎사귀를 구르는 물방울처럼 보슬보슬 내리던 봄비는 낮 즈음 되어서 굵어지기 시작했다. 별관에는 사람이라곤 나를 비롯한 고용인 셋과 약사인 솔레르, 그리고 리히튼이 전부였기에 비가 내리면 건물 안은 더더욱 조용해졌다. 조용하다 못해 음산해, 어디선가 유령이 나타날 것 같기도 했다. 게다가 오늘 낮부터 리히튼이 방에서 나오지 않고 있는 터라 더더욱 그러했다.

"저, 친구들이 아닌 다른 사람과 술을 마시는 건 처음이에요."

그리 말하는 솔레르의 뺨이 장미처럼 붉었다. 평소의 차분한 인상이 술에 취하자마자 나사 풀리듯 풀려 헤실헤실 웃기 바쁘다.

"그나마 친구들이랑도 잘 안 마시는데…."

"왜요?"

"으음. 그야 시, 실수할 수도 있으니까."

친우 사이에 술 먹고 일어나는 실수가 무슨 대수일까. 대답 없이 그녀를 바라보자, 마른세수를 한 솔레르가 이제껏 말하지 않았던 속마음을 털어 놓았다.

"저는 속으로 항상 친구들을 험담하거든요. 술을 마시고 이성을 놓으면 입 밖으로 꺼낼 수도 있어요."

"어떤 험담인데요?"

"시, 심해요. 네 얼굴은 돼지 밥으로 쓰지도 못한다, 그 얼굴로 거울 보면 깨진다…."

독설인 건 확실한데, 내가 생각한 독설과는 방향이 조금 다르기는 했다. 안 지 얼마 안 된 내게 속마음을 밝힌 것도 신기했지만, 다름 아닌 솔레르가 저런 생각을 한다는 게 더 놀라웠다. 솔레르는 누가 보더라도 교육을 잘 받고 자란 예의 바른 아가씨였다. 물론 사람의 겉과 속이 다를 순 있겠지만, 그녀에게선 그런 느낌을 조금도 받은 적이 없었다. 그렇다는 건….

"그 친구들이 당신을 따돌리나요?"

"예에? 아니요."

황급히 고개를 저은 솔레르는 이내 닭똥 같은 눈물을 뚝뚝 흘렸다.

"아, 아니. 따돌리는 걸 수도 있어요. 절 아니꼽게 여기거든요. 정확히는 제 얼굴을요."

이후 그녀는 자신의 친구들이 저를 어떤 방식으로 괴롭히는지 구구절절 늘어놨다. 친구들이 가만히 있던 자신을 남자 공포증을 가진 여자로 몰았다는 이야기. 남자와 대화하면 거짓말쟁이로 몰아간다는 이야기. 잘생긴 남자의 시선을 받으면 얼굴은 다가 아니라며 아닌 척 비꼰다는 이야기 등. 한마디로 요약하자면, 그녀의 삶은 시골에서 태어난 미녀의 비극이라고 할 수 있었다.

"사실 수잔을 이 별관으로 꾀신 것도… 하녀 중 한 명이 저를 괴롭혔기 때문이에요. 폭력이란 게 꼭 육체적인 폭력만 있는 건 아니잖아요? 저는 그 여자의 폭언을 견딜 수 없었어요."

"그런 것 같았어요."

"아, 알고 있었군요? 미, 미안해요. 이용해서 미안해요, 수잔…."

그런 건 이용했다고 말하기도 뭐한데. 가벼운 술자리는 금세 솔레르를 위로하는 자리로 뒤바뀌었다. 내내 서러움을 토로하던 솔레르는 술기운을 이기지 못했는지 그대로 식탁에 엎어져 잠들었다. 이런 식으로 타인의 속내를 가감 없이 듣는 자리는 처음이라, 이상하고 낯선 기분이었다.

솔레르가 잠들자 안 그래도 고요했던 저택은 더 고요해졌다. 나는 그녀를 방에 데려다 놓은 후 주방으로 돌아왔다. 남은 술과 마신 잔을 정리하던 와중에 누군가 거칠게 뒷문을 두들겼다.

쾅쾅!

워낙 급한 두들김이었기에 설거지도 멈추고 뛰듯이 걸어가 문을 열었다. 빗속을 뚫고 찾아온 방문자는….

촤악!

"어머나! 이거 미안해서 어쩌지? 빗물에 손이 미끄러져서 실수를 하고 말았네!"

처음으로 느껴진 건 역한 냄새였다. 그다음에는 고의가 다분하게 느껴지는 웃음소리가 들려왔다. 나는 화를 참고 시야를 가리는 물을 닦아냈다. 걸레를 빤 물이구나. 우비를 입고 나타난 여자들은 본관의 하녀와, 내가 별관에 배치되면서 본관으로 넘어가게 된 하녀, 두 명이었다. 그들의 손에서 커다란 나무통이 대롱대롱 흔들렸다. 내게 쏟아낸 구정물이 저 통 안에 가득 들어 있었겠지.

"누군지는 몰라도 굴러온 돌들이 참 살판났다. 그 구정물, 며칠 묵혀 둔 거야. 냄새가 배기 전에 어서 씻는 게 좋을걸? 비도 내리는데 아예 빗물로 씻지 그래?"

"감기 걸리지 않게 조심하고. 쓰레기 냄새가 나는 미인은 각하께서도 혐오하실걸?"

"아! 내일 오전 일과를 마치면 본관으로 찾아와 일을 돕도록 해. 요즘 일손이 너어무 부족해서 네가 도와야 할 것 같거든. 무시하면 오늘 같은 꼴을 또 보게 될 줄 알아."

하녀들은 가소롭다는 웃음을 남기고 사라졌다. 나는 구정물을 맞은 그 자리 그대로 서서 홀딱 젖은 앞치마를 벗었다. 문 바깥으로 앞치마를 꼬아 짜니, 회색 구정물이 줄줄 떨어졌다.

"으음."

그래, 바보처럼 잊고 있었네. 이런 작은 시골일수록 고용인들의 텃세가 심하다는 걸.

'내일 오전 일과가 끝난 후라.'

아무래도 이 저택에서 조용하게 지내는 건 오늘로 끝일 것 같았다.

"수잔 양."

앞치마를 털며 내일 어떻게 일을 치를지 고민하던 때였다. 커다란 신장이 나를 위협적으로 가로막아 섰다. 처음에는 산적인 줄 알고 긴장했지만, 남자는 다름 아닌 내가 이 동네에 정착하는 것을 도왔던 페사 가문의 일원, 니빌이었다.

"괜찮소? 무슨 일인지 모르겠군. 저택의 하녀들과 문제가 생겼나 보오."

그는 고작 몇 달 지내지도 않은 페사에서 내가 가장 신뢰하고 편하게 여기는 사람이었다. 그렇다고 해서 폐를 끼치고 싶지는 않았기에 대충 둘러댔다.

"흔한 직장 내 불화죠. 금방 해결될 거예요."

"누구 한 명이 그만두지 않는 이상 해결될 것처럼 보이지 않네만."

"이런 건 어린 애 장난에 불과하니까 신경 쓰지 마세요."

적어도 그들은 내 머리를 잘라서 유리병에 보관한다거나, 말을 총으로 쏴 안장에서 떨어뜨리진 않으니까.

"니빌 씨는 무슨 일로 오신 거예요?"

그를 들이기 위해 반쯤 닫아 났던 문을 활짝 열었다. 하지만 니빌은 묵묵히 그 자리에 서 있을 뿐, 한 발자국도 움직이지 않았다. 의아하게 올려다보자 니빌은 곧 우비 아래로 무언가 뒤적이더니 내게 건넸다.

"받으시오."

손바닥만 한 크기의 상자 두 개였다. 둘 다 앙증맞게 포장되어 있었다.

"푸른 리본으로 묶은 상자는 솔레르 양의 것이고, 붉은 리본으로 묶은 상자는 그대의 것이오."

"이게 웬 물건인가요?"

솔레르의 것은 옆구리에 끼고, 내 것이라던 상자의 리본을 풀었다.

"당신들은 억지로 이 저택에 온 것이잖소. 약소하게나마 선물을⋯. 아니, 면전에서 뜯는 게 어디 있소?"

안에 든 것은 작은 오르골이었다. 황성에서 보던 것들에 비하면 그리 섬세하지도, 화려하지도 않았지만⋯. 꽤 마음에 드는 오르골이었다.

"예쁘네요. 고마워요."

나의 감사 인사에 니빌이 안도하는 얼굴을 했다. 잠시 주춤하던 그는 품 안에서 종이봉투를 하나 더 꺼내어 내 품에 올려놨다.

"이것도 솔레르와 나의 선물인가요?"

"아니. ⋯그건 당신 거요."

어흠. 고개를 돌린 니빌이 헛기침을 했다.

"내 용건은 이것으로 끝이오. 감기에 걸리기 전에 어서 씻는 게 좋겠소. 그렇다고 해서 당신에게서 역한 내가 난다는 건 아니고, 오히려 늘 좋은 향이… 크흠! 이게 아니지. 좋은 밤 보내길."

그는 급한 일이라도 떠오른 양, 바삐 두 다리를 움직여 진흙탕을 가로질렀다. 커다란 등이 안개 속으로 사라지는 건 금방이었다. 나는 니빌에게서 받은 상자를 방 안에 옮겼다. 종이봉투 안의 물건은….

'급하지도 않은데 다음에 확인하자.'

몇 분이나 흘렀다고 구정물을 맞은 몸이 간지럽기 시작했다. 그러나 물을 끓이려면 장작을 가져와야 하고, 끓이는 데만 적잖은 시간을 소요해야 했다.

'차라리 그것들이 말한 것처럼 빗물로 씻을까.'

오늘은 왜인지 어떤 일에도 의욕이 일지 않았다. 왜일까. 리히튼이 방 안에서 꼼짝도 안 하기 때문일까. 몸을 일으켜 저택 밖으로 나가 빗속으로 천천히 걸어 들어갔다. 올해 추위가 유독 미적지근했던 탓일까? 떨어져 내리는 봄비는 생각보다 차갑지 않았다. 올려 묶은 머리를 풀고 멍하니 나무 벤치에 앉았다.

'누가 보면 미친년인줄 알겠어.'

문제는 옷이었다. 어차피 볼 사람도 없을 것 같아 의복을 벗고 빗물에 몸을 닦았다. 그리고 몸이 으슬으슬해질 때쯤 몸을 일으켰다. 이유는 몰라도 빗속을 걷는 느낌이 무척이나 익숙하다. 그럴 만도 했다. 잉고르드는 일주일에 한 번꼴로 비가….

'아.'

잉고르드에는 비가 자주 내린다. 그리고 비는 리히튼의 광증을, 기억 깊숙한 곳에 묻혀 있던 과거의 편린을 불러낸다.

'이런.'

비 때문이었어. 리히튼은 비 때문에 방에 갇혀 있던 거야.

나는 아무 옷이나 주워 입고 그의 방으로 올라갔다. 뒤늦게 그의 고통을 알아차린 내가 이토록 머저리처럼 느껴질 수 없었다. 그러나 막상 문 앞에 섰을 땐 제대로 판단이 서지 않았다. 그가 광증을 겪는다고 해서 내가 해 줄 수 있는 게 있나? 리히튼이 겪는 광증의 원인은 바로 나였다. 오히려 내가 곁에 있는 게 그에게 더 부정적으로 작용할 수도 있었다.

'그렇다고 혼자 둘 순 없잖아.'

리히튼은 나를 만나기 위해 이곳에 왔다고 했다. 나를 기다리다가 더는 참지 못해 페사까지 온 것이다. 나는 그런 리히튼을 외면하고 싶지 않았다. 아니, 외면할 수 없었다.

똑똑.

아무리 노크해도 아무런 인기척이 들리지 않았다. 기다림 끝에 조용히 문을 열고 안으로 들어갔다. 암막이 창문을 전부 가리고 있는 탓에 방 안은 바깥보다 더 어두웠다. 나는 등에 불을 붙이고 침대 쪽으로 다가갔다. 리히튼은 침대 위에서 죽은 듯 잠들어 있었다. 혹시나 싶은 마음에 숨을 쉬는지 확인했다.

'…괜찮아, 안 죽었어.'

식은땀인지 빗물인지 모를 물기가 이마에서 떨어졌다. 나는 한참 동안 리히튼의 안색을 바라보다가, 그가 괜찮다는 것을 확인한 후 소파에 앉았다. 차마 이 방을 나갈 수 없었다.

'이제야 찾았군요. 당신처럼 허약한 여자가 가을비를 맞는 게 죽자는 행위란 걸 모르는 겁니까?'

'아니, 빌힐름밖에 없지. 그 빌어먹을 개새끼가 당신에게 또 무슨 짓을 한 거지?'

잉고르드의 숲에서 리히튼을 발견했던 날도 이른 시각은 아니었다. 그러니 리히튼의 광증은 늦은 시간까지 계속될 것이다. 내가 곁을 지켜야 해. 나는 소파에 등을 기대고 천천히 눈을 감았다.

다시 눈을 떴을 때, 전신을 에워싸고 있던 습기는 씻은 듯 사라진 후였다. 비에 젖었던 몸이 바짝 말라 보송보송해져 있었다. 나는 별다른 고민 없이도 내가 누운 곳이 리히튼의 침대라는 사실을 알 수 있었다. 어쩌면 당연한 일이었다. 리히튼은 내가 구석에서 몸을 웅크리고 자는 꼴을 못 보는 남자였으니까. 몸이 다소 무겁기는 해도, 우려했던 몸살감기는 걸리지 않은 듯했다. 다만 이불에 감싸인 내 꼴이 좋아 보이지는 않았다. 맨 어깨와 가슴 윗부분이 훤히 드러나는 슬립 드레스에, 엉망으로 풀어 헤쳐진 머리칼. 심지어는 홀로 침대 위에 널브러진 모습까지.

"…신분 높은 귀족과 그렇고 그런 관계인 하녀."

누군가에게 이 상황을 들킨다면, 명백하게 그런 소문이 돌 것이다. 뭐, 이제와 그런 소문이 폐사에 돈 들 어쩌겠는가. 적어도 헛소문은 아닐 테니까. 멍하니 천장의 붉은 캐노피를 올려다 볼 때였다. 문득 고개를 돌리자, 나를 내려다보는 누군가와 눈이 마주쳤다. 이 방에서 리히튼의 침대와 그 침대에 누운 여자를 구경할 사람은 한 명밖에 없었다.

"왜 자꾸 보는 거야?"

"잠도 덜 깬 채 재밌는 소리를 하기에."

리히튼이 침대에 앉자, 내 몸이 파도 위에 놓인 듯 작게 흔들렸다. 그는 어제처럼 편한 차림이었다. 맨 위 단추를 풀고 소매를 접은 하얀 셔츠 차림. 잉고르드에서는 간간이 봤다고 해도 황성에서는 절대 볼 수 없었던 모습이었다. 그곳에선 빈틈없는 완벽한 외양이 곧 방패이기도 했으니까.

"누구라도 그렇게 여길 상황 아니야? 물론 내가 그런 의도로 이 방에 들어온 건 아니지만."

"그건 누군가 봐줬으면 한다는 의미인가?"

"어차피 볼 사람도 없어. 이 낡은 저택에 사람이라곤 고작 다섯에 불과한데."

눈을 감았다. 마음이 편안했다. 노란 지붕 집에서 홀로 식사하고 작은 텃밭을 가꾸었던 날보다 더 평온했다. 이대로 눈을 뜨면 모두 사라질 신기루처럼. 다시 눈을 떴을 때는 리히튼이 똑같은 자세 그대로 나를 물끄러미 내려다보고 있었다. 왜 자꾸 보느냐는 물음 대신 다른 질문을 던졌다.

"광기라는 게 정확히 어떤 거야?"

그제야 리히튼은 고개를 돌려 몸을 일으켰다.

"그것 때문에 이곳에 있었군."

내가 새벽녘에 머물렀던 소파에 자리를 잡은 그가 내게 손짓했다.

"이리로 와. …아니지."

앉기 무섭게 다시 일어선 리히튼이, 침구에 둘둘 싸인 내 몸을 안아 들었다.

"네 차림은 불순해."

나는 그의 가슴에 머리를 기댄 채 변명 같은 대답을 했다.

"어쩔 수 없었어. 옷은 물에 젖었는데…."

그것 때문에 리히튼이 겪고 있을 외롭고 추운 긴 밤을 모르는 척할 수 없었다.

"나를 만나러 오는 게 더 중요했다는 뜻이겠지. 황송한 일이야."

리히튼은 나를 소파에 앉혔다. 테이블에는 뒤집힌 책과 이 인분으로 보이는 아침 식사가 차려져 있었다. 그는 내가 일어나길 기다리며 책을 읽고 있었던 듯했다.

'식사가 준비되어 있단 건….'

하녀가 올라왔었단 의미다. 이는 곧 내가 리히튼의 방에서 잠들었다는 사실이 폐사 저택에 일파만파 퍼질 거란 걸 뜻하기도 했다. 아마 리히튼은 이 인분의 아침 식사만 중요할 뿐, 내가 어떤 꼴로 누워 있는지는 상관하지도 않았을 터였다. 어쩌면 보란 듯이 내버려 뒀을 수도. 생각하니 괘씸했다.

식사하기 위해선 결국 몸에 두르고 있던 침구를 내릴 수밖에 없었다. 하지만 나는 이도저도 못한 채 가만히 앉아 있기만 했다. 내 차림이 속옷과 크게 다르지 않았기 때문이다. 옆자리에서 팔에 턱을 괴고 있던 리히튼이 스쳐지나가듯 말했다.

"어차피 다 본 사이에."

눈동자만 굴려 그를 노려봤다. 리히튼은 뻔뻔한 낯으로 입을 열었다.

"엊그제 밤."

"시끄러워."

"미치도록 예뻤는데."

어디까지 말하는지 두고 볼 심정으로 눈을 돌리지 않았다. 미동도 없는 표정을 보니 왼쪽 뺨이 따갑지도 않은 모양이다. 리히튼은 아무렇지 않게 뒤집어 놓은 책을 집어 들곤 침대 쪽으로 걸음을 옮겼다. 나는 그가 자리를 비켜 주고 나서야 침구를 치우고 식사를 시작할 수 있었다. 그러다가 정작 질문에 대한 답을 듣지 못했다는 걸 상기하고 다시 물었다.

"…나아질 방법은 없는 거야?"

무엇에 관한 물음인지는 덧붙이지 않아도 알겠지. 내가 진정으로 궁금한 건 그의 광기가 아닌, 광기를 진정시킬 방도였다. 비가 내리면, 리히튼은 과거의 기억 속에 갇힌다. 왜 하필 비가 내리는 날일까? 떨어지는 비의 어떤 풍경이 그를 고통스럽게 만드는 걸까?

"네가 옆에 있으면 아무렇지도 않아."

무슨 뜻인가 싶어 그를 쳐다봤다. 리히튼은 침대 머리에 기대어 책에 시선을 고정한 채였다.

"그 증거로 어젯밤은 꽤 괜찮았지."

"어떻게 괜찮았다는 건데?"

"적어도 몽유병에 걸린 것처럼 정신을 잃고 돌아다니진 않았으니까."

리히튼의 목소리는 담담했지만, 듣는 나는 아니었다. 차를 마시는데도 목이 탔다. 그날의 장면이 눈앞에 되살아났다. 잉고르드에서 함께 비를 맞았던 그날이.

"또 당장이라도 놈들을 죽이고 싶어 몸이 달아오르지도 않았지."

몸을 일으켜서, 이번에는 내가 리히튼에게로 갔다. 그의 옆에 침구를 덮고 눕듯이 앉았다. 너른 어깨에 기대니 금세 잠이 쏟아질 것 같았다.

"네가 옆에 있다면 나는 아무런 문제없어, 아그레인. 네가 내 옆에만 있다면."

나는 네가 내 옆에 있음으로서 더 고통 받는다고 생각했는데. 리히튼이 자신의 입으로 직접 그 생각을 부정했다는 사실은, 내게 극도의 안도감을 선사했다. 그리고 뒤늦게 깨달았다. 나 역시 그와 마찬가지라는 것을. 리히튼이 내 옆에만 있다면 나는 아무런 문제가 없을 것이다. 어쩌면 영원히.

"네 말은 모순적이야, 리히튼. 그렇다면 어제는 왜 하루 종일 방 밖으로 나오지 않았던 건데?"

"이곳을 나가면 엊그제의 일이 모두 꿈으로 바뀔 것 같았거든."

더 이상 눈에 들어오지 않는다는 듯 그가 책을 덮어, 침대 아래로 던졌다.

"네가 이 저택에 있고, 내 이름을 부르고, 내 입에 입 맞추고, 새벽이 지나도록 내 옆에 있었다는 사실이 모두 허상이 될까 싶었지"

"너는 가끔 어린아이보다 겁이 많아."

리히튼이 픽 웃고는 나를 바라봤다. 감히 깊이를 예측할 수 없는, 만감이 서린 시선이었다. 그의 애정은 순수하지 않다. 리히튼은 잉고르드에서 이미 나를 향한 강렬한 증오를 드러낸 적이 있었다. 그의 집착은 나를 위해 소모한 시간과 감정에 대한 보상 의식일 수도 있었다. 그 갖가지 경험과 감정이 지금의 리히튼을 만들었다는 것을 알기에…. 나는 그의 눈을 피하지 않고 정면으로 마주했다. 나의 눈썹과 콧등, 뺨을 배회하던 시선의 끝이 입술로 향했다.

"네 말이 옳아, 아그레인. 나는 겁도 많고 인내심도 없어. 네가 떠나고 처음에 며칠간은 멀쩡하게 버틸 수 있을 거라 생각했지. 네가 내게 돌아오는 그날까지 기다릴 수 있을 거라 여겼어."

부드러운 손끝이 내 턱을 가만히 쓸었다.

"하지만 시간이 흐를수록 도저히 내 욕심을 이길 수 없더군. 널 가지고 취해서 내 것으로 만들어야만 숨통이 트일 것 같았지…."

리히튼이 천천히 다가왔다. 우리는 서로와 입술을 포갰다. 그는 이제 내 몸을 다루는 데 거침이 없었다. 한쪽 손으로는 내 허리를 거칠게 끌어당겼고, 남은 손으로는 뒷머리를 감쌌다. 내 허리에 머무르는 그의 손길이 간지러우면서도 묘하게 신경을 자극했다. 내가 벅찬 숨에 몸을 뗄 때마다 그는 더 진득이 붙어왔다. 리히튼은 끈질기게 내 입술에 매달렸다. 유린당한 입술이 아릴 정도였다. 이대로라면 엊그제 밤처럼 일을 치를 거 같아 겨우겨우 그의 어깨를 밀어냈다. 리히튼은 몹시 아쉬운 얼굴로 나를 내려다봤다. 그 모습이 하도 어이가 없어서 나도 모르게 입이 열렸다.

"그 욕심을 이룬 지금은 어때? 미친 듯이 좋아?"

리히튼이 내 머리를 다시 끌어당겼다.

"한 번 더 해 봐야 알 것 같군."

그가 말한 '한 번 더'의 주체가 입맞춤인 것은 뻔한 사실이었다. 입 안으로 뜨거운 숨이 감겨 오는 동시에 슬립 드레스가 천천히 밀려 올라가는 것이 느껴졌다. 리히튼은 내 다리를 천천히 매만지고 쓸었다.

"아."

머리에 열꽃이 핀 것처럼 어지러웠다. 숨소리가 거세졌다. 그 소리를 제외하곤 사그락거리는 천의 소음과 살결이 부딪히는 낯부끄러운 소리가 우리 대화의 전부였다. 이틀 전 밤의 기억을 떠올린 내가 몸을 떨 때마다, 리히튼의 행동은 더욱 과감해졌다. 의도가 명백한 손길로 내 허리와, 다리를 느릿하게 눌렀다.

"네 향이 나를 미치게 해."

그 역시 흥분을 이기기 힘든지 수십 번 내 귀와 목에 입을 맞추었다. 그의 흔적이 남겨질 때마다 전신에 힘이 빠졌다.

똑똑.

그때였다. 나는 바짝 굳은 채 반사적으로 리히튼의 몸을 밀어냈다. 누군가 급작스레 방문을 두들긴 것이다.

"각하. 아가씨가 각하를 뵈러 왔습니다."

리히튼을 찾아온 건 아가씨의 방문을 알리러 온 시종이었다. 나는 몸을 일으켜 침대에서 벗어나려 했다. 그러나 리히튼은 그런 나의 어깨를 잡아 침대 위로 내리눌렀다. 나는 불안한 눈으로 그를 올려다봤다. 따지자면 불안해할 이유는 없었으나, 상황이 상황이라 그런지 가슴이 쿵쿵 뛰었다. 리히튼은 내게서 눈을 떼지 않은 채 소리쳤다.

"곧 나가지. 십 분만 기다리라고 전해라."

이윽고 문 앞에 멈춰 있던 발걸음 소리가 멀어졌다. 다시 조용해지기 무섭게 리히튼이 내게 키스했다. 닿지 못해 안달이 난 사람처럼 굴며 내 몸 위에 자리 잡았다. 그리고 아무렇지 않게 셔츠를 벗으려는 모습을 본 순간, 나는 자리에서 벌떡 일어났다.

"네가 짐승이야? 아가씨가 찾아왔다는데 지금 뭐하는 짓이야?"

부끄러움도 모르는 걸까? 리히튼은 괜찮다는 듯 내 뺨을 훑으며, 나의 불안을 다독였다.

"괜찮아, 아그레인. 십 분은 생각보다 훨씬 길어. 우리 사이에는 충분한 시간이야."

헛소리 말라는 의미로 그의 가슴팍을 치며 철옹성 같던 두 팔 사이에서 벗어났다. 리히튼은 무언가 한참 아쉬운 표정이었다. 나는 침대에 앉아서 그의 손장난에 엉망이 된 차림을 다듬었다. 아래 부분을 빼면 어깨끈을 올리는 걸 제외하곤 다듬을 부분도 없었지만.

"리히튼. 안 나가?"

그는 여전히 불만스러운 눈이었다. 뭐하는 거람. 밥그릇을 빼앗긴 개도 아니고.

"한 달이 지나면 잉고르드로 와. 이 빌어먹을 페사에선 일주일도 버겁군."

리히튼의 다소 쉰 목소리는 어째서인지 결연하게 느껴졌다. 마치 내가 거절하면 큰일이라도 치를 것처럼.

"내가 잉고르드를 왜 가? 가도 캐롤드를 가겠지."

황성에서 도망치던 그날 밤.

'그리고 언젠가는… 캐롤드로 돌아와 줘.'

킨이 내게 했던 말을 아직도 기억하고 있었다. 심지어는 당시 킨의 표정과 목소리, 몰아치던 겨울바람의 세기도 바로 어제의 일처럼 생생했다. 그는 어찌 되었을까. 나는 조심스럽게 킨의 안부를 입에 담았다.

"킨은 어때?"

며칠 전 정원에서 페사 가문의 아가씨가 시 낭송을 하고 있었을 때, 킨이 살아 있다는 소식을 듣기는 했다. 바보가 아닌 이상 리히튼과 비비안느 덕분이라는 것도 충분히 유추할 수 있었다. 리히튼은 접어 두었던 소매를 느리게 풀며 대답했다.

"캐롤드 가문의 재건에 남은 일생을 바치겠다고 했다."

"바친다는 건…."

"킨은 검은매 기사단의 기사 작위를 반납하고 캐롤드로 돌아갔다. 나 역시 이제 캐롤드 후작이 될 남자를 내 기사단의 검으로 휘두를 순 없지."

그랬구나. 킨이 캐롤드로 돌아갔구나.

"본관은 불에 타 재가 되었지만, 그리 멀리 떨어지지 않은 곳에 쓸 만한 저택이 하나 더 있는 것 같더군."

리히튼이 말하는 저택이 무엇인지는 충분히 유추할 수 있었다. 정확하게 말하자면 그 저택은 별장이었다. 같은 캐롤드 영지에 무슨 별장인가 싶겠지만, 대양처럼 거대한 호수 옆에 그림처럼 자리한 저택이라 한여름이 되면 아버지와 함께 그곳으로 피서를 가곤 했다.

'다행이야. 정말 다행이야.'

모든 것이 느리게나마 제자리로 돌아가고 있다. 황성에서 도망친 내가 이런 시골에 틀어박혀 있을 동안, 킨은 무너진 가문과 영지를 일으키는 데 힘쓰고 있던 것이다.

아버지와 가신들이 목숨을 잃은 그 끔찍하고 그리운 땅에서.

"킨과는 어떻게 만났던 거야?"

이런 식의 질문은 리히튼에게 너무 두루뭉술하려나.

"그러니까… 나는 지금 가장 첫 만남에 대해서 묻고 있는 거야."

셔츠의 단추를 끝까지 채운 리히튼이 소파 위에 가지런히 걸쳐져 있던 베스트를 주워 들었다.

"내가 처음으로 황성에서 나갈 수 있는 힘과 지식을 가지게 되었을 때, 킨 캐롤드가 나를 찾아왔지. 그것도 잉고르드 저로 직접. 사라진 여동생을 위해서라면 무엇이든 할 수 있을 것처럼 보이더군. 『태양이 흐르는 강』의 서약을 이미 알고 있는 눈치였어."

베스트를 걸치고 넥타이까지 걸치자, 그는 완벽한 잉고르드 공작이 되었다. 뒤로 대강 넘긴 백금발의 머리칼조차 본래 그렇게 태어난 것처럼 완벽한 조화를 이루었다.

"킨은 캐롤드 가문의 명예를 되찾고, 레그윈 가문을 무너뜨리는 그날까지 내게 복종하기로 약속했다. 더불어 아그레인 캐롤드가 내 앞길을 가로막게 된다 하더라도 그 아이의 목숨만은 살리겠다는 약속 또한."

"그 약속이 아니면 날 죽일 수도 있었겠네."

꽉 맨 넥타이를 살짝 풀며 다가온 리히튼이 짧은 미소와 함께 내 귀를 매만졌다.

"널 죽일 수 없으니 그의 복종을 받아들인 거지."

안다. 알면서도 그냥 물어본 거였다.

"비비안느는?"

"빌힐름 황자가 자리를 비운 동안 황실을 장악했다. 그가 시체와도 다름없었던 시기에 황위 후계자 자리를 찬탈했지. 그녀는 곧 황위에 오를 거야."

빌힐름이 자리를 비운 동안. 그 표현에 내포된 진실은 짧지만 확실했다. 나는 리히튼이 무엇을 말하는지 알고 있었다. 하지만 그 뜻을 다른 이도 아닌 그의 입으로 말하도록 만들고 싶지 않았다.

"리히튼, 이제 나가 봐야 하지 않아? 벌써 십 분이 흐른 것 같은데."

나는 그가 아가씨를 만나러 나가면 조용히 방으로 돌아갈 예정이었다. 그러나 리히튼은 묵묵히 내 귀를 매만지기만 했지, 나갈 마음은 전혀 없어 보였다.

"질문은 그것으로 끝인가?"

"그래."

리히튼은 무언가 기다리고 있는 것처럼 보였다.

"…아그레인, 네가 묻지 않으니 내가 말하지."

그리고 나는 그가 무슨 말을 할지 알 수 있을 것 같았다.

"빌힐름은 죽지 않았다. 시간이 다소 걸리기는 했지만 독에 녹았던 내장은 모두 회복되었어. 불완전하다 하더라도, 그 역시 죽지 않는 육체를 가지고 있으니까."

황자 빌힐름이 죽음의 문턱을 밟고 돌아왔단 소식은 그렌페르크 제국민이라면 누구든 알고 있을 이야기였다. 사경을 헤매던 빌힐름은 서서히 회복되어 결국 정신을 찾았다. 동복누이인 비비안느가 이미 황위를 찬탈한 후였기에, 어쩌면 빌힐름 입장에선 죽는 것보다 못한 소생이었으리라. 하지만 그건 온전히 빌힐름을 보는 제삼의 시선에 불과했다.

"너는 다시 그를 죽이러 갈 건가?"

"나는…."

처음에는 두려웠다. 정신을 차린 빌힐름이 내게 복수하러 올까 봐. 나에게서 이 신기루 같은 평화를 빼앗으러 올까 봐. 그 다음에는 화가 났다. 그의 목숨을 제대로 끊어 내지 못한 나 자신에게. 그리고 지금은….

"아니라고 대답해야 할 거야, 아그레인."

귀를 쓸던 손이 내 턱을 거세게 잡아 끌어올렸다. 리히튼은 눈 한 번을 깜빡하지 않은 채 나를 응시했다. 노려보는 것처럼 느껴질 만큼 뜨겁게 끓는 시선이었다.

"너는 나를 선택했어. 나와 몸을 섞고, 내 것이 되었지. 나는 이제 너를 빌힐름에게 양보할 마음이 추호도 없다. 차라리 전부 죽여 버리고 말지언정."

리히튼이 내게 명령했다.

"그러니 이번에야말로 내게 명령해. 빌힐름을 죽이라고."

나는 불복했다.

"빌힐름을 죽이는 건 나야, 리히튼."

찰나의 순간, 리히튼은 마치 무너지는 듯했다. 그는 마치 가시밭 위를 걷는 것 같았다. 피를 철철 흘린다고 해도 이상하지 않을 괴로운 얼굴을 하고는, 두 눈을 질끈 감았다. 그런 얼굴 하지 마. 나는 재빨리 말을 이었다.

"하지만 예전과는 달라, 리히튼. 예전처럼 빌힐름의 존재가 내 삶의 이유인 건 아니야. 나는⋯."

나는 네가 더 소중해. 나는 너를 갈구해. 아마 그게 맞는 것 같아. 네가 나를 염원할 때마다 가슴 안쪽에서 뜨거운 만족감이 피어나. 네가 나를 포기하지 못할 때마다 두 팔 가득히 끌어안고 싶어. 빌힐름이 살아 있다는 사실을 알게 된 후 느낀 증오보다, 리히튼이 페사에 왔다는 사실을 알게 된 후 느낀 비애가 더 크고 애달팠다.

이만하면 충분하다. 이만하면, 리히튼이 나를 기다려 온 시간들이 충분하다 못해 넘친다. 빌힐름을 향한 증오가 눈 녹듯 녹았다는 의미가 아니었다. 다만 내게는 그 증오보다 더 소중한 것이 생겼다. 바로 리히튼이. 그는 느리게 허리를 굽혀 내 어깨를 껴안았다. 나는 매달리듯 리히튼의 옷자락을 붙잡았다.

"아그레인, 너를 사랑할수록 나는 아무것도 하지 못해. 오히려 더 괴로워져."

알아. 그래도 나를 놓지 마.

"그러니까 너는 반드시 나를 책임져야 해⋯."

리히튼의 애원은 족쇄가 되어 나의 팔과 다리를 감았다.

내 방으로 돌아가 다시 환복하고 주방으로 들어갔을 때, 나는 고용인이라곤 고작 세 명에 불과한 주방의 분위기가 묘하게 바뀜을 느꼈다. 리히튼의 아침을 가져온 하녀가 방에 있는 나를 봤다고 했으니, 마땅한 변화였다.

미혼의 귀족이 고용인이나 기사와 사통하는 것은 만연한 일이다. 리히튼도 아직 혼인 전이지 않은가? 나 역시 비록 지금이야 하녀로 지내고 있으나 반역죄라는 불명예를 벗어난 귀족 자제니 꿀릴 것은 없었다. 애초에 내가 왜 남의 눈치를 봐야 하는 거지? 장장 열네 번의 과거를 반복하면서 구애해 온 건 다름 아닌 리히튼 잉고르드인데.

'트리비아체에서부터 하녀 일을 너무 오래 해서 그런가? 이러다가는 진짜 하녀가 되어 버리겠어.'

종이 울리고, 시종이 리히튼과 아가씨의 시중을 들기 위해 주방을 나갔다. 하녀는 담배를 피우다가 한마디를 툭 던졌다.

"수잔은 인생 펴서 좋겠어. 맞아, 너처럼 기도 세고 남 눈치 안 보는 애들이 보통 나이 먹고도 고생을 안 하더구나. 네 덕분에 무료하기만 한 페사 생활에 조금 활기가 돋네. 질투에 미쳐 눈이 돌아간 것들이 얼마나 우스운지."

리히튼의 침대 위에서 잠든 나를 볼 사람은 저 하녀밖에 없었다. 나는 찻잔에 뜨거운 물을 부으며 대답했다.

"그걸 굳이 또 소문내셨나 봐요."

"나를 탓하게? 그리 대놓고 연애하면 언젠가는 반드시 소문나게 되어 있어. 또 각하께서도 딱히 숨기실 마음이 없어 뵈던데."

하녀는 담뱃재를 털곤 주방을 나갔다. 나는 뻔뻔한 낯으로 하녀를 맞이했을 리히튼을 떠올리며 한숨 쉬었다. 이윽고 솔레르가 내게 다가와 조심스럽게 물었다.

"수잔, 혹시 예전에 하녀로 일했다던 곳이…."

하지만 그녀는 아차, 하는 얼굴이 되어서 입을 닫았다. 나는 그런 솔레르에게 되물었다.

"예전에 하녀로 일했던 곳이 잉고르드냐고요?"

"아, 네, 네….."

"왜 묻다 말아요?"

"수잔이 기분 나쁠 수도 있다고 생각해서요."

공부만 한 아가씨치고는 눈치가 빠르네. 나는 그녀의 잔에도 차를 따라 주며 말했다.

"어떻게 알았어요?"

"맞군요? 별로 대단한 이유는 아니고, 각하께서 수잔에 대해 이것저것 물었던 게 떠올라서요."

리히튼이 꼬치꼬치 캐물어 내 이름까지 밝히게 됐던 그날을 말하는 것 같았다.

"저는… 이 말이 우습게 들릴지 모르겠지만, 처음에는 각하께서 제게 관심이 있으신 줄 알고…."

솔레르가 얼굴을 붉히며 열심히 손부채질을 했다.

"그래서 혼자 쓸데없는 망상도 많이 했거든요. 계속 각하를 살피고, 자꾸 말 걸려고 하고…. 한데 각하를 살피면 살필수록 그분의 시선이 늘 수잔을 향해 있다는 걸 알게 됐어요."

솔레르는 말하는 자신이 부끄럽다는 듯 입을 가리고 웃었다.

"그리고 제게 종종 수잔의 불면증은 나았냐고 물어보시더라고요. 그때 확신했어요. 각하께서 수잔을 마음에 두셨구나, 하고."

고용인은 자리에 없는 듯 행동해야 했다. 따라서 하녀가 고용주와 만날 수 있는 경우는 드물었다. 기껏해야 차와 간식을 나르는 때가 전부였으니까. 그러니 솔레르의 말은, 내가 차를 나르면서 아닌 척 사각지대로 숨어들 때, 리히튼은 대놓고 나를 살폈다는 의미였다.

"제가 하고 싶은 말은… 너무 힘든 선택은 아니기를 바란다는 거예요, 수잔."

나는 대답하지 않고 잡일에 거칠어진 손톱만 조용히 매만졌다. 솔레르에게서 나와 리히튼의 이야기를 듣고 있자니 오만가지 생각이 다 들었다. 그녀의 눈에는 리히튼이 나를 마음에 둔 것처럼 보였구나. 마치 연애하는 것처럼, 몰래 사랑을 나누는 것처럼 보였던 거야. 그러한 사실이 나를 미치도록 낯부끄럽게 만들었다. 누군가가 나와 리히튼의 관계를 지켜보며 조언하고 있다는 현실이 믿기지 않기도 했다.

정말로 그와 내가 연애를 하는 것 같지 않은가?

"솔레르. 그런 말은…."

"거, 걱정하지 마세요! 이런 말은 누구에게도 하지 않았으니까요."

의도치 않게 길어지는 정적이 느껴졌다. 눈치가 보였던 것일까? 솔레르가 분위기 전환이라도 하듯, 부자연스럽게 고개를 들었다.

"아! 그리고 보니 아까 본관에서 사람이 왔다 갔어요. 수잔이 본관의 일을 돕기로 해 놓고 오지 않았다던데요?"

퍼뜩 떠오르는 두 개의 멍청한 얼굴이 있었다. 굳이 비까지 뚫고 찾아와 구정물을 붓고 갔던 하녀들의 얼굴이었다.

"맞아, 그런 약속도 있었네요."

마침 잘 됐다 싶어, 몸을 일으키고 주방 안쪽 창고로 향했다. 나는 오래된 유리잔을 집어 양철통에 든 양잿물을 한 컵 떴다. 컵을 든 채 본관으로 향하기 직전, 뒷문을 열며 솔레르에게 물었다.

"솔레르. 혹시 당한 만큼 갚는 편이에요?"

솔레르는 멍하니 눈만 깜빡이고 있다가 뒤늦게 대답했다.

"아, 아닌 것 같은데요."

"본인에 관한 대답이면서 '같은데요.'는 뭐예요?"

짧은 고민 끝에, 솔레르가 조심스럽게 입을 열었다.

"저는 늘 속으로만 삭여 왔어요. 누구에게 복수한다는 건 늘 상상만으로 해 온 일이에요."

"갚고 싶다는 생각은 해 봤어요?"

"수백, 아니 수천 번은 했죠."

"그럼 따라와요."

컵을 들고 본관으로 향했다. 솔레르는 내가 주방을 나선 지 한참이 흐른 후에야 뒤따라왔다. 그 짧은 틈에, 내가 컵 안에 든 양잿물을 어떤 용도로 사용하려는지 추측했던 모양이다.

"수, 수잔. 양잿물은 너무 위험한데… 괜찮을까요?"

"세상에 괜찮은 건 없어요."

쉬는 시간이었는지 본관의 뒷문 쪽에는 고용인들이 삼삼오오 모여 담배를 피거나 잡담을 나누고 있었다. 나는 그들 사이로 거침없이 발을 디뎠다. 다수의 시선이 내게로 모여들었다. 호기심과 적의, 흥미가 한데 모인 시선이었으나 개의치 않았다. 찾고 있던 하녀는 진작 나를 바라보고 있었다. 발견한 즉시 다가가자, 기다렸다는 듯 내 얼굴에 담배 연기를 내뱉었다. 나를 조롱하며 타박하는 목소리에는 악의가 가득했다.

"애. 너 아직도 정신 못 차렸지? 내 말을 귓등으로 듣곤 이제야 일을 도우러 나타나다니. 하! 심지어는, 뭐? 천박한 계집애가 어딜 각하의 침실에서…"

딱히 더 들어 줄 가치가 느껴지지는 않네. 나는 담배를 쥐고 있는 하녀의 손등에 컵을 부었다. 반응은 즉각 나타났다.

"꺄아아악!"

하녀는 고통스러운 비명을 내지르며 몸을 움츠렸다. 그녀의 손에서 떨어진 담배가 흙 위를 굴렀다.

"아, 아아악!"

일그러진 얼굴이 처참했다. 나는 그녀를 도와서 내게 구정물을 부었던 하녀에게 말했다.

"뭐 해? 이대로 가만히 두면 더 큰 화상을 입을 텐데. 구경할 시간에 물이라도 떠오지 그래?"

또 다른 하녀는 그제야 헐레벌떡 주방으로 들어가 나무통에 물을 떠 왔다. 그에 봄을 웅크리고 울기 바쁘던 하녀가 나무동 안에 손을 넣고 미친 듯이 휘저었다. 한차례 거친 숨을 내쉬던 그녀는 악에 찬 시선으로 나를 노려봤다.

"너, 이 정신 나간…!"

"왜, 억울해? 나는 구정물인데 너는 양잿물이라?"

"수, 수잔."

솔레르가 내 팔을 조심스럽게 잡았다. 나는 그녀의 손을 빌어내며 물이 든 나무통을 발로 찼다. 그리고 벌겋게 부은 하녀의 손등을 짓밟았다.

"개 같은 짓도 형평성을 봐가면서 해야 하는 거였나? 한심하기 그지없네."

"어흑, 흑…! 손, 손을…!"

"그만둬!"

근처의 하녀가 내 양팔을 붙잡을 기세로 다가왔다. 나는 옷깃 안쪽에 넣어 두었던 나이프를 꺼내, 이 사단을 일으킨 원흉의 턱 아래로 들이 밀었다.

"한 발자국 더 다가오면 네 친구 목에 구멍을 뚫어 버릴 거야. 농담 같지? 궁금하면 확인해 봐도 돼."

사위는 순식간에 조용해졌다. 나는 내게 손등이 밟힌 채 우는 하녀를 가만히 내려다봤다. 이래서 사람은 조용하게 주위 눈치만 보며 살아선 안 된다. 하라는 대로 하는 머저리로 알거든.

91

"나를 건들려면 양잿물에 코 박을 각오 정도는 하고 건드려. 알았어?"

"흑, 흐윽⋯."

울음소리와 무거운 적막 외에는 모든 것이 조용했다. 뒷문이 거칠게 열린 것은 그로부터 고작 몇 초가 흐른 뒤였다. 사건의 경위를 전해 들었는지, 달려 나오는 하녀장의 표정이 딱딱하게 굳어 있었다.

"이게 대체 무슨 짓이냐, 수잔!"

나는 하녀의 턱 아래에서 나이프를 거두며 대답했다.

"무슨 짓은요. 그렇게 대단한 일도 아닌 걸요."

"그런 소란을 일으키라고 널 고용한 게 아니다!"

"그렇다면 지금 일도 조용히 넘어가는 게 좋다고 봐요. 이래봬도 제가 니빌 씨의 초대를 받고 온 몸이잖아요?"

페사 백작의 사촌인 니빌의 이름을 언급하자, 하녀장이 골치 아프다는 듯 이마를 짚었다. 나는 그녀의 심정을 십분 이해했다. 리히튼 공작이 방문한 와중에 큰 소란을 일으키고 싶지 않겠지.

"뒷담이든 뭐든, 내 성질만 안 건드리면 조용히 지내다가 이곳을 떠나겠다는 뜻이에요. 이런 시답잖은 것들이 대뜸 찾아와 똥물을 던지고 가지 않는다면요."

"그게 사실이냐, 리냐?"

"저, 저는⋯."

나는 하녀의 손등을 밟고 있던 발을 천천히 치웠다. 하필이면 이름조차 재수 없게 리냐라니. 그때, 누군가 하녀장의 뒤에서 대뜸 내 이름을 불렀다.

"수잔? 아가씨께서 널 부르셔. 지금 당장 올라가 봐!"

그건 너무나 뜬금없는 부름이었다.

'나를? 무슨 일로?'

길게 한숨을 쉰 하녀장이 내게 턱짓했다. 무슨 사건이든 적당히 마무리

지으려 하는 하녀장들 특유의 성정이 오늘만큼 마음에 드는 날도 없었다.

옷차림을 정돈하며 아가씨의 방이 있는 이 층으로 올라갔다. 노크를 하고 정중한 태도로 들어섰을 때, 아가씨는 넓은 방 안에 덩그러니 앉아 있었다.

"아. 네가 수잔이니?"

굽혔던 허리를 펴서 그녀를 마주했다. 성년으로 눈을 마주칠 수는 없다. 고용주의 뺨이나 코언저리에 시선을 고정해 대화를 나누는 것이 고용인의 옳은 태도였다.

"네."

나는 그녀의 눈빛과 목소리, 그리고 표정을 통해 직감했다. 아가씨는 나를 대하는 데 몹시 긴장하고 있었다.

"너…."

"말씀하세요."

"레, 레몬 크렘브륄레 좋아해?"

대답하지 않고 쳐다보기만 하자, 급히 몸을 일으켜 달려온 아가씨가 나를 맞은편 의자에 앉혔다. 지금 뭐하자는 걸까?

"우리 주방장의 크렘브륄레는 최고야. 어서 맛봐 봐."

무슨 볼일로 나를 부른 거지? 당장 떠오르는 이유는 리히튼과의 소문이 전부였다. 그와 정분이 난 하녀의 얼굴을 보기 위해 심심풀이로 불렀을 확률이 높았다.

"아이, 참. 먹어 보래도?"

하지만 아가씨의 표정을 보고 있자면 '정말 그러한가?'라는 의문이 생겼다. 긴장하긴 했으나, 아가씨는 분명 무언가를 기대하고 있었다. 하지만 그 기대감을 숨기고 싶은지, 아닌 척 시선을 살짝 돌렸다. 나는 크렘브륄레 접시를 밀어내고 아가씨에게 말했다.

"할 말이 있으면 어서 하세요, 아가씨. 제 눈치를 보실 필요 없어요."

"그….."

"네."

"있잖아, 별건 아니고. 그냥 나는 네가 어떤 소문에 대해 아는가 싶어서…."

"소문이라니요?"

후, 하. 그녀는 깊고 크게 숨을 들이켰다. 그리고 무언가 다짐한 듯, 두 눈을 반짝이며 입을 열었다.

"빌힐름 황자의 약혼자에 관한 소문 말이야."

이런. 생각지도 못한 주제였다. 나는 아마, 아니 분명 표정이 굳는 것을 숨기지 못했을 것이다. 아가씨는 말을 이었다.

"있잖아, 빌힐름 황자 전하를 해한 범인이 그 약혼자래. 하필이면 그 여자가 황성에서 사라진 날과 전하께서 습격 받은 날이랑 겹친다지 뭐야?"

나는 별다른 대답이나 반응 없이 가만히 그녀를 응시했다.

"그, 그런데도 모두가 쉬쉬하는 이유는… 그 약혼자가 리히튼 각하와 그렇고 그런, 사이의… 여자라는…."

문득 그녀의 가족이 리히튼과 한데 모여, 시 낭송을 즐기던 날이 떠올랐다. 그리고 폐사의 도련님이 아가씨에게 '리히튼의 앞에서 사랑의 시를 읊기 바쁘다'고 조롱하던 것도.

'…리히튼에게 반해서 은근슬쩍 마음을 고백한 게 아니라, 나와 리히튼의 소문을 떠본 거였나.'

내 정체를 들켰다는 사실이 놀랍거나 두렵지는 않았다. 그래, 오히려 나는 그런 소문이 돌 수 있다는 걸 간과하고 있었다. 아가씨가 힐끔 내 눈치를 살피며 속삭였다.

"다들 각하께서 그 여자를 숨겨 두었다고 생각하고 있어. 부, 붉은 머리에

예쁜 녹안을 가진 대단한 미녀래. 나는 그냥… 수잔이 그 소문을 알까 싶어
서…."

그래서 그 대단한 미녀가 나냐는 물음이겠지. 눈앞의 아가씨는 스물도 안
되는 어린 숙녀다. 어리고, 겁 없고, 무모한 나이의 숙녀. 장단을 조금 맞춰
줄까.

"솔직하게 말씀드릴게요. 제가 이곳으로 도망친 선 비밀로 해 줬으면 합
니다, 페사 영애."

"…역시!"

"최대한 조용히 살고 싶어요. 적어도 제가 이곳에 있을 동안은 모르는 척
해 주셨으면 좋겠습니다. 부탁드려요."

아가씨의 두 눈이 환희로 가득 찼다. 그녀는 나를 품에 껴안을 기세로 두
팔을 커다랗게 벌리다가 멈칫하며 몸을 움츠렸다. 그리고는 횡설수설하며
크렘브륄레를 떠먹었다.

"물론이야! 아니, 물론이죠! 저만 믿으세… 아, 아니지. 걱정하지 마, 수잔.
나만 믿으렴."

참 독특한 아가씨이지 않은가? 아니지, 독특할 것도 없다. 그러한 소문이
도는 상태에서, 주인공으로 보이는 인물이 눈앞에 떡하니 놓여 있다면… 나
역시 진상을 확인하고 싶었을 테니까. 아가씨가 흥분을 감추지 못하며 꾸역
꾸역 크렘브륄레를 삼키던 때였다. 똑똑.

"드, 들어와!"

하녀가 다소 당황스러운 낯으로 문을 열고 들어왔다. 아가씨는 입가의 크
림을 닦아내며 물었다.

"무슨 일이야?"

"저, 아가씨…."

이윽고 하녀가 입에 담은 이름은, 내 심장을 발 아래로 떨어뜨리기에 충

분한 존재였다. 하녀의 전언을 들은 직후, 아가씨는 가장 먼저 나를 돌아봤다. 흔들리는 눈동자에서 당혹감과 혼란이 느껴졌다. 그래서일까? 정작 내 머릿속은 차갑게 식었다. 미친 듯이 뛰었던 심장박동이 금세 평온을 되찾았다.

"수잔. 너, 너도 이만 돌아가서 숨어 있는 게 좋을 것 같아."

하녀가 나간 후, 아가씨는 안절부절못하며 나를 문 쪽으로 밀어냈다. 나는 그런 그녀를 물끄러미 내려다보다가 물었다.

"왜 저에게 호의를 보이세요?"

이해하기 힘들었다. 그녀는 나에 대해 무얼 안다고 숨어 있으라는 말을 하는가.

"단순하게 재밌으신 건가요? 이런 시골에서 즐겁게 지낼 수 있는 일이 몇 없기는 하죠."

아가씨는 어깨를 움츠리며 더듬더듬 대답했다.

"아버지가… 캐롤드는 무고하게 죄를 뒤집어쓴 가문이라고 하셨는걸. 무고한 사람을 돕는 건 당연한 거야."

아니, 그게 아니야. 전제부터 틀렸어. 나는 무고하지 않아.

캐롤드가 반역죄에서 벗어날 수 있었던 이유는 단순하다. 『태양이 흐르는 강』의 존속을 바랐던 다나한 2세와 빌힐름 황자가 정쟁에서 패배했기 때문이다. 그 과정에서 나 역시 많은 이들을 해했으므로 무고하다 할 수 없었다. 그럼에도 내가 죄인으로 취급받지 않는 이유는, 그렌페르크 제국의 실세인 리히튼과 비비안느가 나의 복수를 사랑스럽게 여기기 때문일 것이다.

"빌힐름 황자를 해한 사람이 무고하다고 생각하세요? 제가 당신의 집안에도 안 좋은 영향을 끼치면 어쩌려고요?"

자의든 타의든 충분히 피해를 입힐 수 있는 상황이지 않은가. 아가씨는 충격 받은 눈으로 내게 되물었다.

"그, 그럴 거야?"

그때, 문득 그런 생각이 들었다. 내가 지금 나보다도 어린 아가씨를 데리고 무얼 하는 걸까. 호의가 불편하다는 이유로 화풀이를 하다니.

"…아니요."

세상의 모든 사람이 진실을 알아야 하는 것도 아닌데. 몸을 돌려 눈을 열자 아가씨가 다급한 목소리로 당부했다.

"수, 수잔. 별관에 조용히 있어야 해. 정 불안하면 저택에서 나가도 좋아. 내가 잘 말해 둘게."

그럴 필요 없다. 나는 그에게서 도망칠 생각이 추호도 없었다. 이 지겨운 연쇄를 끊어낼 기회가 제 발로 찾아온 것이나 마찬가지니까.

'빌힐름.'

어떤 의도로 페사까지 왔는지는 모르겠지만, 마찬가지로 어떤 의도이든 상관없었다. 나는 리히튼을 위해서라도 빌힐름과의 결말을 보고 말 것이다.

저택 뒤쪽으로 돌아가는 길에 낯선 마차가 보였다. 페사의 마차와는 격이 다른 외양이었다. 적색과 금색으로 호화스럽게 꾸며진 마차를 보자, 빌힐름이 정말 페사에 왔다는 것이 체감됐다. 두렵지 않았다. 되레 궁금했다. 빌힐름은 무엇을 위해 왔을까?

"…아!"

내 방의 문을 열고 안으로 들어간 직후였다. 거부하지 못할 거센 힘이 내 팔목을 잡아끌었다. 본능적으로 팔을 비틀려 했지만, 머릿속을 뒤덮는 익숙한 향에 반항이 저절로 멈추었다. 리히튼이었다.

"아무래도 안 되겠어, 아그레인."

방 안은 어두웠다. 암막이 쳐진 탓에, 커튼 틈으로 새어나오는 미세한 빛 한 줄기가 내 눈에 보이는 전부였다.

"이곳에 얌전히 박혀 있겠다고 말해. 주인만 기다리는 개처럼, 얌전히 나를 기다리겠다고 말하라고."

"리히튼, 나는…."

말문이 막혔다. 부드러운 살결이 내 입술을 씹어 먹을 기세로 삼켰다. 뒷목이 저릴 만큼 난폭한 입맞춤이었다. 뜨겁게 달아오른 숨이 내 목구멍을 틀어막았다. 제아무리 밀어내려고 해도, 리히튼의 몸은 땅에 박힌 기둥처럼 꼼짝도 안 했다. 단단한 손이 내 머리와 허리를 끌어당겨 옴짝달싹도 못하게 만들었다. 입 안을 샅샅이 삼키는 움직임에 발끝이 저리고 손이 떨렸다.

"아그레인."

입술이 떨어질 때면, 리히튼은 마치 사라질 신기루를 기리듯 절절하게 내 이름을 불렀다. 그가 부르는 나의 이름은, 마치 마법을 부리듯 내 심장을 아릿하게 만들었다. 저항을 포기하고 몸에서 힘을 빼자, 그의 입맞춤이 점차 부드러워졌다. 나를 꽉 안고 있던 손은 머리칼을 쓸며 내려와 내 목덜미를 느릿하게 쓸었다. 허리를 구속하고 있던 팔은 마치 어린아이를 다루듯 천천히 등을 토닥였다.

"아그레인…."

리히튼의 입술은 뜨거우면서도 차가웠다. 서로를 훑는 숨결이 농밀해질수록 그의 손길도 과감해졌다. 리히튼은 절실히 나를 원하고 있었다. 언제나 그랬듯이. 이 순간만큼은 빌힐름이라는 이름이 머릿속에 존재하지 않았다. 내가 인지할 수 있는 건 눈앞의 리히튼이 전부였다. 그의 무게에 밀려 뒷걸음질 치다 보니 어느새 차가운 석벽에 기대듯 쓰러져 있었다. 열기에 무너진 몸은 오로지 그의 팔을 버팀목 삼아 버티고 있었다.

"너를 위해 빌힐름의 목을 바칠게. 지금 당장이라도."

"그런…. 아."

벌어진 입술이 내 귓불을 깨물었다. 그의 혀가 나를 훑을 때마다 머릿속이 하얗게 부서졌다. 목과 어깨를 타고 떨어진 온기가 가슴께에 닿을 때에는 아무 말도 할 수 없었다.

"어서 그렇게 하라고 말해."

틀림없다. 리히튼은 내 몸을 녹여 아무 말도 못하게 만들려는 속셈이 분명했다. 내 몸은 그를 원했고, 리히튼은 그런 나를 아주 잘 알고 있다는 듯 부드럽게 타일렀다. 그러면서도 절대 벽을 허물지 않았다. 그와 하나가 될 수 없는 마지막 선을 지켰다.

"아그레인."

두 팔을 리히튼의 목에 둘러 더 깊이 입을 맞추었다. 그를 달래는 동시에 가까이 이끌었다. 벽을 허물고 어서 나를 안으라고 속삭였다.

"제발, 아그레인…."

숨이 거칠어지며 그의 손길이 점차 노골적으로 변하기 시작했다. 살살 매만지기만 하던 손끝이 내 피부를 강하게 짓눌렀다. 불꽃처럼 뜨거운 입술이 내 어깨와 그 아래에 흔적을 남겼다. 그의 두 팔이 내 몸을 안아 일으켰다. 캄캄한 시야 속에서, 나는 오직 리히튼의 목소리와 그가 주는 감각에 의존해 숨을 내쉬었다.

내게 안절부절못하는 리히튼이 미치도록 사랑스러웠다. 몸도 마음도 한결같이 내게 귀속된 그가 가여웠다. 어떻게 그럴 수 있는 거지? 어떻게 그 긴 시간을 나만 바랄 수 있는 거야? 무슨 생각이었을까? 나는 느슨하게 풀린 목소리로 그에게 고백했다.

"사랑해."

아주 잠깐, 리히튼의 전신에서 힘이 빠졌다. 아무렇지 않게 나를 들어 올렸던 팔이 무너졌다. 나는 그런 리히튼의 몸에 기댄 채 눈을 감았다.

"사랑해, 리히튼. 너도 알잖아. 나는 이제 너를 버릴 수 없어. 그러니까 더는…."

불안해하지 마. 하지만 그 말을 차마 입에 담을 수 없었다. 모순된 감정이 내 심장과 이성을 잡아먹고 있었다. 리히튼의 집착이 또 한번 나를 잃을 수 있다는 불안과 공포에서 기인함을 안다. 빌힐름이 페사에 도착했다는 소식 하나만으로, 절대 무너지지 않을 것 같았던 그의 이성이 이렇게 덜덜 떨고 있지 않은가? 그가 괴롭더라도. 그 괴로움으로 인해 나를 놓지 못한다면…. 그렇다면 리히튼이 평생을 고통 받길 바랐다. 평생 그 고통 속에서 나만 바라보길 염원했다.

"…다시 한번 말해."

무너졌던 리히튼의 팔이 다시 나를 붙잡았다. 거센 악력이 내 턱을 거칠 게 끌어 올렸다. 깜깜한 어둠 속에서 푸른 안광이 나를 씹어 삼킬 듯 노려봤다.

"어서. 다시 한번 말해, 아그레인."

"사랑해."

"한 번 더."

"사랑해."

"더…."

"사랑해, 리히튼."

그의 커다란 몸이 내게 안겼다. 리히튼은 금방이라도 무너질 것처럼 위태 롭게 느껴졌다. 나는 리히튼의 너른 어깨 위에 뺨을 올렸다. 그리고 죽은 듯 멈춘 등을 천천히 쓸었다.

"사랑해."

리히튼은 끊임없이 사랑한다 말하기를 요구했다. 나는 입이 닳도록 그에 게 고백했지만, 리히튼은 마치 제대로 들리지 않는 것처럼 더, 더 원하기만 했다.

"사랑해."

그에게 나의 고백은 빈껍데기처럼 들리는 걸까.

"사랑해, 리히튼…."

그는 나의 고백을 완전하게 신뢰할 수 없는 걸까.

"사랑해, 리히튼. 영원히."

불안하기에 나를 놓을 수 없다면, 나는 그것으로 만족할 것이다.

늦은 밤, 나는 어렴풋이 눈을 떴다. 어쩐지 공기가 스산했다. 팔을 뻗어 침대 옆자리를 더듬었다. 리히튼이 누워 있어야 할 자리가 차갑게 식어 있었다. 한참 동안 넋을 뺀 채 누워 있다가 몸을 일으켰다. 널브러진 옷을 주워 입고 방을 나섰다. 백작저는 쥐죽은 듯 고요했지만, 창밖으로 보이는 본관에는 드문드문 불이 켜져 있었다.

타는 듯 밀려오는 목마름을 달래기 위해 주방으로 향했다. 누군가 주방의 뒷문을 열고 나가는 모습이 보였다. 저리 큰 신장에 거친 걸음걸이를 지닌 남자는 페사에 한 명밖에 없었다.

"니빌 씨."

민망할 만큼 거칠게 쉰 목소리가 흘러나왔다. 내 부름에 니빌이 등을 돌렸다.

"…아. 수잔 양이로군."

나는 목을 겨우 가다듬곤 그에게 물었다.

"여기는 무슨 일로 오셨어요?"

"두통이 누그러지지 않아서 솔레르 양에게 약을 부탁하던 참이오."

"감기라도 걸리셨어요?"

니빌은 문손잡이를 잡은 그대로 고개를 저었다.

"아니오. 신경 쓰이는 일이 생기면 늘 머리가 아프곤 했지."

"신경 쓰이는 일?"

질문과 함께 잔에 물을 따라 마셨다. 니빌은 그런 나의 모습을 조용히 응시했다. 할 말이 있어 보이는 얼굴이라고 생각했다. 동시에 무언가 체념한 것 같기도 했고.

"내가… 며칠 전에 선물했던 종이봉투는 열어 보았소?"

그 말을 듣고서야 서랍 구석에 넣어 두었던 물건이 생각났다. 상자는 니빌의 앞에서 열어 봤기 때문에 그 안에 든 물건이 무엇인지 진작 알았지만, 종이봉투 안의 물건은 아직 보지 못했다.

"미안해요, 그간 바빠서 확인해 보지 못했어요. 지금 당장 돌아가서…"

시선을 바닥으로 내린 니빌이 급히 고개를 저었다.

"아니, 아니오. 그럴 필요 없소. 급하게 확인할 필요 없어. 나는 그저…"

적절한 단어를 고르듯 천천히 눈을 감았다 뜨며, 니빌이 말을 이었다.

"그 물건은 그저… 순수한 고마움에 건넨 선물이라고 생각하면 되오."

"아. 그럴게요. 고마워요."

니빌은 고개를 끄덕이고 주방을 나갔다. 그러나 닫히려던 뒷문은 금세 다시 열렸다. 몸을 돌린 니빌이 부자연스러운 목소리로 입을 떼었다.

"…수잔 양. 하나만 물어도 되겠소?"

고개를 주억이자 그가 겨우겨우 입술을 떼었다.

"마음에 둔 이가 있소?"

…그런 거였나. 그래서 그랬구나. 나는 최대한 밝은 웃음을 지으며 대답했다.

"네. 있어요."

니빌은 쓸쓸한 미소를 지었다.

"그렇군. 좋은 밤 보내시오."

문은 소음조차 내지 않고 조용히 닫혔다. 이전처럼 다시 열리는 일은 없었다. 창문 너머로 멀어지는 니빌의 뒷모습을 가만히 지켜봤다. 의도치 않게 상처를 준 것 같아 입 안이 썼다. 그래도 봉투 안의 물건이 무엇이었는지 는 미리 확인해 볼 것을.

그렇게 꽤 긴 시간을 주방에 머물며 입을 축였다. 내가 다시 몸을 일으킨 건 물잔을 정확히 세 번 비운 뒤였다. 세 번이면 충분했다. 이제는 빌힐름과 재회해도 목이 타지 않을 것 같았다.

더 이상 춥게 느껴지지 않는 새벽바람을 뚫고 본관으로 향했다. 본관이라 고 해서 리히튼이 지내는 별관의 분위기와 크게 다르지 않았다. 실내는 어 둡고 고요했다. 태풍의 눈 한가운데 선 듯 긴 침묵이 감돌았지만, 그 침묵이 평화를 나타내는 것은 아니었다. 계단을 올라 길게 늘어선 복도를 거닐었 다. 벽에 걸린 수많은 액자 사이로 기다란 장식 검이 보였다. 나는 고민하지 않고 곧장 그 장식 검을 빼들었다. 잉고르드에서 리히튼이 내게 쥐여 주었 던 상식 검보나 훨씬 무겁게 느껴졌다. 하지만 혼자서 충분히 들 수 있는 무 게였다.

'발소리 죽이는 법을 배워야겠군. 그건 고작 구두를 벗는 일로 해결되는 게 아 니거든.'

문득 잉고르드에서 리히튼을 죽이려 했던 날이 떠올랐다. 나는 천천히 구 두를 벗었다. 이번에는 발소리를 죽일 수 있어야 할 텐데.

빌힐름의 방을 찾는 건 어려운 일이 아니다. 명색이 그렌페르크 제국의 황자인 그가 사용할 방은 정해져 있었다. 페사 백작저에서 가장 높고, 넓으 며, 아름다운 방이겠지.

검을 들고 그 방 앞에 섰다. 나는 빌힐름이 나를 절대 죽일 수 없다는 사 실을 안다. 내게는 천만다행인 일이지만, 빌힐름에게는 저주라고 표현해도 무방한 일이었다. 오늘이야말로 그의 심장을 꿰뚫고, 리히튼에게 돌아갈 차 례였다.

숨을 죽이고 문을 열었다. 테이블 위의 노란 등불이 일렁였다. 그림처럼 첨예한 빌힐름의 옆얼굴이 보였다. 그는 소파에 앉아 그 등불을 조용히 응시하고 있었다. 마치 죽은 사람처럼. 미동도 없이.

"…네가 살아온 세계는 몹시 아름다워, 아그레인."

빌힐름의 붉은 눈동자 위로 등불의 불꽃이 일렁였다. 그 눈에서 시선을 떼지 않으며 조용히 문을 닫았다. 내 세계가 아름답다니. 빌힐름이 내뱉는 개소리는 역시 이해하기 힘들다. 아니, 이제는 이해해야 한다는 생각조차 들지 않았다.

"더 많은 소리와 더 많은 것들이 보여서인가? 머리는 무겁지만 피는 오히려 맑아지는 기분이야. 상상하면 할수록 흥분이 되어서 참을 수가 없더군."

빌힐름이 천천히 몸을 일으켰다. 어쩐지 그가 표현하는 문장 하나하나가 낯설면서도 익숙했다. 더 많은 소리, 더 많은 것들. 예민해지는 감각.

'잉고르드의 독.'

그날, 나의 피를 삼킨 빌힐름이 죽음에서 돌아온 이유는 하나였다. 그 역시 나와 리히튼처럼 불사였기 때문에. 불사의 육체로 잉고르드의 독을 이겨 냈기 때문에. 그의 피가 독을 받아들였기 때문에. 천천히 다가온 빌힐름이 내 앞에 섰다. 그의 낯은 석고처럼 창백했다. 적안에는 생기가 아닌 날것의 욕망만이 존재했다. 빌힐름은 끔찍한 목소리로 내게 속삭였다.

"네 숨결과 향을 더 깊게 느낄 수 있다는 상상 말이야, 아그레인. 밤마다 그 생각에 미쳐 버릴 것 같았지."

머리카락 끝이 쭈뼛 섰다. 더는 참을 수 없었다. 나는 입술을 비집고 새어 나오려는 거친 숨을 참으며 검을 휘둘렀다. 하지만 빌힐름은 아무렇지 않게 손을 들어 검의 날을 막았다. 아무리 장식이라고 한들 검은 검. 붉은 피가 날을 타고 내려가 바닥으로 추락했다.

기시감이 느껴졌다. 예전에도 분명 이런 적이 있었는데, 언제였지? …아아, 그래. 잉고르드에서 리히튼이 이런 식으로 내 검을 막았었다.

"안 그래도 아쉬웠던 참이야."

장식 검으로 빌힐름의 심장을 찌르는 건 바라지도 않았다. 인간의 것이 아닌 것처럼 차가운 그의 손끝이 내 뺨에 닿았을 때, 나는 검을 내던지고 품 안의 나이프를 쥐었다. 그러나 그보다 빌힐름이 내 턱을 쥐는 게 더 빨랐다.

"그때 너와의 입맞춤이 제대로 기억나지 않았기든."

"읏…."

턱이 빠질 수도 있겠다 싶을 정도로 강한 악력이었다. 강제로 내 입술을 벌린 빌힐름은 고개를 숙여 나의 숨을 갈취했다.

아니, 갈취하려 했다. 하지만 그는 코가 맞닿은 거리에서 보란 듯이 움직임을 멈추었다. 나는 고통을 참기 위해 입술을 짓이겼다. 곧이어 빌힐름이 내 손목을 비틀어 버렸고, 쥐고 있던 나이프가 바닥으로 추락했다.

"날 병신으로 여기는 거야? 이거 서운한걸, 누이."

그는 내 몸을 인정사정없이 벽으로 밀쳤다. 머리가 어지러웠다. 내게는 이미 익숙한 통증이자 감각이었다. 잊었던 극한의 공포가 눈앞에 되살아났다.

'사랑스러운 개가 되고 싶다면, 주인의 말을 잘 들어야지.'

아니야, 나는 극복했어.

'이리로 와, 아그레인.'

머리를 뒤흔들었다. 무엇이 현실이고 무엇이 과거인지 구분할 수 없었다.

'내 것이 되었으니, 내 것에 걸맞게 네 정신을 뜯어고쳐 줄게.'

피범벅이 된 손이 내 멱살을 쥐고 일으켰다. 흐릿했던 시야에 빌힐름의 얼굴이 나타났다. 빌힐름은 웃고 있었다. 우리가 어렸던 그 시절처럼. 내 목줄을 쥐고 흔들던 그때처럼.

"나는 말이지. 누이가 이 빌힐름의…."

코끝이 맞닿았다. 이가 갈릴 정도로 상냥한 음성이 내게 속삭였다.

"개라는 사실을 잊지 말아 줬으면 해."

그가 내게 입을 맞추었다. 강제로 벌어진 입에 숨조차 쉴 수 없었다. 빌힐름은 두 손으로 나를 아주 쉽게 다루었다. 턱이 닫히지 않아 그의 혀를 씹을 수도 없었다. 빌힐름은 내가 옴짝달싹 못하게 결박했다.

결박했나? 아니, 그는 결박하지 않았다. 나의 두 팔과 두 다리는 자유로웠다. 나는 그저 얌전하게 빌힐름의 입맞춤을 받아들이고만 있었다. 말을 잘 듣는 그만의 소녀가 되어서. 그 사실을 깨닫자 온몸에 소름이 돋았다. 나는 발작하듯 빌힐름의 어깨를 밀어냈고 두 손으로 그의 목을 졸랐다. 빌힐름은 아주 손쉽게 내게서 떨어져 나갔다. 그리고 목을 내어 준 채 쉴 틈 없이 웃음을 흘렸다.

"나는 가진 게 아무것도 없어, 아그레인."

하아. 그의 한숨은 길지만 가볍다. 어둠 속에서 보이는 웃음기 서린 눈동자가 또렷했다. 그 안에 나의 얼굴이 어떻게 비칠지는 알 수 없었으나, 분명 형편없이 굳어 있을 것이다.

"한때는 너 역시 그러했지. 누이가 내 아비를 죽이고, 더 나아가 나까지 죽이려 할 수 있었던 이유가 무엇이었을까?"

온 힘을 다해 손 안의 목을 졸랐다. 하지만 빌힐름은 눈 하나 깜빡하지 않고 말을 이었다.

"그건 아주 간단하지. 누이는 가진 게 아무것도 없었기 때문이야. 가진 게 없으니 잃는 두려움도 없을 수밖에. 두려움이 없는 너는 마치 불나방처럼 뜨겁고…."

나의 오른손을 가볍게 거머쥔 빌힐름이 손목 위에 입을 맞추었다. 입가에 그려진 웃음에는 어둠 속에서도 선명하게 빛나는 광기가 서려 있었다.

"매혹적이었지."

차라리 백작의 방에서 수렵 총이라도 훔쳐 왔더라면. 나는 빌힐름을 밀어 냈다. 그리고 바닥을 더듬어 근처에 널브러져 있을 나이프를 찾아 헤맸다. 제발, 제발…. 등 뒤에서 심해를 기는 듯한 옅은 웃음소리가 나를 뒤따랐다.

"지금은?"

머리 위에서 들려오는 빌힐름의 목소리는 목이 탈 정도로 끔찍했다. 그의 손가락이 내 머리칼 사이사이를 쓸어내리는 것이 느껴졌다. 절벽에 선 것처럼 눈앞이 아찔했다.

"지금도 그런가? 어때, 누이…. 지금도 누이는 혼자인가?"

손에, 손에 무언가 잡혔다. 감촉도, 크기도, 내가 바닥에 떨어뜨렸던 그 나이프가 맞았다.

"너는 그때처럼 나의 불나방이 될 수 있을까?"

"입 닥쳐!"

나이프를 집어 빌힐름의 허벅지 위로 찔러 넣었다. 힘이 부족한지 깊게 파고 들어가지 못했다. 나는 이를 악물며 나이프를 밀어 넣으려 했다.

"읏."

하지만 손에 도통 힘이 들어가지 않는다. 목 안쪽이 매캐하고 눈앞이 빙그르르 돌았다. 심장이 불타오를 것처럼 뜨거워 몸을 제대로 가눌 수 없었다. 나는 이 감각을 알고 있었다.

"과연…. 반쪽이 아닌 완전한 불사의 육체는 남다르다는 건가? 반쯤 죽어 가던 나와는 영 다른 반응이야."

이건 잉고르드의 독에 중독되어 가는 고통이었다.

'폐사에서 지내는 동안 분명 해독됐을 텐데….'

나는 떨리는 손으로 얼굴을 부여잡았다. 그렇다면 언제지? 어떻게 중독된 거지? 그때, 머저리처럼 속수무책으로 당했던 입맞춤이 떠올랐다. 빌힐름의 숨이 내 입 안을 지배했던 순간. 그 짧은 순간에 빌힐름의 혈액이 내 몸 안으로 들어온 게 확실했다. 얼마 지나지 않아 길고 부드러운 손가락이 내 턱을 잡아 올렸다.

"내 생각이 옳아. 하하. 역시 나의 누이는 우는 얼굴이 가장 아름다워."

내가? 울고 있다고?

나이프는 분명히 빌힐름의 허벅지에 얕지 않은 상처를 남겼다. 어지럽게 흔들리는 시야 속에서 붉게 물든 바닥이 보였다. 하지만 빌힐름은 허벅지의 상처 따윈 조금도 문제될 것 없다는 듯, 더없이 평화로운 얼굴이었다. 고개를 돌려 그의 손아귀에서 힘겹게 벗어났다.

'리히튼.'

안 돼. 정신 차려, 아그레인. 리히튼이 왜 널 혼자 둔 채 방에서 나갔겠어? 네 말을 거역할 수 없기 때문이야. 기필코 빌힐름을 죽이고 말겠다는, 네 바람을 막을 수 없기 때문이라고.

"이제 돌아가자."

나는 고개를 저었다. 그런 내 턱을 꽈악 잡아 고정시킨 빌힐름이 내 뺨과, 턱과, 입술과, 살갗이라 불릴 수 있는 모든 피부에 입을 맞추었다.

"자유는 이 정도면 충분했어. 그렇지? 누이에게 이곳은 어울리지 않아. 우리에게는 더 아름다운 새장이 있어…."

목 안쪽이 뜨거웠다. 울컥 쏟아질 것 같은 눈물을 겨우 참았다. 다른 방법이라면 그를 죽일 수 있었을까? 조금 더 신중하게 고민했다면…. 아니야. 그런 가정은 이제와 아무런 의미 없어. 빌힐름이 내 몸을 안아 들었다.

"내게는 네가 전부야."

나는 달뜬 숨만 내쉬며 죽을힘을 다해 정신을 붙잡았지만, 시간이 흐를수록 이성이 흐릿해져갔다. 그는 내 몸을 침대 위로 조심스럽게 뉘였다.

"네가 있어야 내가 완성돼…. 그러니 나를 받아들여, 아그레인. 너와 함께라면 나는 완벽해."

그때였다. 누군가 방문을 두들기는 소리가 났다. 하지만 빌힐름은 내 곁을 계속 지켰고, 그렇게 방문자는 다시 돌아가는 듯했다.

똑똑.

하지만 노크는 멈추지 않았다. 앓는 도중에도 덜컥 겁이 났다. 지금의 빌힐름은 페사 백작저의 사람들을 모조리 죽여도 이상하지 않을 만큼 미친 상태였기 때문이다. 얼마나 시간이 지났을까. 꿈속을 헤매는 것처럼 정신이 흐릿했다. 익숙한 두통과 어지럼이 나를 괴롭혔다.

그 와중에도 문 두들기는 소리는 계속됐다. 어떤 생각이었는지는 몰라도 빌힐름은 방문자를 맞이했다. 이어서 들려온 목소리는 내게 퍽 익숙한 음성이었다.

"늦은 밤에 죄송합니다, 전하. 수잔이라는 하녀가 전하를 찾아온 것으로 아는데, 그 아이와⋯. 저, 전하? 다리가⋯."

"수잔은 이곳에 없습니다."

아가씨였다. 방을 찾아온 이는 페사의 아가씨임이 분명했다.

"예? 하지만 저 침대에 누운 여자는 분명⋯."

짧은 한숨과 함께 둔탁한 소음이 들렸다. 어떤 힘이 났는지 모르겠지만, 나도 모르게 몸을 일으켰다.

"페사 영애."

나긋한 부름이었다. 이윽고 어지러운 시야 너머로 두 명의 인영이 보였다. 빌힐름은 아가씨를 벽으로 밀어붙여 목을 조르고 있었다. 아가씨의 하얀 얼굴이 고통과 공포로 일그러져 있었다.

"대답해야지, 영애."

"흡⋯. 예, 예, 전하."

"지금 당장 황성으로 돌아갈 마차를 준비해 주었으면 좋겠군요."

겨우 균형을 잡아 침대에서 벗어났다. 처음 겪는 중독 현상도 아닌데 왜 항상 처음처럼 몸을 가누기 힘든 거지? 등 뒤로 식은땀이 그치지 않고 흘렀다. 방 안을 아무리 살펴도 둔기로 쓸 만한 물건은 보이지 않았다.

"그럴게요. 당장 그럴게요. 한데 수잔, 수잔은…. 수잔도 데려가시나요? 그, 그 애는 페사 가문의 하녀예요."

잠깐의 침묵이 맴돌았다. 나는 촛대를 쥐기 위해 뒤돌던 것도 멈추고, 빌힐름에게로 달려갔다. 꽉 조여지는 손아귀 안에서, 아가씨의 안색이 새파랗게 질려가고 있었다.

"누가 누구의 것이라고?"

"아, 흣!"

"그대는 입을 조심하는 게 좋을 것 같군."

뒷모습밖에 보이지 않았지만, 빌힐름의 목소리에는 그답지 않게 깊은 진노가 스며들어 있었다.

"죄, 죄송…!"

나는 온 힘을 다해 빌힐름을 밀어내고 아가씨의 어깨를 껴안았다. 작고 연약한 몸이 내 품 안에서 힘없이 무너졌다.

"수, 수잔."

아가씨는 그새 쉰 목소리로 끊임없이 마른기침하며 나를 올려다봤다. 고작 하루 전까지 기대와 설렘으로 가득했던 눈이 눈물로 젖어 있었다. 무슨 생각으로 여기까지 왔느냐 다그치려다, 윗입술을 깨물었다. 끊임없이 들리던 노크 소리가 생각났기 때문이다.

"아…"

순간, 숨이 턱 막힐 정도로 강한 악력이 나를 일으켰다. 나는 그야말로 종잇장처럼 나가떨어졌다. 극도의 어지럼으로 눈앞이 까맣게 물들었다. 곧 급박한 아가씨의 목소리가 들려왔다.

"전하!"

무슨 일이 일어난 거지? 벽을 짚으며 숨을 가다듬었다. 쾅, 하는 격렬하게 문 닫히는 소리와 함께 아가씨의 외침이 작아졌다.

"전하! 무, 문을 열어 주세요, 전하!"

빌힐름이 닫힌 문의 손잡이가 열리지 못하게 쇳대로 고정하는 모습이 보였다. 벽에 걸려 있던 촛대였다.

"저, 전하! 문을 열어 주세요!"

등 뒤에서 비명이 들려왔으나, 그는 아무렇지 않게 나를 안아 들고 계단을 내려갔다. 그동안 시야가 수십 번 점멸했다.

잠깐 정신을 잃었던 것일까? 다시 눈을 떴을 땐, 어디인지 모를 곳에 앉아 있었다. 흐릿한 잿빛 하늘 아래에서 빌힐름이 내 볼에 입을 맞추고 속삭였다.

"여기서 기다리고 있어, 누이. 금방 돌아올 테니까."

그리고 나는 커다란 나무 아래에 홀로 남겨졌다. 몸을 일으키려 했지만, 전신이 바위에 눌린 것처럼 무거웠다.

'리히튼.'

아, 안 돼. 그가 나를 기다리고 있을 텐데. 나는 이를 악물었다. 하지만 두 다리는 꼼짝하지 않았고, 혈관이 익어 가는 끔찍한 고통과 함께 수마가 나를 덮쳤다.

언제부터였는지 모르겠다. 나는 꿈을 꿨다. 어느새 푸른 초목이 자라나기 시작한 너른 초원을 바라보며 서 있었다. 하늘은 어둡다. 금방이라도 비를 쏟아 내릴 듯 캄캄하고 흐릿했다. 빌힐름이 내게 속삭였다.

[어서 이리로 와. 누이가 돌아와야 할 곳은 내 곁이야. 꽤 즐거웠지? 이제 그만 이 장난을 끝내자.]

나는 뜨거운 불길이 솟는 벼랑 위에 서 있었다. 아귀처럼 타오르는 불꽃에 저택이 무너지고 있었다. 코를 찌르는 탄내가 저택에 한가득했다. 나는 등을 돌렸다. 그곳에는 리히튼이 서 있었다. 이상하게 낯설지 않은 장면이었다.

아. 기억났다. 이 장면은 내가 황성에서 보았던 미래 중 하나였다. 나는 이곳에서 빌힐름과 함께 벼랑 아래로 떨어졌다. 그와 함께 이 세상에서 완전히 사라지는 것이 리히튼을 위한 길이라 여겼기 때문이다.

[돌아가자, 아그레인. 그때처럼. 모든 것을 불태우고…. 우리의 처음으로.]

빌힐름의 목소리가 짙어져 간다. 반대로 리히튼은 아무런 말도 없었다. 왜지? 불안했다. 리히튼은 어째서 이리도 조용한 걸까? 그는 나를 보면서 무슨 생각을 하고 있을까?

"…잔."

지금의 나는 예전과 다르다. 빌힐름과 함께 이 세상에서 사라지는 것이 리히튼을 위한 배려가 아님을 안다. 그를 위한다면 나는 끝까지 살아야만 한다.

"…잔!"

리히튼을 위해서, 그리고 또 나를 위해서 끝까지….

"수잔!"

정신이 번쩍 들었다. 나는 거친 숨을 몰아쉬며 몸을 일으켰다. 하늘은 아직 연기에 뒤덮인 것처럼 흐릿하고 어두웠다. 속이 타오를 듯 아픈 건 여전했고, 머리도 어지러웠다. 이윽고 누군가 억지로 내 몸을 일으켰다. 급박해 보이는 얼굴을 한 솔레르였다.

"솔레르? 이곳에는 어떻게…."

"아가씨께서 알려 주셨어요. 일단 당장 일어나요. 어서!"

대답하는 음성이 이상하리만치 초조하다. 그래, 무언가 이상했다. 고개를 들어 하늘을 올려다봤다. 회색빛 구름이 한데 모여 강처럼 흘렀다. 머릿속이 맑아지면서 코를 찌르는 탄내가 느껴졌다.

"뒤쪽 별관에 불이 났어요. 일대가 건조해서 금방 번질 거예요. 어서 피해야 해요."

나를 부축하는 솔레르의 손을 밀어냈다. 불길에 휩싸였다는 저택은 고작 고개를 돌리는 것만으로 확인할 수 있었다.

"아."

솔레르의 말이 맞았다. 붉은 화마가 별관을 야금야금 집어삼키고 있었다. 저곳은 리히튼이 지내던 저택이다. 그는 아직도 거기에 남아 있을 것이다. 꿈에서 그러했으니까.

"…수잔? 안 돼요, 수잔! 돌아와요!"

나를 괴롭히던 모든 고통이 순식간에 증발했다. 두통도, 어지럼도, 메스꺼움도 전혀 느껴지지 않았다. 내 두 다리가 미친 듯이 움직였다. 머릿속에는 그저 리히튼을 데리고 나와야 한다는 생각뿐이었다. 빌힐름이 리히튼에게 어떤 짓거리를 할지 감도 잡히지 않았다. 그랬기에 더욱 두려웠다.

"안 돼. 안 돼, 제발…."

타오르는 저택을 향해 정신없이 뛰었다. 불길이 위쪽부터 번졌기 때문인지 일 층은 아직 연기만 자욱했다.

"리히튼!"

그의 방으로 올라가며 목이 터져라 외쳤지만, 돌아오는 대답은 없었다.

"리히튼!"

계단을 올라갈수록 열기가 뜨거워진다. 리히튼의 방이 이토록 멀게 느껴진 적이 없었다. 힘겹게 도달한 그의 방은 활짝 열려 있었다. 그렇게 문 안으로 겨우 발을 디뎠을 때. 그때. 나는 리히튼의 복부에 박힌 검을 보고 몸을 굽힐 수밖에 없었다.

"…리히튼."

아아아, 그러지 마. 제발 그러지 마. 빌힐름이 리히튼의 몸에서 검을 뽑았다. 테라스의 커튼이 휘날렸다. 커튼의 붉은색보다 리히튼이 뱉는 피가 더 붉었다. 무너진 리히튼의 몸이 테라스로 쓰러졌다. 한 걸음, 한 걸음을 힘겹게 이어 그에게 다가갔다. 머릿속이 하얗게 변해 아무런 사고를 할 수 없었다. 나는 덜덜 떠는 두 손을 들어 붉어져가는 리히튼의 복부를 틀어막았다.

"리히튼. 피가…."

누군가 그런 나를 비웃었다.

"그만둬, 아그레인. 그곳만 뚫린 게 아니니까."

빌힐름의 목소리에는 확실한 조소가 담겨 있었다. 그의 말대로 리히튼의 오른쪽 허벅지 역시 찐득한 피에 젖어 있었다. 리히튼을 잃을 수도 있다는 공포에 심장이 미친 듯이 뛰었다. 리히튼은 그런 나를 바라보며 가만히 숨만 내쉬었다.

내 탓이야. 눈앞이 흐릿해졌다. 볼을 타고 흐르는 눈물이 무척이나 뜨거웠다. 하늘에서 떨어지는 열기보다도 훨씬 더. 리히튼은 빌힐름을 위협할지언정 죽일 수는 없었을 터였다. 다름 아닌 나 때문에. 그가 아닌, 내가 직접 빌힐름을 죽여야 하니까. 그것이 내 유일한 바람이었으니까.

"울지 마."

힘없는 손길이 내 눈가를 쓸고 떨어졌다. 리히튼의 목소리는 죽은 이의 것처럼 바짝 메말라 있었다. 결국 이 모든 건 내가 만든 악몽이었다. 결국은, 내가 리히튼을 이런 꼴로 만든 것이다. 등 뒤에서 빌힐름의 긴 한숨이 들려왔다.

"아그레인. 나는 너를 위해 여기까지 왔어."

천천히 등을 돌렸다. 빌힐름은 그 어느 때보다 지친 얼굴로 손 안의 검을 내던졌다. 그리고 바닥을 구르고 있던 촛대를 집었다. 아가씨에게 그러했듯, 리히튼을 이곳에 가두고 문을 잠글 생각 같았다.

"그러니 어서 이리로 와. 누이가 돌아와야 할 곳은 내 곁이야. 꽤 즐거웠지? 이제 그만 이 장난을 끝내자. 슬슬 지루해지려 하는군."

"…빌힐름."

"누이에게는 안타깝게 됐지만, 나는 리히튼 잉고르드를 살려 둘 생각이 없어. 이대로 불에 타 재가 되거나, 아래로 떨어져 천천히 죽어 가겠지."

빌힐름이 내게로 손을 내밀었다. 그는 웃고 있었다. 금방이라도 깨질 것처럼 아슬아슬해 보이는 미소였다.

"어서. 내가 진심으로 화내기 전에."

여기서. 바로 여기서 내가 그와 함께 떨어진다면. 그렇게 한다면, 리히튼이 살 수 있을까? 불사는 완벽하지 않다. 평범한 사람들보다 목숨이 더 질길 뿐 치명적인 양의 피를 흘리면 죽고, 불에 타도 죽는다. 그리고 이곳에서는 오직 나만이 멀쩡한 상태였다. 그래, 맞아. 내가 테라스 아래로 빌힐름과 함께 추락한다면…. 그리할 수만 있다면….

불현듯 꿈에서 보았던 미래의 한 장면이 머릿속을 스쳐 지나갔다. 그 미래였다. 그 미래에서처럼 빌힐름과 땅 아래로 추락한다면, 리히튼을 살릴 수 있을 것이다.

"아니야."

그때, 기다렸다는 듯 리히튼의 목소리가 들려왔다. 그는 마치 내 머릿속을 헤집어 본 것처럼, 금방이라도 끊길 것 같은 목소리로 강하게 부정했다.

"아니야, 아그레인. 그게 아니야…"

그의 손이 내 머리를 잡아끌었다. 마른 꽃잎처럼 거친 입술이 내게 입을 맞추었다. 청회색 눈동자가 나를 담았다. 시간이 멈춘 것 같았다. 리히튼이 내게 말했다.

"너를 영원히 사랑해."

이윽고 그는 천천히 몸을 일으켜, 아주 느리게 빌힐름의 앞으로 걸어갔다.

"그러니 이번에는 네가 나를 구하러 와 줘."

리히튼이 빌힐름의 어깨를 밀며 쓰러졌다. 나이프에 찔린 빌힐름의 왼쪽 다리가 힘없이 구부러졌다. 리히튼을 붙잡을 겨를도 없었다. 둘의 몸은 순식간에 테라스 아래로 기울었다.

"리…."

무슨 일이 일어난 거지?

"리히…."

나는 홀리듯 테라스 아래로 몸을 기울였다. 붉은 빛 속으로 리히튼이 멀어지고 있었다. 마치 지옥으로 떨어지는 것처럼. 나는 아무것도 할 수 없었다.

리히튼의 푸른 눈동자는 정확히 나를 바라보고 있었다. 그가 무슨 생각을 하는지는 알 수 없다. 하지만 리히튼의 눈은 하늘도, 그 무엇도 아닌 오직 나만을 담고 있었다. 찰나의 순간이 마치 억겁처럼 길게 느껴졌다. 리히튼의 메마른 목소리가 내 머릿속에 메아리처럼 울렸다.

너를 사랑해, 아그레인.

너를 사랑해.

너를….

나는 소리 없는 비명을 질렀다. 리히튼이 이 세상에 더는 존재하지 않는다고 하면, 나는 어찌해야 할까? 어디선가 둔탁한 마찰음이 들렸다. 열기에 천장이 무너지는 소리였다. 나는 멍하니 그가 사라진 어둠 속을 내려다보며 상상했다. 리히튼이 없는 나의 삶이 어떠한 형태를 지닐지에 대하여.

하지만 아무것도 없었다. 도무지 아무것도 떠오르지 않았다. 리히튼이 없는 나의 세상은 상상조차 불가능했다. 그가 나를 지배했을 때의 시간들에 비하면, 지금 당장은 숨을 쉬고 눈을 깜빡이는 것조차 버거웠다. 빌힐름이 내 삶의 이유였다면 리히튼은 나의 신이었다.

내가 황성을 벗어난 순간부터, 내 삶의 이유와 신 모두 리히튼이었다. 폐사에서 그와 함께한 모든 입맞춤과 모든 정신적 교류, 모든 시간, 모든 웃음, 모든 하늘, 모든… 그야말로 모든 것이 내 혈관에 흐르는 피와 폐에 흐르는 공기를 새롭게 했다. 나는 리히튼으로 인해 새롭게 태어났다. 그러니 리히튼이야말로 내 세상의 주인이 맞았다. 그 세상의 주인이 없다면, 나는 더 이상….

'너를 영원히 사랑해.'

내게 속삭이던 리히튼의 목소리. 나를 바라보던 리히튼의 눈동자.

'이번에는 네가 나를 구하러 와 줘.'

나는 타오르는 연기와 불꽃을 뚫고 미친 듯이 내달렸다. 숨을 쉬지 못해 눈앞이 흐릿해져도 계속 달렸다. 계단을 내려가고 홀을 가로질렀다. 흔들리는 샹들리에 아래를 지나 그을린 벽을 따라 뛰었다.

마침내 보이는 새까만 밤하늘 아래에서, 누군가 멍하니 나를 지켜보고 있었다. 비도 오지 않는데 물을 뒤집어 쓴 것처럼 흠뻑 젖은 여자였다. 금방이라도 불타는 저택에 들어갈 태세였던 여자는 곧 급박하게 내 이름을 외쳤다.

"수잔!"

솔레르가 비틀거리는 내 몸을 부축했다. 그녀밖에 부탁할 사람이 없다. 나는 그녀의 어깨를 끌어안고, 번진 눈물을 닦아내며 애원했다.

"제발 나를 도와줘요, 솔레르. 후원에 죽어 가는 사람이 있어요!"

"진정, 진정해요, 수잔."

솔레르의 얼굴에도 분명한 공포가 서려 있었다. 하지만 그녀는 나를 내치지 않았다. 오히려 무너지는 내 몸을 일으켜 세우곤 등을 밀었다.

"정신 차려요, 수잔! 도와 달라고 했잖아요? 별관이 무너지기 전에 데려와야 한다고요!"

그에 나는 다시 메마른 초원 위를 뛰었다. 흙과 재에 엉망이 된 몸은 밤하늘보다 더 검고 무거웠다. 먹먹해진 머릿속에는 온통 그의 생각만이 부상했다. 리히튼의 육체는 불사다. 이 정도로는 죽지 않아. 죽지 않을 거야. 아무리 치명적이어도 그는 살아날 거야. 그걸 알기에 내게 구해 달라고 말한 거야.

　'하지만 그게 아니면?'

　심장이 터질 정도로 뛰는 동안, 내 사념 속의 리히튼은 수십 번을 죽고 살길 반복했다. 저 멀리 오래된 화단 위에 널브러진 두 개의 그림자가 일렁였다. 그 위로 까만 재와 불꽃이 떨어진다. 어떤 정신으로 리히튼의 앞에 도착했는지 모르겠다. 추락한 그의 모습은 망가진 진흙 인형처럼 처참했다. 제발. 나는 리히튼의 손을 붙잡고 거친 숨을 내쉬었다.

　"수잔? 아직 죽지 않았어요. 믿기지 않지만, 미약하게 숨이 붙어 있어요."

　리히튼을 확인한 솔레르가 이번에는 뒤쪽으로 방향을 틀었다. 그리고 리히튼에게 그러했듯, 몸을 숙여 상태를 확인하곤 입을 열었다.

　"빌힐름 황자 전하도…."

　"아니요."

　그자는 안 돼. 나는 솔레르의 양쪽 어깨를 붙잡고 그 어느 때보다 단호한 목소리로 말했다.

　"빌힐름 황자는 이곳에서 죽은 거예요."

　솔레르는 이해할 수 없다는 표정이었다. 이윽고 그녀는 극도로 혼란스러운 눈이 되어 내게 설명을 요구했다.

　"그게 무슨 말이에요? 수잔, 빌힐름 전하는 그렌페르크 제국의 황자 전하예요. 우, 우리가 감히…."

　"내 말을 들어요, 솔레르. 아가씨에게 들었죠? 페사 아가씨를 가둔 건 다름 아닌 빌힐름이에요. 오직 나를 해하겠다는 일념 하나로 여기까지 온 남자라고요. 그자가 살아나면 나도, 당신도, 페사도 전부 불태워 버릴 거예요."

까맣게 타 버린 나뭇가지가 불꽃 잔재를 남기며 떨어졌다. 환하게 빛나다 사라진 불길이 땀과 물에 젖은 솔레르의 얼굴을 비췄다. 불안과 공포가 선명하게 그려진 얼굴이었다. 그녀의 눈에 비친 나 역시 그러할까? 나는 꽉 멘 목으로 외쳤다.

"빌힐름, 그 악마는 그러고도 남을 새끼야. 절대 살려서는 안 돼요. 절대, 절대 안 돼! 내가 무슨 짓거리를 해 가며 여기까지 살아남았는데!"

솔레르는 비명을 내지르는 내게로 천천히 손을 뻗었다.

"내 가족과, 집과, 리히튼이… 그들의 손에 망가졌어. 그들이 내 모든 걸 파괴했다고요. 내 모든 것을 가져갔어…."

가녀린 손가락이 내 눈과 뺨을 쓸었다. 나는 가슴을 쳐가며 울었다. 솔레르는 아무것도 묻지 않았고, 나만이 그녀의 손에 얼굴을 묻은 채 모는 눈물을 쏟아냈다. 왜인지는 모르겠다. 마치 쌓인 것을 토해 내듯, 나는 계속해서 울기만 했다.

"알았어요. 그럴게요, 당신이 하자는 대로 할게요. 그러니 어서 각하를… 머리는 최대한 조심해서…."

솔레르가 리히튼의 머리를 받쳤다. 나는 한계에 다다른 몸을 움직여 솔레르와 함께 리히튼을 부축했다. 가느다란 숨소리조차도 들리지 않았다. 그는 죽어 가고 있었다. 나는 차갑게 식은 그의 육신이 너무나 무서웠다. 그렇게 얼마나 걸었을까. 잿빛 하늘 사이로 비가 내리기 시작했다.

비는 이틀 동안 더 내렸다. 짧다면 짧고, 길다면 긴 그 이틀 동안 페사의 분위기는 어둡고 침울했다. 고작 하루 사이에 빌힐름 황자가 사망하고 리히튼 공작이 혼수 상태에 빠졌으니, 당연한 일이었다.

그로부터 일주일가량이 더 흐른 후, 황성에서 관이 도착했다. 상복을 걸친 폐사 백작가와 고용인들이 빌힐름의 마지막을 배웅했다. 그의 관을 실은 마차는 앞으로 나흘을 쉴 새 없이 달려 황성에 도착할 것이다. 모두들 빌힐름의 입관식이 치러진 후에 비비안느의 즉위식이 거행될 거라 예상했다. 혹은 즉위식 다음에 입관식이 열릴 수도. 어느 쪽이든 황위에 오를 비비안느의 선택에 달려 있을 터였다.

처음 며칠간은 끔찍했다. 나는 리히튼의 상태를 확인하느라 조금도 잠들지 못했다. 해가 뜨나 지나 그의 옆자리를 지켰다. 잉고르드의 독, 리히튼, 불안, 초조, 공포, 그 모든 요소가 나를 끊임없이 괴롭혔다. 그 누구도, 심지어는 솔레르조차 리히튼의 회복을 장담하지 못했다.

하지만 나만은 그가 돌아올 것이라 확신했다. 리히튼은 죽지 않아. 우리는 그렇게 태어났어. 이 빌어먹을 저주의 쓸 만한 부분이라곤 목숨이 질기다는 사실뿐이었다. 그러니 리히튼은 살아야 했다. 리히튼이 내 세상으로 돌아올 수만 있다면, 나는 그 어떤 대가도 치를 준비가 되어 있었다.

그렇게 며칠이 더 흘렀다. 바깥에는 이제 봄의 기운이 만연했다. 칙칙하던 폐사 백작저에 조금씩 활기가 돌기 시작했다. 시체와 다름없던 리히튼의 상태가 눈에 띄게 호전된 것도 그즈음이었다.

"놀라워요. 이건… 이건 있을 수 없는 일이에요."

솔레르는 그런 리히튼을 믿을 수 없다는 눈으로 바라보곤 했다.

"이 속도면 며칠 안에 눈을 뜨실 수도 있을 것 같아요. 물론 말도 안 되는 일이지만… 정말 보름도 안 되어서 완치라니…."

그날, 나는 마치 새로운 삶을 부여받은 것 같은 안도와 평온을 느꼈다. 두 다리의 힘이 풀려 바닥에 쓰러지자, 솔레르가 그런 나를 급히 부축했다. 그녀는 조심스럽게 입을 열었다.

"각하께서 완치되신다면… 그건 분명 수잔의 정성 어린 보살핌 덕분일 거예요. 이제 제발 휴식을 취해요, 수잔. 각하께서 깨어나셨을 때 수잔이 쓰러져 있으면 어쩌려고요?"

나는 대충 고개를 끄덕였다. 그제야 열흘이 넘도록 쌓여 있던 수십 가지의 감각이 나를 덮쳤다. 수마, 고통, 어지러움, 배고픔, 피로….

그대로 쓰러진 나는 이틀날 저녁이 되어서야 눈을 뜰 수 있었다. 그날부터 아가씨와 솔레르는 틈만 나면 나를 찾아와 시답잖은 대화로 시간을 보냈다. 기껏해야 한두 마디 받아 주던 나였지만, 이삼일이 흐른 뒤에는 제법 대화라는 것을 할 수 있었다.

"어제 새벽에 각하께서 아주 짧게 눈을 뜨셨대요."

모든 것이 차츰 나아지고 있었다.

"아버지에게 들었어요. 빌힐름 황자의 장례식은 황위 즉위식 후에 치러진대요."

더럽고 끔찍한 늪지대 같던 나의 세계에, 한 줄기의 빛이 떨어지고 있었다.

"저, 수잔. 잠깐 시간 괜찮아요?"

그럴 수 있을 거라고 생각했다.

"다름이 아니라, 리히튼 각하께서…."

리히튼이 기억을 잃기 전까지는.

그 소식을 처음 전해 들었을 때, 내가 가장 놀랐던 점은 리히튼이 기억을 잃었다는 점이 아니었다. 다름 아닌 내 스스로가 그 사실을 마땅히 받아들였다는 점이었다.

'다행이다.'

나는 그저 리히튼이 살아 있음을 감사히 여겼다. 리히튼이 두 눈을 뜨고 평범하게 숨을 쉬어서 한없이 다행이라고 생각했다. 그것으로 충분했다. 다른 부가적인 건 필요 없었다. 리히튼이 나를 잊었다든지, 그런….

"수잔…."

솔레르가 천천히 나를 끌어안았다. 나는 그녀의 품에 한참을 안긴 후에야, 내가 울고 있었다는 사실을 깨달았다. 솔레르의 어깨가 옅게 젖어 있던 것이다.

"외부 충격으로 인한 단기 기억 상실일 거예요. 이런 경우에는 금방 기억을 되찾아요. 희망을 잃지 말아요, 수잔."

문득 그런 생각이 들었다. 리히튼이 기억을 되찾는 게, 과연 그를 위한 일일까? 오히려 리히튼은 나와 빌힐름을 잊음으로써 더 행복해질 수 있는 기회를 갖게 된 것이 아닐까? 그런 생각은 나를 더 괴롭게 만들었다. 리히튼은 침상에서 일어났지만, 나는 단 한 번도 그를 찾아가지 않았다. 나를 모르는 리히튼을 받아들일 자신이 도무지 생기지 않았다.

괜찮다고 스스로를 위로했지만 괜찮을 리 없었다. 며칠이 더 흘러서, 페사에는 또 다른 마차가 도착했다. 잉고르드 가문 소속의 마차였다. 리히튼이 마차를 타고 페사를 떠난 후, 나는 단 한 번도 연락한 적 없는 킨에게 서신을 보냈다.

페사 백작저에서의 고용 기간을 채운 마지막 날. 저택 밖에는 낯익으면서도 낯선 문양이 새겨진 마차가 나를 기다리고 있었다. 캐롤드 가문의 마차였다.

"솔레르."

내 곁에 말없이 서 있던 솔레르가 한 박자 늦게 나를 돌아봤다. 그녀를 처음 만났을 때와는 비교도 안 되게 어른스러워 보이는 얼굴이라고 생각했다.

"네."

"나와 함께 갈래요?"

그녀의 반응은 예상 외로 차분했다. 솔레르는 잠시 고개를 숙인 채 생각에 잠기더니, 이윽고 고개를 주억이며 나의 제안을 받아들였다. 그다음 과정은 길지 않았다. 우리는 짐이라고 할 것도 없는 몇 가지 물건만 챙기고 마차에 올랐다.

그렇게 나는 캐롤드로 돌아갔다.

너무나… 너무나 오랜 시간이 걸린 귀향이었다.

4부

Episode 19.
비비안느

근래 들어 가장 화창한 날씨였다. 파란 하늘 아래는 흰 구름조차 없었고, 바람 한 점 없어 뱃놀이에도 딱 적당한 날씨였다.

가만히 하늘을 올려다보던 비비안느는 성을 나갔다. 본래 그렌페르크 제국이 추구하는 황실의 위엄이란 '움직이지 않는 것'부터 시작하지만, 비비안느는 그따위 황실 법도 따위 내버린 지 오래였다. 모두 레그윈 황실 가문에서 차곡차곡 쌓아 올려 온 법도이지 않은가. 그렇다면 그녀가 몸소 나서서 쓰레기 취급하는 것이 옳았다.

"배를 띄워라. 그리고 짐이 초대한 손님을 이곳으로 안내해라."

"예, 폐하."

비비안느는 캐노피 아래에서 느긋하게 앉아 시종들이 배를 띄우길 기다렸다. 곧 호수 위에서 즐기게 될 음료와 디저트가 하나둘 준비되기 시작했다. 모든 준비가 끝나고 비비안느가 자리에서 일어섰을 때, 불퉁한 얼굴의 남자가 다가와 시중을 도왔다.

"꼭 이러셔야 했습니까?"

"무슨 뜻이지?"

"뱃놀이 말입니다. 꼭 저와 함께하셔야겠냐는 물음입니다. 누가 보면 폐하와 제가 이제 막 연애를 시작한 수줍은 연인 사이인 줄 알겠군요."

남자, 모리타트 공작이 영 마뜩잖은 눈으로 유감을 표했다. 황제의 앞에서 취하기에는 몹시 불순한 태도였으나, 그 누구도 모리타트를 나무라지 않았다. 그는 황제의 최측근이었기 때문이다. 비비안느는 모리타트의 불만을 뒤로 하고 배에 올랐다. 이윽고 그들이 탄 배는 천천히 호수 한가운데로 밀려 갔다. 호수에 그려진 파문을 응시하던 비비안느가 느릿하게 입을 열었다.

"오늘 짐이 그대를 부른 이유는, 그대의 혼사가 계속 미루어지고 있기 때문이다."

모리타트의 표정이 좋든 말든, 비비안느는 계속해서 말을 이었다.

"잭 가문의 적통은 현재 그대가 전부다. 잭 전 공작 부인과는 후계를 보지 못했으니, 어서 새 부인을 맞이해 후계를 봐야함이야."

이어진 모리타트의 대답은 답답함을 참는 듯, 짧고 간결했다.

"곧 볼 겁니다."

"그러길 바라는 것이겠지. 아즈마리아 백작은 포기해. 백작의 성격 상 지위를 버리고 그대를 선택할 확률은…."

"싫습니다. 제가 제 여자를 선택하겠다는데, 왜 자꾸 폐하께서 왈가왈부하시는…."

"백작의 청이다."

"…이유가 있으셨군요."

아즈마리아가 언급되자 모리타트의 언성이 급격히 낮아졌다. 비비안느는 그런 그의 모습을 보며 혀를 찼다.

"조금만 더 시간을 주십시오. 한 달 안에는 어떻게든 끝을 보겠습니다."

"마음을 정리할 시간을 말하는 건가?"

"꼬셔내겠다는 의미지요."

"다시 한번 말해 두지만, 공작이 지위를 포기하는 것은 용서하지 못해. 잭 가문의 적통이 끊기는 일은 허용할 수 없으니."

모리타트 공작은 그녀가 아는 이들 중 손에 꼽게 현명한 남자였다. 그런데도 흠모하는 여자의 이름만 나오면 답답한 머저리처럼 구니, 유서 깊은 귀족 가문의 존속을 도와야 하는 입장으로선 한심할 수밖에 없었다.

그럼에도 비비안느가 귀족 영애 목록까지 작성해 재촉하지 않는 이유는, 그녀 역시 모리타트의 심정을 십분 이해하기 때문이었다. 같은 종류의 사랑이라 표현하기에는 분명 어폐가 존재할 테지만…. 그녀 또한 '양보할 수 없는 애정'이 무엇인지에 대해서는 충분히 알고 있었다. 모리타트가 긴 한숨을 뱉어 내며 말했다.

"다른 사람도 아닌 폐하께서 그런 말씀을 하시니, 듣는 소신의 입장에선 억울하기만 합니다. 제 혼사보다 중요한 것이 폐하의 혼사이지 않습니까?"

상대가 바뀔지언정, 항상 약혼자가 정해져 있던 빌힐름과 달리 비비안느는 단 한 번도 혼약을 약속한 적이 없다. 또한 세간에 알려진 정인조차 없었다. 아마 그런 것들이 자신에게는 조금도 쓸모없다 여겨 왔을 터였다. 모리타트는 비비안느가 자신에게 그러했듯, 신하로서 진심을 담아 조언했다.

"이왕이면 외모와 몸이 쓸 만한 청년으로 고르시길 추천 드립니다. 적어도 잠자리는 즐길 수 있지 않겠습니까?"

"그대는 항상 똑같은 소리만 해."

"신하로서 군주께 드릴 말씀을 드리는 겁니다. 마음에 드는 청년을 선택하시면, 제가 홀리지 않고는 못 배길 여자를 준비해 간통하도록 만들겠습니다. 그리고 그 여자가 아이를 뱄을 때, 그 아이를 폐하께 바치겠습니다."

그리 말하는 모리타트의 목소리에는 일말의 감정도 느껴지지 않았다.

"다만 부마의 혈통은 최대한 건실한 혈통으로 골라 주십시오. 그래도 레그윈을 이어서 새로운 황실 가문이 될 핏줄인데, 레그윈처럼 피에 미친 혈통을 들이면 안 되지 않겠습니까?"

눈앞의 황제가 레그윈 황실 가문의 적통임에도, 모리타트의 폭언에는 망설임이 없었다. 비비안느는 진노하기는커녕 짧게 웃어넘겼다. 모리타트의 주장에는 틀림이 없었기 때문이다. 레그윈 황실 가문은 비비안느를 마지막으로 대가 끊길 예정이었다. 빌힐름이 죽은 시점에서 레그윈의 적통은 비비안느가 마지막이었다.

그러나 비비안느는 하늘의 힘을 계승한 존재로서, 태생이 아이를 가질수 없는 몸이었다. 다나한 2세의 사생아들은 진작 정쟁에 휘말려 명을 달리했다. 제국을 이 잡듯 뒤진다면 레그윈 가문의 방계를 찾을 수 있겠으나, 비비안느는 그럴 마음이 한사코 없었다. 레그윈 핏줄의 종말이야말로 그녀가 오랫동안 바라온 결말이었으니까. 비비안느는 자신의 대에서 『태양이 흐르는 강』이라는 저주를 끝낼 마음이었다. 레그윈을 향한 증오와 아그레인을 향한 애정은 비비안느가 리히튼의 손을 잡게 된 결정적인 이유였다.

"생각해 보도록 하지."

그녀의 대답 이후, 둘 사이에는 짧은 침묵이 흘렀다. 잠시 호수 너머의 풍경을 감상하던 모리타트가 넌지시 말했다.

"이제 본론을 말씀하십시오. 굳이 이 흔들리는 호수 위까지 저를 불러낸 이유가 있으실 것 아닙니까?"

비비안느는 그의 제안을 곧장 받아들였다.

"어젯밤 리히튼 공작에게서 서신이 도착했다."

리히튼 공작의 서신. 그 말을 들은 모리타트의 표정이 드물게 진중해졌다. 그가 조심스럽게 물었다.

"기억을 되찾으셨답니까?"

"아니."

망설임 없는 부정에 모리타트의 표정이 괴팍하게 일그러졌다. 기억을 되찾지도 못했는데, 혼인이라니? 모리타트는 자신이 낼 수 있는 최대의 상상력을 발휘했다.

"혹시, 뭐… 잉고르드 공작과 아그레인 캐롤드는 세상의 풍파도 못 막아낼 운명의 사랑이라, 한쪽이 기억을 잃었어도 서로 사랑에 빠져 정을 나눴다, 이런 말씀이신지?"

비비안느는 이번에도 고개를 저었다.

"올해 안으로 혼인할 계획이라더군. 짐의 허락을 미리 구하는 서신이었다."

"혼인이라면… 아그레인 캐롤드와 말입니까?"

"아니. 당장은 사교계에 소문만 흘릴 생각인 듯했다. 기억을 잃어 판단력이 여러모로 흐려졌으니, 직접 귀족 가문들을 상대하며 적당한 여자를 찾을 계획이겠지."

"허."

예상하지 못한 전개였다. 그 말은 즉, 리히튼 공작과 아그레인 캐롤드의 질기고 질겼던 관계가 완전히 끝났다는 뜻이지 않은가.

"갑작스럽군요."

두 달 전, 리히튼 잉고르드 공작에게 변고가 생겼다. 페사 영지에서 발생한 불의의 사고로 기억을 잃은 것이다. 처음에는 모두가 그 소식을 받아들이지 못했다. 그렌페르크 제국에서 리히튼은 무소불위의 권력을 대표하는 인물 그 자체였다. 그가 살아 있는 동안은 황제가 아닌 리히튼 잉고르드가 제국을 휘두를 거란 평이 지배적이었다. 모든 귀족이 그를 시기함과 동시에 존경했다. 감히 그 누구도 위협할 수 없는 존재가 바로 리히튼이었다.

그런 리히튼 잉고르드에게 변고가 생겼다니? 세간은 황제가 리히튼 공작의 손아귀에서 벗어나, 제국을 지배할 천운이 내려온 것이라 여겼다. 하지만 두 달이 흐른 지금에도 황제와 리히튼 공작의 관계는 여전히 공고했다. 불화랄 것도 없었고 눈에 띄는 한쪽의 움직임도 없었다. 귀족들은 태평한 황제의 태도에 의문을 표했지만, 모리타트만은 그 이유를 알고 있었다. 그는 한참 만에 입을 열었다.

"이것도 리히튼 공작의 계획이겠지요?"

비비안느는 터무니없다는 어투로 그의 질문을 받았다.

"그대는 아직도 그런 소리를 하는 건가?"

"그럼 폐하께서는 말이 된다고 생각하시는 겁니까? 그 리히튼 잉고르드가 이리도 갑작스럽게, 예고도 없이, 우발적으로 기억을 잃었다는 사실이?"

"리히튼 잉고르드는 오롯이 아그레인만을 위해 살아온 남자다. 이런 식으로 끝내려 했을 리 없어."

"그러나 그것이야말로 그분이 생각해 온 결말일 수도 있지요. 저라면 마땅히 그럴 수 있다고 봅니다. 아니, 저라면 여기까지 오지도 못했겠죠. 그러니 리히튼 공작이 무슨 짓을 해도 이상하지 않다는 뜻입니다."

비비안느가 짧게 헛웃음을 뱉었다.

"공작은 그에 대해 잘 모르는군."

"아니요. 저만큼 리히튼 공작과 비슷한 사람도 없을 겁니다."

"그래. 고작 한 명의 여자에게 휘둘리고 있다는 점이 끔찍하리만큼 비슷하기는 해. 십 년 전의 그대는 상상도 못했겠지. 아즈마리아라는 여자를 위해 지위를 내던질 각오도 하고 있다는 현실을 말이야."

모리타트가 눈을 가늘게 떴다. 무어라 반박할 말을 찾는 듯했지만, 이내 포기하고 고개를 내저었다.

"폐하께는 도무지 말로 못 이기겠습니다."

"본래 잃을 게 없는 사람에게는 이기기 힘든 법이지."

비비안느는 리히튼 공작에게 닥친 불운을 말 그대로 '불운'이라 여기고 있었다.

"하지만 이것만은 확실해, 공작. 리히튼 공작이 기억을 잃었다고 해서 달라지는 선 없어."

그녀의 말이 옳았다. 기억을 잃든 말든, 리히튼 잉고르드는 여전히 리히튼 잉고르드다. 수많은 역경을 뛰어넘어, 레그윈 황실을 무너뜨린 장본인. 그것이 비비안느가 리히튼의 손을 놓지 않는 이유일 터였다. 모리타트는 식어 버린 차 한 잔을 쭈욱 삼켰다. 그리고 느리게 멀어지는 황성을 응시하며 물었다.

"그래서, 이 지루한 뱃놀이는 언제 끝나는 겁니까?"

"배에 올라탄 지 얼마나 됐다고 벌써부터 내리라 재촉하는 건가?"

재촉이라. 모리타트는 신하로서의 의무를 다하기 위해, 황제 역시 알고 있을 사안을 다시 상기시켰다.

"오늘은 빌힐름 전하의 입관식이 있는 날이지 않습니까? 친형제의 입관식이 열리는 날에 뱃놀이를 하는 황제는 그렌페르크 역사상 폐하밖에 없을 것입니다."

이후에도 모리타트가 계속해서 뱃놀이를 불편해했던 터라, 둘은 결국 뭍으로 올라왔다. 모리타트는 황성에 가까워지면서 '한데 그 소식을 말씀해 주시려고 호수 한가운데로 저를 부르신 겁니까?'라는 질문을 했고, 비비안느는 그렇다고 대답했다. 그녀는 단순히 뱃놀이를 즐기고 싶었던 것뿐이니까. 모리타트는 비비안느에게 앞으로는 이런 오해의 소지가 다분한 행동은 자제해 달라는 부탁을 남겼다.

"그래봤자 아즈마리아가 그대의 구애를 받아들이는 일은 없을 텐데. 한 번 뜬 마음은 쉽게 돌아오지 않으니까."

"그거야 해 보지 않고선 모를 일이지요."

말과 말리 모리타트의 안색은 영 좋지 못했다. 비비안느는 멀어지는 모리타트의 뒷모습을 보며 문득 그런 생각을 했다. 모리타트가 만약 강의 힘을 지니고 있었다면, 아즈마리아의 마음을 얻기 위해 시간을 되돌렸을까? 되돌렸다면 과연 몇 번을 포기하지 않고 되돌릴 수 있었을까? 생각하면 생각할수록, 열 번을 넘게 회귀한 리히튼의 선택이 비정상적이라는 결론에 도달하게 된다. 제정신이었다면 애초에 견뎌내지도 못했을 것이다.

비비안느는 모리타트의 주장이 꽤 그럴싸하다는 사실을 뒤늦게 인정했다. 하지만 '왜'냐는 의문은 여전했다. 리히튼의 목적은 단순히 아그레인의 죽음을 막는 것이 아니었다. 그는 아그레인 캐롤드가 스스로 삶을 이어 가길 바랐다. 적어도 리히튼과 뜻을 함께해 온 비비안느의 눈에는 그렇게 보였다.

아그레인이 잉고르드의 독을 통해서 스스로 기억을 되찾고, 복수를 다짐하고, 그 복수를 시행하고, 살아남는 과정의 전부가 리히튼이 바라온 것이었다. 그 속에서 그녀가 사람들을 만나고, 선택하며, 고뇌했던 시간들 또한 마찬가지였다. 리히튼은 힘을 지녔음에도 판을 뒤집지 않았으며, 늘 기다리고, 인내하고, 지켜보기만 했다. 아그레인에게 집착하고 그녀의 복수를 도우면서도 직접적으로 나서지는 않았다.

처음에는 비비안느도 그 이유가 단순히 '아그레인이 그러기를 바랐기 때문에'라고 여겼었다. 하지만 아니었다. 리히튼의 진정한 바람은, 아그레인에게 삶의 의미를 부여하는 것이었다. 그녀 스스로가 내일로 나아갈 수 있도록. 복수의 끝에서 찾아올 공허함을 채워 나갈 수 있도록.

그렇다면 리히튼의 끝은? 모든 바람을 성공적으로 이루었을 때, 리히튼이 느낀 감정은 무엇이었을까? 새로운 미래를 살아갈 기대감? 아그레인 캐롤드와 함께할 수 있다는 안도감? 혹은, 지독한 공허감? 모리타트의 주장이 사실이라면… 리히튼은 삶의 이유를 잃고 정신적 자살을 선택한 게 아닐까?

하지만 비비안느는, 순전히 그녀 본인의 바람으로… 모리타트의 추측이 빗나갔으면 싶었다. 리히튼마저 예측하지 못했던 우연한 사고이길 바랐다. 다른 이유는 없었다. 그래야 아그레인이 행복할 수 있을 것 같았기 때문이다.

빌힐름의 입관식은 성대하게 진행됐지만, 다나한 2세의 입관식 때와는 달리 불참하는 가문이 많았다. 대표적으로 잉그르드 가문의 가주와 월 가문의 가주가 그러했다. 다만 모두가 불참할 거라 예상했던 캐롤드 가문의 가주, 킨 캐롤드는 입관식에 모습을 보였다. 그의 참석은 모두의 눈길을 끌었으나 아주 잠시의 일이었다. 소문대로 훤칠하고 멀쑥한 모습에 뭇 여자들이 관심을 보인 것을 제외하곤 특별하다 할 일이 없었다.

모든 것이 고요했다. 그 고요함 속에서, 비비안느는 빌힐름의 관을 조용히 내려다봤다. 빌힐름의 시체는 온전치 못했다. 특히 유리 아래 눈을 감은 그의 얼굴은 반이 뭉개져 있었다. 아무리 반쪽이라도 불사는 불사. 그런 빌힐름이 목숨을 잃을 정도니, 육체의 훼손이 말도 안 되게 심각했을 터였다. 그녀가 생각해 온 형제의 마지막보다 훨씬 더 처참한 모습이었다.

"한때는 네 권력이 영원할 거라 여겼던 때도 있었지."

그래서 모든 것을 놓아 버렸었다. 바닥을 기는 개. 차라리 개가 되는 게 더 편했던 시절. 미쳐 버린 레그윈 가문에서 살아남기 위해 선택했던 길. 비비안느는 자신의 쓰레기 같은 인생이, 개가 됨으로서 명을 다할 줄 알았다. 아그레인을 만나기 전까지는.

"고마워, 오라버니. 아그레인은 오라버니가 내게 처음이자 마지막으로 준 선물이야."

아그레인은 죽어 가던 그녀의 이성에 다시 숨을 불어넣었다. 모자란 개 취급을 받았지만 적어도 빌힐름 때와는 달랐다. 그동안 비비안느는 아그레 인에게서 몸을 낮춰서 인내하고, 숨기고, 때를 기다리는 법을 배웠다. 그녀 는 황실에서 쓰레기 취급을 받는 비비안느를 가엾게 여기고 동정했으며, 동 질감까지 느꼈다. 비비안느가 사랑을 느낄 수 있었던 존재는 아그레인이 유 일했다. 그녀가 있었기에 리히튼의 선택을 받아 황위에 오를 수 있지 않았 는가.

그녀의 세상에서 리히튼이 왕이라면, 아그레인은 신이었다. 나의 유일한 친구. 유일한 주인. 유일한 어머니이자 아버지. 한때는 리히튼이 그 맹목적 인 사랑에 의구심을 표한 적도 있었다.

'그건 사랑이 아니라 집착이다. 애증이라고도 하지. 맹목적인 애증은 네 스스 로를 갉아먹을 뿐이다.'

누구에게 말하는지 모를 자조 섞인 경고였다. 하지만 비비안느가 의지할 수 있는 건 아그레인과의 기억이 전부였다. 빌힐름의 개임을 알면서도 내치 지 못했던 아그레인. 그녀와 함께 보냈던 짧으면서도 긴 시간들. 그 기억들 이 없었다면 여기까지 오지도 못했을 것이다.

"모두 오라버니 덕분이네."

썩어 가는 시체에서는 참을 수 없는 악취가 났다. 하지만 비비안느는 감 사한 마음을 담아, 죽은 쌍둥이의 얼굴에 마지막 입맞춤을 남겼다.

"잘 가. 지옥에서도 영원히 고통스럽기를."

그리고 관이 닫혔다.

아그레인이 황성에 왔다는 소식을 들은 건 그날 저녁이었다. 비비안느는 소식을 전달 받은 즉시 자리를 박차고 나왔다. 아그레인은 도착하자마자 적통 황족의 관이 묻히는 사원으로 향했다고 했다. 캐롤드로 돌아갔다는 소리만 들었지, 그녀와의 만남은 빌힐름 독살 사건 이후의 첫 재회였다. 사원 안에서 풍기는 꽃향기는 짙다 못해 지독했다.

사원의 가장자리, 수백 가지의 꽃과 화관이 장식된 관 앞에 그녀가 서 있었다. 비비안느는 홀린 듯 아그레인에게 다가갔다. 침묵 속에서 먼저 입을 연 쪽은 아그레인이었다.

"빌힐름이 그리워진 건 아니야."

그녀의 목소리는 비비안느가 예상했던 것보다 훨씬 상태가 좋았다.

"그냥 궁금했어. 그토록 죽이고 싶었던 자의 관은 어떤 모습일지."

그래서 비비안느는 안심했다. 또 그러한 사실이 너무나 아그레인답다고 생각했다. 비비안느는 조심스럽게 물었다.

"직접 확인해 보니까 어때?"

"특별한 구석은 없네."

어쩐지 감격스러운 기분이 들었다. 자신은 그리 감정적인 사람이 아닌데, 이상하게 아그레인이 곁에 있으면 온갖 다양한 기분에 휩싸이곤 했다. 비비안느는 목멘 음성으로 대답했다.

"잘 돌아왔어. 언제든지 와도 돼, 아그레인. 무얼 원하든 네가 하고 싶은 대로 해. 이제는 내가 널 지켜 줄 수 있으니까."

그제야 아그레인이 몸을 돌렸다. 그녀의 낯은 창백했고, 눈가는 생기 없이 푸르스름했다. 잉고르드의 독에 중독된 상태인 듯했다. 그녀는 흐릿한 미소와 함께 비비안느를 껴안았다.

"이제야 감사 인사를 하네. 그때 도와줘서 고마워, 비비. 덕분에 페사에서 불편함 없이 지낼 수 있었어."

비비안느는 아주 천천히, 유리를 다루듯 조심스럽게 아그레인을 마주 안았다. 바로 이 느낌이었다. 이게 바로 그녀가 바란 평화였다. 차분해진 숨소리를 느끼며, 비비안느가 입을 열었다.

"아그레인. 페사에서 무슨 일이 있었던 거니?"

잠깐의 침묵 끝에 아그레인이 대답했다.

"머저리 같은 일들이 있었지. 리히튼이 기억을 잃게 된 경위를 묻는 거라면, 오롯이 내 실수야."

"그건 절대 네 탓이 아니야. 경황은 잘 몰라도 확신할 수 있어."

비비안느가 빌힐름의 부재를 알게 된 건, 그가 황성을 벗어난 날의 저녁이었다. 그는 전 시종장, 카이로 백작의 도움으로 황성에서 도망쳤다. 따지자면 그녀가 빌힐름을 제대로 감시하지 못한 것부터가 잘못이었다. 물론 진정한 주범은 빌힐름 그 자체이겠지만. 천천히 몸을 뗀 아그레인이 텅 빈 목소리로 속내를 털어놨다.

"복수라는 건 참 허무해. 그렇게 바랐는데, 정작 그 끝에 내게 남은 건 아무것도 없으니."

"후회해?"

"아니."

대답과 동시에 그녀가 고개를 저었다.

"아니, 아니지. 그래… 후회해. 그때 더 확실히 죽여 버려야 했는데."

빌힐름의 관을 내려다보는 아그레인의 시선은 그 어느 때보다 냉랭했다.

"하지만 다시 돌아가도 나는 똑같은 실수를 하겠지. 인정할 때가 됐어. 나는 빌힐름을 죽이지 못해."

"아그레인."

"결국 그를 죽일 수 있는 건 리히튼이었어. 그 사실을 조금 더 빨리 알았으면 좋았을 텐데. 그게 조금 후회되네."

비비안느는 불안해진 마음으로 아그레인의 손을 잡았다.

"나는 아그레인, 네가… 혹시 좋지 않은 선택을 한다면…"

그녀의 생각을 읽은 것일까? 아그레인이 걱정하지 말라는 듯 짧게 웃었다.

"그럴 리 없잖아. 리히튼을 위해서라도 나는 늙어 죽을 때까지 악착스럽게 살아야겠어. 이런 몸이 죽기는 할까 의문이지만."

비비안느는 가슴 깊이 안도했다. 빌힐름의 존재는 아그레인에게 더 이상 아무런 영향도 주지 못했다. 그는 평생 동안 집착하고, 갈구해 온 존재에게 완벽히 버림받았다. 비비안느가 생각하기에, 그것이야말로 완전한 죽음이라고 할 수 있었다. 아그레인, 네가 빌힐름을 죽인 거야. 그를 죽일 수 있는 건 처음부터 너밖에 없었어. 비비안느는 기쁨에 벅차오르는 기분을 겨우 진정시켰다. 마음 같아서는 지금 당장 아그레인을 붙잡고 이 너른 사원에서 춤을 추고 싶었다.

"그동안 어떻게 지냈어? 캐롤드에서는 잘 지내?"

"잘 지낼 수밖에 없지. 비비, 네가 위로금이랍시고 너무 많은 도움을 줬으니."

잠시 말이 없던 비비안느는 고민 끝에 입을 열었다.

"아그레인. 리히튼이 내게 서신을 보냈어. 올해 안으로 잉고르드 부인을 들일 예정인 것 같아."

아그레인이 크게 상심하지 않을까 걱정스러웠다. 그러나 그녀는 보란 듯이 코웃음을 쳤다.

"날 두고? 어림없지. 그가 책임져야 할 사람은 다른 어여쁜 귀족 영양이 아닌 바로 나야."

그 말과 함께 아그레인은 다시 몸을 돌려 사원의 입구로 향했다. 비비안느는 그녀의 뒷모습을 멍하니 바라보다가 뒤늦게 아그레인의 이름을 불렀다.

"아그레인!"

다소 급하게 느껴지는 부름에 아그레인이 뒤를 돌았다. 말해. 말해야 해. 이 날만을 고대하며 버텼잖아. 비비안느는 스스로를 다독이며 더듬더듬 입을 열었다. 그녀 앞에만 서면 모자란 이처럼 구는 스스로가 너무나 답답했다.

"내 도움이 필요하면 언제든…. 그러니까, 언제든 괜찮으니…."

"그럴게."

망설임 없는 긍정이었다. 고마워, 비비. 착각이 아니라면 그런 말을 들었던 것 같기도 하다. 비비안느는 아그레인이 미련 없이 떠난 자리에서 한동안 걸음을 뗄 수 없었다. 그리고 한참이 흐른 뒤에야 소리 내어 웃을 수 있었다.

Episode 20.
리히튼 Ⅱ
: 소리 없이 피는 덩굴

'손님이 늘었다'고 정오 즈음 되어 베르크네가 리히튼에게 보고했다.

그는 익숙하다는 듯 손님의 출신을 물었다. 기억하기로 오늘의 손님까지 합하면 도합 다섯 개 가문이 잉고르드에 머물게 되는 상황이었다. 다섯 개의 가문 모두 별다른 차이는 없고, 다른 점이라면 여식을 포함한 일행이 몇 명인가 정도였다. 가장 적게는 결혼적령기의 적녀와 그 오라비 둘이서만 방문했으며, 많게는 가족 전부가 찾아와 다섯을 웃돌았다. 리히튼은 소란스러운 분위기를 꺼렸기 때문에 이번 방문자는 부디 세 명을 넘지 않길 바랐다. 한데 돌아온 대답은 그의 예상과 조금 다른 손님이었다.

"킨 후작님이 방문하셨습니다."

"…킨? 찾아온다는 서신이 없었던 것으로 아는데."

"잉고르드를 지나가는 길에 잠시 들르셨다고 합니다."

잉고르드를 방문하는 손님들은 모두 명확한 목표를 가지고 있었다. 가문의 여식을 잉고르드의 가주인 리히튼의 눈에 들게 하는 것이 그 목적이었다. 근 보름간 제국 사교계에는 귀부인들이 눈독 들일만 한 소문이 하나 돌고 있었는데, 바로 리히튼 잉고르드 공작이 혼인 상대를 찾는다는 소문이었다. 신체에 변고가 생겼다는 소식도 함께 돌았으나, 고작 기억을 조금 잃은 정도였으니 문제될 것 없었다. 무엇보다 현 황제를 황위에 올린 장본인이니, 현재 리히튼은 제국 내 최고의 혼처나 다름없었다. 만년필을 내려놓은 리히튼이 베르크네에게 물었다.

"언제까지 머문다던가?"

"아마 각하께 따로 말할 것 같습니다."

"마침 시간도 적절하군. 킨과 식사를 하도록 하지."

"준비하라고 말해 두겠습니다."

요 근래 리히튼은 제아무리 대단한 손님이 찾아와도 빠르면 그날 저녁, 늦으면 이튿날 저녁 식사에 첫인사를 나누었다. 누군가 도착할 적마다 그때그때 맞이하는 건 시간 낭비일 뿐더러, 연애하기 위해 결혼 상대를 찾는 것이 아니기 때문이다. 때문에 최소한의 예의로 손님맞이를 했다. 그나마도 리히튼 잉고르드였기 때문에 가능한 푸대접이었지만.

하지만 킨 캐롤드는 달랐다. 리히튼이 모종의 사건으로 기억의 일부를 잃고 돌아온 날. 그는 베르크네와 함께 밤이 새도록 앞으로의 계획을 논했었다. 당시 킨 캐롤드에 대한 베르크네의 언급은 이러했다.

'만약 각하께서 제게 신의할 수 있는 자를 단 한 명만 고르라 명하신다면, 저는 주저 않고 킨 캐롤드 후작을 고르겠습니다.'

'이유가 무엇이지?'

'킨 후작은 각하께 평생 지우지 못할 은혜를 입은 자입니다. 캐롤드 가문을 재건하기 위해 각하의 그늘 아래에서 때를 기다린 자지요. 다른 이는 몰라도 킨 캐롤드 후작만은 신뢰할 수 있습니다.'

베르크네는 그의 사소한 습관, 취향과 사고를 모두 꿰뚫고 있는 남자였다. 때문에 리히튼은 소위 '비비안느 황녀파'라고 불렸던 많은 인물들 틈에서 베르크네를 가장 신뢰했다. 그런 베르크네가 보증한 인물인 만큼, 리히튼은 킨을 홀대할 생각이 없었다. 게다가 캐롤드 가문은 잠시 기울었던 시기가 있기는 했어도 잉고르드 가문 못지않은 명가였다. 킨 캐롤드는 수완도 좋고 황제의 신임을 받고 있는 터라 가까이 하는 게 여러모로 이점이 컸다. 리히튼은 하던 일을 가볍게 마무리 짓고 집무실을 벗어났다.

항상 생각하지만, 부분적으로 기억을 잃은 것은 리히튼에게 전운이었다. 그의 뇌는 놀랍게도 인물 정보 열람 부분에만 상처를 입은 듯했다. 그 외의 대부분은 온전히 머릿속에 남아 있었으며, 베르크네나 킨처럼 친밀히 교류를 나눈 인물에 대한 기억도 조금씩이나마 돌아오는 상태였다. 그러니 언젠가는 잃었던 모든 기억을 되찾을 수 있지 않을까? 사라진 과거에 대한 욕심은 알게 모르게 커져 가고 있었다.

리히튼이 향한 곳은 그의 집무실이 있는 층의 다이닝 룸이었다. 보통은 손님이 있든 말든 그곳에서 혼자 식사를 하곤 했는데, 오늘은 킨이 리히튼을 기다리고 있었다.

"킨 후작."

그의 부름에 창 너머를 응시하고 있던 킨이 반갑게 인사를 건넸다.

"잘 지내셨습니까, 각하? 저번에 뵈었을 때보다는 안색이 훨씬 좋아 보입니다."

"그래 보인다니 다행이군. 일단 앉아서 식사부터 하지."

리히튼과 킨이 마주보고 자리하자, 식탁 위로 음식이 차려지기 시작했다. 검은매 기사단에서 부기사단장 노릇을 하다 제자리를 찾아갔기 때문인지, 킨은 갈수록 말쑥해지고 있었다. 가문을 재건하는 일이 우선이라 당장은 혼인할 마음이 없다고 했으나, 그가 마음먹고 신부를 물색하면 사교계가 퍽 소란스러워질 듯했다.

"대충 보아하니… 잉고르드를 방문한 손님이 많은 것 같더군요."

"예상했던 일이지. 다소 번잡스럽다는 걸 제외하면 불편한 건 없다."

"그래서, 어떻습니까?"

식기를 들며, 킨이 은근한 표정으로 리히튼에게 물었다. 리히튼은 그 의미를 단번에 알아차렸다. 신부 후보들이 어떠냐는 물음이었다.

"나쁘지도, 좋지도 않지."

킨은 리히튼의 대답이 만족스럽지 않은 듯했다.

"다섯이면 적은 수는 아닌데요. 아가씨들과 개인적인 자리를 가지시긴 합니까?"

"딱히 필요성을 못 느끼겠군."

"개인적인 교류도 없이 각하와 함께할 여자를 어떻게 찾습니까? 설마 첫눈에 반할 상대를 기다리시는 건 아니겠지요."

"차라리 그게 나을 수도."

방금 대답은 진심이었다. 혼인 상대를 찾을 목적으로 은근슬쩍 소문을 뿌리기는 했으나, 정작 때가 되니 그 어떤 여자도 눈에 들어오지 않았다. 잉고르드를 찾아온 다섯 명의 귀족 영애 외에도 그간 많은 여자들과 대화를 나누었다. 하나같이 웃는 얼굴이 어여쁘고, 걸음걸이가 나비처럼 가볍고, 하얗고, 상냥한 여자들이었다.

하지만 그 많은 여자들을 상대하며, 리히튼은 조금도 동하지 않았다. 육체적인 끌림도, 정신적인 끌림도 느끼지 못했다. 리히튼 나름대로 그 이유에 대해 고민해 본 적이 있었다. 고민 끝에 리히튼은 아직 정식적인 여유를 얻지 못했기 때문이라고 결론지었다. 그렇다고 더 미룰 마음도 없는 터라, 빠른 시일 내에 조건도 외모도 모두 문제될 것 없이 적절한 여식을 고를 생각이었다. 리히튼이 킨에게 물었다.

"얼마나 머물고 갈 건가?"

"글쎄요. 일단 급한 불은 전부 끈 상태라서 말입니다. 당장 며칠은 여유가 있습니다."

"며칠을 지내도 상관없으니 편히 지내다 가게."

"그런 말씀은 다른 이들에게도 하십니까?"

"아니. 보통은 앞부분을 생략하는 편이지."

킨이 진심에서 우러나오는 미소를 지었다.

"이거 꽤 자부심이 생기는군요. 말씀대로 아주 편히 놀다가 가겠습니다."

킨과는 말이 통해서 편하다. 게다가 베르크네를 포함한 가신들과의 관계도 좋았기 때문에 공작저의 분위기에 여러모로 좋은 영향을 끼쳤다. 그렇게 몇 마디 안부를 주고받던 와중이었다. 물로 목을 축인 킨이 자연스럽게 대화의 주제를 틀었다.

"제 여동생도 데려왔으니 다음 식사 자리에서 인사드리겠습니다."

캐롤드 후작의 여동생이라면 한 명밖에 없었다.

"그 아그레인 캐롤드 말인가? 의외로군. 끼고 돌아서 아무에게도 보여 주지 않는다고 하더니."

"각하께도 그럴 수는 없죠. 뭐든지 예외가 있는 법 아니겠습니까?"

킨 캐롤드 후작의 누이, 아그레인은 황제 빈세르크 3세가 총애하기로 유명한 여자였다. 그녀에 대한 황제의 신뢰가 엄청나서, 항간에는 우스갯소리로 제국의 실세가 잉고르드 공작이 아닌 아그레인 캐롤드라는 이야기가 돌 정도였다. 리히튼은 기억을 잃은 후 단 한 번도 자신이 제국의 실세라 여긴 적이 없었다. 따라서 아그레인 캐롤드라는 여자의 존재가 꽤 흥미로웠다. 더군다나 킨이 감싸고 돈다는 유일한 혈육이기도 했으니.

"이런 시기에 여동생을 내게 소개한다는 건, 후작이 다른 뜻을 지니고 있다고 이해하면 되나?"

리히튼이 킨을 은근히 떠보았다. 하지만 킨은 되도 않는다는 듯 손을 내저었다.

"아그레인은 결혼적령기를 한참 넘었습니다. 그러니 각하의 눈에 차지 않으리란 것을 압니다."

대개 귀족 사회에서 스물이 넘은 여자는 혼처를 구하기 어려웠다. 하지만 캐롤드 후작의 여동생이면서 황제의 총애를 받는다면 이야기가 달라진다. 혼인에 목을 맬 필요가 크지 않다는 뜻이었다.

"소문에는 대단한 미인이라던데."

리히튼의 말에 킨이 잠시 미간을 구겼다. 미인이라는 표현이 마음에 들지 않은 것 같았다.

"뭐, 객관적으로 틀린 말은 아니지요."

"본인이 결혼에 욕심이 없는 건가?"

"그런 점도 있을 뿐더러… 일단 아그레인을 감당할 수 있는 남자가 몇 없을 겁니다. 황제 폐하의 총애가 워낙 커, 다들 함부로 다가가지 못하는 점도 있고 말입니다."

예상하지 못한 평이었다.

"그래 봤자 한낱 귀족 아가씨에 불과할 텐데. 감당 못할 이유는 뭐지?"

캐롤드 가문은 한때 반역죄로 멸문한 시절이 있었다. 장남인 킨이 잉고르드 가문에 몸을 의탁했었다고 하니, 여동생 역시 성치 않은 시간을 버텨왔을 게 분명했다.

그러나 황제와 어릴 적부터 친분이 있는 관계라 하지 않았는가? 고생을 해도 킨만큼은 아닐 거라 생각했다. 무엇보다 킨 캐롤드라는 인물 자체가 유일하게 남은 혈육인 여동생을 고생시킬 인물이 아니었다. 아마 안전한 마을에 숨겨 두고 잘 보호했겠지.

"이유를 물으신다면…. 저야말로 여쭙고 싶군요. 그 아이와 어떤 일이 있으셨던 건지."

미묘하게 해석하기 어려운 문장이었다. 게다가 킨의 시선이 정확히 리히튼을 향했기 때문에, 리히튼은 잠시 기억을 잃기 전의 본인이 아그레인 캐롤드와 인연이 있는 건가 싶었다. 하지만 곧 킨이 그의 생각을 부정했다. 시선을 거두며 한 박자 늦게 말을 이은 것이다.

"황제 폐하와 아그레인에 대해 말씀 드린 겁니다. 아그레인은 어릴 적에 폐하와 퍽 가까운 사이였는데, 그때부터 성격이 많이 변한 것 같아서요. 그렇다고 사납거나 정신없는 아이는 아니니, 대화 상대로 나쁘시 않을 거라 확신합니다."

그는 썰린 고기 조각을 나이프로 찍어 먹으며 뒷말을 덧붙였다.

"아마도요."

그날 저녁, 리히튼은 번화가로 내려가기 위해서 저택을 나왔다. 본래 그의 개인적인 용품을 구하는 일은 베르크네나 시녀장이 전담했으나, 기억을 잃은 뒤로는 자의로 나가곤 했다. 베르크네의 증언에 의하면 기억을 잃기 전 그는 크고 작은 일에 몸소 나서지 않고 베르크네나 다른 귀족을 통해 움직였다고 했다.

하지만 리히튼은 최대한 많은 것을 보고 느끼며, 하루라도 빨리 잃어버린 기억을 되찾고 싶었다. 머리 안쪽에 커다란 구멍이 생긴 듯한 이 기분. 배우고 감상하는 모든 것이 그 구멍 속으로 빨려 들어가는 듯한 이 답답하고 불편한 감각을 어서 빨리 없애고 싶었다.

"리히튼 각하?"

시종이 끌고 나온 말의 안장에 이제 막 오를 때였다. 지나온 정원 쪽에서 낯선 목소리가 그를 불렀다.

"역시 각하가 맞으시군요. 외출하시나 봐요."

리히튼은 고개만 돌려 여자를 바라봤다. 모르는 얼굴이 분명하나, 옷차림을 봐선 잉고르드에 머물고 있는 귀족 여식이 분명해 보였다. 그가 바라보고만 있자 여자가 다소 어색한 미소를 지었다.

"나타샤. 저는 나타샤 밀레오나예요. 이틀 전에도 한 번 뵈었었어요."

"그랬군. 좋은 저녁입니다, 나타샤 양."

"어디 가시는 건가요?"

"공작저 아래쪽 번화가의 서점으로 갑니다."

"어머. 각하께서 직접 책을 사러 가시는 건가요? 괜찮으시다면 제가 따라가도 될까요?"

나타샤가 걸음을 옮겨 그의 코앞으로 다가왔다. 날이 어두워 제대로 보이지 않았지만, 어쩐지 그녀의 얼굴이 발그스름하게 달아올라 있는 듯했다. 리히튼은 짧은 고민 끝에 고개를 주억였다.

"그러시죠."

곧 시종이 나타샤가 탈 말을 끌고 왔다.

"고마워요. 잉고르드의 번화가로 내려가는 건 처음이라 기대되네요."

"특별히 즐길 만한 부분은 없을 겁니다. 도시의 번화가는 다 거기서 거기니."

"그래도 잉고르드인걸요!"

둘은 길을 따라 빠르게 내려갔다. 나타샤는 소소한 대화를 나누며 천천히 내려가길 바라는 듯했으나, 리히튼에게는 그럴 이유가 없었다. 더 정확하게 표현하자면 그럴 마음이 들지 않았다. 아마 나타샤가 아닌 다른 여자였어도 똑같았을 것이다. 리히튼도 자신의 행동이 이중적이라는 것을 알고 있었다. 신부를 찾기 위해 그런 소문까지 냈으면서, 정작 찾아온 여자들은 멀리 하다니. 어쩌면 잉고르드를 방문한 이들은 전부 시간 낭비를 하고 있는 것일지도 모른다. 정작 그가 고르게 될 여자는 작위만 남아 별 볼 일 없는 가문의, 면식도 없는 귀족 영애일 수도 있으니까.

'차라리 그게 나을 수도 있겠어. 참견당할 일도 없으니.'

결혼의 목적은 후계 생산이다. 권세를 누리는 가문과 사돈 관계를 맺는다면 좋겠지만, 무려 잉고르드의 공작인 그에게 반드시 필요한 건 아니었다. 가문은 볼품없어도 병치레 없이 건강한 여자가 가문을 돌볼 수 있다면, 그것만으로 만족스러울 것이다. 애초에 혼인 상대를 찾는 이유도 심리적 안도감을 얻기 위해서였으니까.

…아이라. 그런네 내가 아이를 가질 수 있는 몸이었니?

"이곳인가요?"

리히튼은 퍼뜩 정신을 차렸다. 그리고 대충 고개를 끄덕이며 안장에서 내렸다.

"맞습니다."

"고즈넉하고 좋네요. 잉고르드는 저택도, 사람들도, 영지도 모두 참 따스한 분위기예요."

리히튼은 하마터면 헛웃음을 내뱉을 뻔했다. 잉고르드가 따스하다고? 얼마나 많은 정적들이 개처럼 끌려와 이곳에서 눈을 감았는지 안다면, 감히 그런 소리를 할 수 없을 것이다. 지난 몇 년 간 몇몇 귀족 가문에게 잉고르드의 존재는 지옥이었을 터였다. 리히튼은 원하는 바를 얻기 위해 수단과 방법을 가리지 않고….

'…원하는 바? 내가 원하는 것이 무엇이었지?'

리히튼은 멍해지려는 정신을 붙잡고 서점 안으로 들어갔다. 가끔 이런 일이 일어난다. 마치 꿈속을 헤매듯, 잃어버린 기억과 새로운 기억 사이에서 혼란이 생기는 것이다. 그를 알아본 서점 주인이 정중하게 허리를 숙였다. 잉고르드 저의 서재에 비하면 터무니없이 작은 공간이었으나, 리히튼은 이곳에서만 느낄 수 있는 분위기가 나쁘지 않았다.

"각하. 괜찮으시다면 돈을 조금 빌릴 수 있을까요? 온 김에 책을 한 권 사려는데, 제가 맨몸으로 나온 터라…."

"마음 편히 고르십시오. 동행해 주셨으니 그에 대한 감사의 마음을 표현하는 건 당연한 일이니까요. 제가 값을 치르겠습니다."

그의 말에 나타샤가 환하게 웃었다.

"감사합니다, 각하! 그럼 말씀하신대로 마음 놓고 고르겠습니다. 각하도 만나고 책도 얻고, 오늘은 여러모로 운이 좋은 날이에요."

나타샤는 대화가 통하는 여자다. 리히튼은 책장에 꽂힌 책을 대충 둘러보다가 밖으로 나왔다. 바람을 쐬고 싶다고 말해 둔 탓인지, 나타샤는 따라 나오지 않았다. 그 점도 꽤 마음에 들었다. 대화도 통하고 눈치가 있으니 동행하는 데 큰 불편함이 느껴지지 않았다. 리히튼은 테라스에 놓인 테이블에 걸터앉아 담배에 불을 붙였다. 몇 달을 밤새 가며 공부하고 일해 온 탓인지, 평소에는 손도 대지 않았던 담배와 거의 한 몸이 된 상태였다.

'예전에는… 그래, 예전에는 담배와 연이 없었지.'

이런 식으로 어렴풋이 떠오르는 과거의 파편들이, 리히튼에게는 몹시 반가웠다.

"이 서점, 아직도 장사하나요?"

그때였다. 어두운 길목 저편에서 낯선 여자의 목소리가 들려왔다. 얼굴은 확인할 수 없었지만, 리히튼을 향한 질문임은 분명해 보였다. 리히튼은 연기를 내뱉으며 조용히 대답했다.

"그런 것 같군요."

"왜 멀쩡한 거죠? 분명 폐점했으리라고 생각했는데."

영지민인가. 그러나 전체적인 분위기는 전혀 그렇게 느껴지지 않았다. 여자의 목소리는 특별하게 높거나, 낮은 것도 아니었는데 존재감이 뚜렷했다.

"그리 여긴 이유라도?"

"영주를 시해하려던 범죄자들의 은닉처였으니까요."

리히튼은 눈을 얇게 뜨고 여자를 살폈다. 그러나 달과 별이 구름에 가려졌는지, 평소보다 더 날이 어두워 실루엣 외에는 어떤 것도 확인할 수 없었다. 그는 터무니없는 소리를 아무렇지 않게 내뱉은 여자에게 질문했다.

"혹시 그쪽은 소설가인가?"

"잉고르드라면 추리 소설의 배경지로 두기에 알맞겠네요. 어둡고, 음습하고, 위험하니까."

리히튼은 반박하지 않았다. 오히려 인정했다. 잉고르드에서 명을 다한 자들은 한둘이 아니지…. 그러나 그 사실을 알고 있는 건 극소수에 불과했다. 지금은 죽고 없는 빌힐름 황자파와 비비안느 황녀, 그리고 그와 뜻을 함께했던 귀족들 중 소수의 최측근들이 전부였다.

"보아하니 잉고르드 저의 사람 같은데… 공작 각하를 뵌다면 이 서점은 한때 빌힐름 황자와 잉고르드의 하녀가 내통하던 장소라고 전해 주세요. 물론 내 말이 신뢰 가지는 않겠지만, 밑져야 본전이니까."

담뱃불을 재떨이에 비벼 끈 리히튼이 몸을 일으켰다. 여자는 가볍게 지나가듯 말하고 있었으나, 내용은 그럴 만한 것이 전혀 아니었다. 리히튼은 테라스를 벗어나 서너 걸음 만에 여자의 앞으로 도달했다. 그제야 여자의 얼굴이 눈에 제대로 들어온다. 작은 코, 날카롭지만 부드러운 분위기를 겸비한 선명한 눈매, 짙은 아치형 눈썹, 짧고 얇은 턱….

리히튼은 순간 무어라 표현해야 할지 모르는 진기한 감각을 경험했다. 유수같이 흐르는 시간 속에서 그의 세상만이 멈춘 기분을. 그를 올려다보는 여자의 눈동자가 미세하게 흔들렸다. 그녀는 뒷걸음쳤고, 리히튼은 자신도 모르게 멀어지려는 손목을 붙잡았다. 금방이라도 사그라질 듯, 흐릿한 목소리가 그를 불렀다.

"리히…."

"나를 아나?"

여자는 고개를 저었다. 하지만 그것이 거짓말이라는 것 정도는 금방 알 수 있었다. 리히튼은 여자가 도망치지 못하게 손목을 끌어당겨 캐물었다. 손 안의 살결이 얼음장처럼 차가웠다.

"지금까지 말한 내용은 전부 어디서 들은 거지?"

여자는 대답 없이 조용히 그를 응시하기만 했다. 무슨 생각을 하는지 알 수 없는 눈이다. 그의 앞에서 이 정도로 속내를 숨길 수 있는 자는 흔치 않았다. 리히튼은 어쩐지 여자의 이름을 알아내야겠다는 생각이 들었다. 그러나 그 전에 거친 발길질이 그의 정강이를 걷어찼다.

"윽."

손아귀 힘이 약해진 사이, 여자가 등을 돌려 어둠 속으로 달려 나갔다. 리히튼은 자신도 모르게 그 뒤를 따라가려 했으나 곧 걸음을 멈추었다. 잉고르드에서 지내고 있는 여자라면 뒤쫓을 필요가 없을 터였다. 이곳에 존재하는 건 모두 그의 것이니까. 잠시 후, 서점의 문이 조용히 열렸고, 나타샤가 나왔다.

"각하. 저는 책을 골랐는데 각하께서는…."

리히튼이 어두운 길목 안쪽을 가만히 응시하는 모습에, 나타샤가 조심스럽게 물었다.

"무슨 일 있으셨어요?"

"아닙니다. 골랐다면 이제 잉고르드 저로 돌아갑시다."

"값은…."

"서점 주인이 내 얼굴을 봤으니, 외상으로 올리면 됩니다. 어서요."

리히튼은 급히 잉고르드 저로 돌아왔다. 나타샤는 영문도 모르는 채 새 책을 옆구리에 끼고 안장에 올라야 했다.

자신의 방으로 곧장 올라온 리히튼은 베르크네를 향해 입을 열었다.

"베르크네. 브릿길 서점이 내 저택의 하녀와 빌힐름 황자가 내통하던 장소라더군."

"확인해 보겠습니다."

베르크네답게 전후 사정은 묻지 않고 오롯이 제 할 일에만 집중한다. 시종의 시중을 받아 옷을 벗으며 리히튼이 물었다.

"몰랐었나?"

"저는 저음 듣습니다. 하지만 예전의 각하께서는 알고 계셨을 확률이 높습니다."

"치울 필요성도 못 느꼈다, 이건가."

"어쩌면 미끼였을 수도 있지요."

늘 느끼지만, 베르크네에서 전해 듣는 과거의 자신은 소설 속에나 나오는 완전한 존재처럼 다가왔다. 기억을 잃기 전의 그가 모르는 진실은 세상에 존재하지 않았다. 베르크네는 그런 리히튼을 마치 신처럼 맹신하고 있었다. 리히튼은 어둠 속에서 또렷했던 여자의 인상을 되새겼다.

"한 여자가 그 사실을 알고 있다. 나이는 이십대 초중반인 듯하고, 얼굴은 확인하지 못했지만 긴 적발을 지녔어. 목소리는 명랑하지 않고 차분하며, 다양한 지방의 억양을 섞어서 사용했으나 고상한 티가 났지. 신장은 평균보다 한 뼘 정도 크고 말랐더군."

이쯤이면 곧 '찾아오겠다'는 대답이 나와야 할 터였다. 하지만 베르크네의 반응은 답지 않게 조용했다. 결국 리히튼이 먼저 명령해야 했다.

"찾을 수 있겠나?"

"찾아서 어쩌시려는 겁니까?"

"무엇을 더 알고 있느냐고 캐물어야겠지."

"그러실 필요 없을 것 같습니다. 내일이면 만나실 수 있을 테니까요."

리히튼이 무슨 뜻이냐는 표정으로 그를 바라봤다. 베르크네는 시종에게서 건네받은 베스트를 한쪽 팔에 걸치며 말했다.

"제 예상이 맞다면, 그 여자는 아마 아그레인 캐롤드일 겁니다. 킨 캐롤드 후작의 여동생말입니다."

이튿날 정오. 이제 막 일처리를 끝내고 한숨을 돌릴 때였다. 마무리를 돕던 베르크네가 집무실을 나가기 직전에 지나가듯 입을 열었다.

"각하. 나타샤 밀레오나 영애가 저녁 식사를 함께하고 싶다고 제안했습니다."

나타샤 밀레오나라면 어제저녁에 그를 따라 서점까지 동행했던 여인이었다. 당시를 떠올리니 아직도 눈가가 뻐근한 것 같았다. 여인, 그러니까 나타샤 밀레오나가 아닌 아그레인 캐롤드에 대해 생각하느라 새벽이 되어서 눈을 감았기 때문이다.

생각이라고 해 봤자 별것 없었다. 그녀와 나눴던 몇 마디의 짧은 대화가 이상하게 잊히질 않았다. 리히튼에게는 근래에 새로운 습관이 생겼는데, 바로 상대방의 표정과 말 속에서 과거의 흔적을 찾으려 하는 것이었다. 그 때문에 아그레인 캐롤드를 떠올리면 머릿속이 복잡했다.

아그레인은 리히튼, 혹은 잉고르드에 대해 아는 바가 꽤 많은 듯했다. 눈이 마주친 후 이름을 부르기까지 했으니 리히튼의 존재를 아는 것은 확실했다. 다만 리히튼의 머리에서 떠나지 않는 건, 그때 아그레인이 보였던 반응이었다.

여자의 표정은 정말 기이했다. 마치 지옥에서 살아 돌아온 연인을 보는 얼굴이기도 했으며, 죽이지 못한 원수를 만난 것 같기도 했다. 확실한 건 그 또렷한 눈동자 속에 두려움이 박혀 있었다는 점이다. 그러나 그 두려움도 이제껏 리히튼이 알아 온 두려움과는 조금 다른 종류였다. 여타 귀족들처럼 잉고르드 공작을 두려워하는 눈이 아닌, 리히튼이라는 존재 자체를 꺼려하는 눈이었던 탓이다.

기억을 잃은 후, 리히튼은 자신에게 그 정도로 부정적인 감정을 내비치는 인물을 처음 보았다. 물론 별 볼 일 없는 사소한 이유일 수도 있었다. 하지만 정말, 몹시 기이하게도, 당시 마주했던 아그레인 캐롤드의 얼굴은 거머리처럼 망막 안쪽에 맺혀 떨어지려 하지 않았다.

"…각하?"

사념에 왜 깊게 잠겨 있었던 것일까? 베르크네가 재차 그의 대답을 재촉했다. 리히튼은 뒤늦게 고개를 끄덕였다.

"그러도록 하지. 식사 시간은 저녁 일곱 시로 잡아 둬."

"그분이 마음에 드셨습니까?"

베르크네는 사적인 질문을 거의, 아니 절대로 하지 않는다. 그의 낯선 질문에 리히튼은 새삼스러운 기분으로 되물었다.

"궁금한가? 그런 실문을 할 줄은 몰랐는데."

"주제넘었다면 죄송합니다."

"아니, 그런 것은 아니야. 마음, 마음이라…. 잘 모르겠군. 마음이 생기길 바라서 참석하는 자리라고 대답하면 되겠나?"

베르크네는 충분하다는 얼굴로 허리를 숙였다.

"밀레오나 백작 가문은 큰 사건사고 없이 조용하게 명맥을 유지해 온 가문입니다. 각하께서 원하시는 혼처로 적당하다고 생각합니다."

"그런가."

이후 잉고르드를 방문한 다섯 가문에 대한 이야기가 몇 번 오갔다. 대단할 건 없었고, 나타샤 밀레오나와 식사할 생각이라면 이후 다른 여자들도 한 번씩은 만나 보라는 소리였다. 오늘 점심은 킨과 함께하는 터라, 베르크네와의 대화가 길어지지는 않았다. 리히튼은 다이닝 룸으로 향하는 자신의 걸음이 퍽 빠르다는 사실을 깨달았다. 특별한 날도 아닌데 마치 기다리고 있었다는 듯 구는 자신이 조금은 어색하게 느껴졌다.

"아, 각하. 오셨습니까?"

"일어설 필요 없어."

킨의 안색은 휜했다. 어제 저녁에도 휜했는데, 고작 반나절이 흐른 오늘은 그보다 곱절은 더 휜했다. 이유를 생각하기 전에, 리히튼의 시선이 자연스럽게 킨의 옆으로 향했다.

그곳에는 그 여자가 있었다. 조금은 창백한 인상 때문인지 어제 느꼈던 분위기보다 훨씬 더 가냘프게 보였다. 눈이 마주치면 의례적으로라도 웃기 마련인데, 그런 형식적인 눈인사도 없었다. 오히려 여자는 그에게서 금방 시선을 떼었다. 적어도 호의적이지 않다는 것만큼은 확신했다. 베르크네의 추측대로 어젯밤 서점 앞에서 스치듯 만났던 그 여자가 맞았다. 자리에 앉은 킨이 답지 않게 어색해진 얼굴로 여동생을 소개했다.

"이쪽이 어제 말씀드렸던 제 동생, 아그레인입니다. 아그레인? 이쪽은 리히튼 잉고르드 각하이시다."

아그레인이 리히튼을 향해 고개를 숙였다.

"킨에게서 말씀 많이 들었습니다. 들었던 대로 놀라운 미남이시네요. 각하의 환심을 사려고 여러 귀족 아가씨가 찾아올 만해요."

착각이 아니라면 고작 두 마디의 말에 가시가 박혀 있었다. 하하, 리히튼이 반응을 보이기도 전에 킨이 커다란 웃음을 터트렸다. 역시 답지 않게 딱딱한 표정이었다.

"그, 사교계에 돌고 있는 각하의 소문이 워낙 무궁무진해서 말입니다. 그러니까 아그레인의 말은… 각하께서 어서 좋은 여자를 찾으셨으면 한다는 뜻입니다. 그렇지?"

아그레인의 반응은 어쩐지 시큰둥했다. 남매의 분위기는 리히튼이 예상했던 것과 전혀 다른 듯했다.

"여동생인 것으로 알고 있었는데, 아니었나?"

동생이라기에는 오라비 되는 킨을 마치 친구처럼 부른 감이 있었다. 그의 질문에, 아그레인은 별일 아니라는 듯이 어깨를 으쓱였다.

"어릴 적부터 서로 이름으로 부르는 게 습관이 되어서요. 각하께서 불편하시다면 자중하겠습니다."

"남매 사이의 일에 내가 끼어드는 것도 무례한 일이지."

"각하께서는 저희 남매의 은인이신걸요. 전혀, 소금도 무례한 일이 아닙니다."

이상하게도 뱉는 말마다 비꼬는 듯한 기분이 드는데, 킨이 억지로 웃음을 짓고 있는 걸 봐선 착각이 아닌 듯했다.

"각하. 그, 아그레인이… 아그레인의 화법이 조금 독특한 편이기는 합니다."

"내가? 전혀. 너를 제외하곤 누구도 내게 그런 소리를 하지 않아."

"누구에게나 그런 건 아니니까 그렇겠지."

"그 말은 내가 각하 앞에서만 독특하게 군다는 거야?"

"네가 더 잘 알 거라고 본다, 아그레인."

놀라운 점은 그런 모습이 조금도 불쾌하지 않다는 것이었다. 오히려 귀엽다고 말하는 게 옳았다. 리히튼 자신이 이런 표현을 쓰게 될 줄은 몰랐지만, 어린 누이가 투정이라도 부리는 것처럼 귀엽게 보였다.

그래서일까? 눈앞의 아그레인은 어젯밤과는 전혀 다른 사람처럼 느껴졌다. 금세 사라질 흐릿한 안개처럼 보이지 않았다. 오히려 색감도 존재감도, 태양보다 강렬한 붉은 장미처럼 보였다. 다른 여자들에게도 이런 감정을 느낀 적이 있던가. 장담컨대 아니었다. 리히튼은 이 미묘한 감정이 친근함에서 비롯한 애정이라고 결론지었다. 생판 남이 아닌, 킨의 여동생이기 때문에 느끼는 친근감인 것이다. 그리고 리히튼은 이 생경한 감정이 나쁘지 않았다.

"아그레인 양."

그의 부름에 아그레인이 퍼뜩 고개를 들었다. 리히튼은 찰나의 순간, 녹안 속에 깃들었던 혼란과 실망을 놓치지 않았다. 고작 하루 사이에 다양한 감정을 보이는 여자였다. 리히튼은 그 감정의 근원이 궁금했다.

"어젯밤에는 왜 홀로 저택을 나가 있었던 건지 궁금하군요."

"나가 있었다고요?"

킨이 매서운 눈으로 아그레인을 쳐다봤다. 여동생을 싸고돈다더니, 성인이 되어서도 외출할 때마다 허락받아야 하는 모양이었다.

"너는 제발, 부디 그 제멋대로 구는 성정을 고칠 필요가 있어. 위험하게 혼자 나갔다고? 캐롤드의 후작 영애씩이나 되는 여자가, 그게 말이 된다고 생각하냐?"

아그레인은 그런 킨의 타박을 모르쇠로 일관하며, 리히튼의 물음에 답했다.

"각하께서는 기억하지 못하시겠지만… 잉고르드는 제게 꽤 그리운 장소라서요. 한밤의 정취를 느끼며 거리를 걸어 보고 싶었죠. 거기서 각하를 만나게 될 줄은 몰랐지만."

"그리운 장소?"

리히튼의 추측이 맞아 떨어졌다. 그와 아그레인은 오래전부터 안면이 있는 것 같았다. 말끝마다 비꼬는 것처럼 들린 이유도 그녀의 서운함 때문일지 모르겠다는 생각이 들었다.

"네. 그리운 장소."

"어떤 의미인지 궁금하군요."

"뜻이랄 게 있나요? 저는 각하와 오래전부터 인연이 있었고, 그 인연 덕분에 잉고르드에서의 기억이 나쁘지 않다는 거죠."

그래서 알은체를 했던 건가. 하지만 그것으로는 무언가 부족한 느낌이 들었다. 단순하게 안면 있는 사이란 이유로 저리 갖가지 감정이 그를 향할 순 없었다. 이 순간, 리히튼은 잃어버린 과거가 또다시 아쉽게 느껴졌다.

"그 귀중한 인연을 기억하지 못해 아쉬운 마음만 드는군. 내 사죄를 받아 줄 수 있겠습니까?"

"각하께서 사과하실 일이 아니에요."

어쩐지 우울하게 느껴지는 음성이었다.

"관계라면 어떤 관계였는지? 꽤 힘든 유년 시절을 지냈던 것으로 아는 데."

물을 삼킨 아그레인이 이제껏 본 얼굴 중 가장 환한 미소로 대답했다.

"대단한 관계였죠. 각하와 저는 몸까지 섞은 연인 관계였거든요."

식기끼리 부딪치는 소음이 났다. 킨의 나이프가 접시 위로 떨어져 나동그 라지는 소리였다. 식탁은 순식간에 무거운 적막으로 휩싸였다. 침묵은 길지 도, 짧지도 않았다. 그사이 리히튼은 아그레인의 낯을 샅샅이 훑어 의중을 파악하려 했다. 그러나 소득은 없었다. 아그레인이 장난스러운 미소를 지으 며 얼어붙은 공기를 깼다.

"놀라셨죠? 농담이에요. 요즘 황실에 이런 농담이 유행이라서요."

하하. 때맞춰 킨이 억지로 웃음을 흘렸다. 그는 긴 한숨과 함께 리히튼에 게 사죄를 구했다.

"말씀드렸지만, 각하. 제 여동생이…"

"말썽꾸러기로군."

하지만 여전히 싫지 않다. 왜일까? 냅킨으로 입가를 닦으며, 리히튼이 아 그레인을 불렀다.

"아그레인 양."

"말씀하세요."

"아그레인 양만 괜찮다면, 그대를 내 의동생으로 삼고 싶은데. 어떻게 생각합니까?"

이번에는 찰나의 순간도 아니었다. 아그레인의 얼굴에서 돌연 미소가 완전히 거두어졌다.

"제가… 마음에 드셨나 봐요."

그녀의 목소리에는 온 신경을 집중해야 알아챌 미약한 서글픔이 깔려 있었다. 왜일까? 그녀와 자신은 대체 무슨 관계였던 것일까?

"킨의 동생은 내 동생이기도 하지."

리히튼은 인정하기로 했다. 어떤 형태로든, 자신은 눈앞의 여자에게 이제껏 느껴보지 못한 대단한 흥미를 느끼고 있었다. 그 흥미가 너무 깊고 짙어, 언뜻 흥분으로 느껴질 정도였다.

"…좋아요. 그럼 저도 각하를 오라버니라고 부를게요."

그는 아그레인과 자신 사이에 있었던 일들을 심혈을 기울여서 파헤칠 생각이었다. 착각이 아니라면, 그 과정 자체가 전환점이 될 수도 있다고 생각했다. 아그레인은 손에서 나이프를 내려놓고 고개를 숙여 정식으로 인사했다.

"앞으로 잘 부탁드려요, 리히튼 오라버니."

물로 목을 축였음에도, 이상하게 바짝 메마른 것처럼 느껴지는 음성이었다. 아그레인은 속이 좋지 않다는 말과 함께 그들에게 양해를 구하고 식사 자리를 떴다. 리히튼은 그녀의 주장이 당연히 거짓이라 생각했다. 하지만 굳이 나서서 아그레인을 막지 않았다. 사실의 유무를 떠나서, 그녀의 안색이 실제로 더 나빠졌기 때문이다.

"아그레인과는 더 애틋할 것 같은데, 킨."

둘만 남게 된 식사 자리는 자연스럽게 가벼운 술자리로까지 이어졌다. 투박하면서 은근히 섬세한 킨은 우습게도 알코올에 약하고 주량이 약했다. 그는 고작 한 잔 만에 제 머리칼처럼 붉게 달아오른 얼굴로 대답했다.

"그렇지요. 아무래도… 긴 시간 떨어져 있기도 했고. 헤어진 후 다시 만났을 땐 못 알아볼 정도로 성장해 있었습니다. 아직도 그 시기가 많이 후회됩니다."

"그래도 둘 다 멀쩡히 살아남아 캐롤드를 일으켜 세웠군."

"예에. 각하께는 항상 감사한 마음을 가지고 있습니다. 아그레인의 일도 마찬가지로요."

"아그레인의 일이라 하면?"

"뭐…. 이런저런 일 말입니다. 각하께서 한때 아그레인을 많이 걱정하셨습니다."

자세한 사정에 대해서는 털어놓을 마음이 없는 듯했다. 잠시 말이 없던 킨은 술기운에 살짝 풀어진 얼굴로 입을 떼었다.

"그래서 아그레인이 조금 까다롭게 구는 걸 겁니다. 서운한 거겠지요."

그 정도의 설명으로는 부족하다. 하지만 리히튼은 굳이 그에게 캐묻지 않았다. 제삼자인 킨을 통해 들어 봤자 그리 의미 있을 것 같지 않았기 때문이다. 조금은 멀쩡해진 낯으로, 킨이 그에게 질문했다.

"그 애를 의동생으로 삼은 이유가 무엇인지 여쭈어도 되겠습니까?"

"이유랄 게 있나? 말했듯 후작의 동생이 곧 내 동생이기 때문이지."

그의 대답에 킨이 미세하게 고개를 저었다.

"그런 이유로 의동생을 만들 분이 아니란 걸 압니다. 저는 그저…."

"말하게."

"혹시 아그레인에게 약간의 호기심이 생겼기 때문이라면, 청하건대 그 애의 마음을 흔들지 말아 주시길 부탁드리고 싶습니다."

티내지는 않았으나, 리히튼은 내심 놀란 상태였다. 킨이 그 정도까지 자신을 파악하고 있을지 몰랐을 뿐더러, 건들지 말라고 당부할 줄은 더욱 생각하지 못했기 때문이다. 애정이 꽤 깊군. 동시에 리히튼은 미약한 불쾌감을 느꼈다. 이유는 알 수 없었으나, 오롯이 자신만이 가져야 할 범위 내의 무언가를 침범당한 기분이었다.

"흑심을 품었다면 의동생 소리는 꺼내지도 않았을 거다. 괜한 걱정을 접어 두라고 말하고 싶군."

쓴웃음을 뱉은 킨이 이내 자신이 건방졌던 것 같다며 용서를 구했다. 리히튼은 문득 궁금해졌다. 굳이 킨이 그런 부탁을 한 이유는 아그레인을 아끼기 때문인 것일까? 아니면 상대가 리히튼 잉고르드이기 때문일까?

해가 지고 나서는 나타샤와 저녁 식사를 함께했다. 밀레오나 가문에서는 장녀인 그녀를 비롯해 밀레오나 부인과 여동생이 함께 방문했는데, 저녁 식사 자리에는 나타샤만이 참석했다.

"죄송해요, 각하. 어머니께서는 사냥에 정신 팔려 먼 곳까지 나갔는데, 아직 돌아오지 못한 것 같아요."

그런 것치고는 식사에 참석하지 못한 이유를 너무 세세히 파악하고 있다. 둘만의 시간을 보내게끔 일부러 늦게 돌아오는 것이겠지. 의도를 읽었음에도 리히튼은 아무런 생각이 들지 않았다.

"어젯밤에 사 주신 책, 흥미진진해서 오늘 하루 종일 읽었어요. 괜찮으시다면 어떤 이야기인지 들어 보실래요?"

"좋습니다. 나타샤 양 덕분에 식사 시간이 적적하지 않을 것 같군요."

은은한 촛불 너머로 보이는 나타샤의 뺨이 발그스름하게 물들었다. 이윽고 가볍게 목을 가다듬은 나타샤가 책의 내용을 읊기 시작했다. 그러나 리히튼은 그녀가 꾀꼬리 같은 목소리로 들려주는 이야기에 미약한 흥미도 느끼지 못했다.

이튿날 오전에는 유독 하늘이 맑았다. 완연한 여름 날씨에 리히튼은 소매를 접고 창문을 열었다. 집무실이 저택 남향에 위치한 탓에 유독 열기가 뜨거웠다. 창문을 열어도 이미 흐른 땀은 전혀 식지 않았다.

"각하. 나타샤 밀레오나 영애가 방문했습니다."

리히튼은 나타샤가 몹시 부지런한 아가씨임을 인정하기로 했다. 몇 번 대화를 나누었다고 직접 찾아오는 배포도 퍽 쓸 만하다고 생각했다. 그가 고개를 끄덕이자, 나타샤가 집무실 안으로 들어왔다. 외양만으로는 더할 나위 없이 완벽한 자태였다.

"좋은 아침이에요, 각하. 간밤에 잘 주무셨나요?"

"덕분에 좋은 밤 보냈습니다. 용건이 있으십니까?"

리히튼이 곧장 용건을 묻자, 나타샤가 살짝 당황한 눈을 했다.

"용건… 까지는 아니에요. 시간이 괜찮으시다면 함께 차라도 마시는 게 어떨까 싶어서요."

리히튼은 어젯밤 그녀와 함께했던 저녁 식사 자리를 떠올렸다. 마냥 지루했다고 할 수는 없었으나, 그렇다고 유익한 시간도 아니었다. 휴식을 취한다면 혼자 쉬는 게 나았다. 구태여 누군가를 만나야겠다면….

"아쉽지만 이미 선약이 있군요. 다음 기회로 미루도록 하지요."

나타샤가 기운 빠진 낯으로 대답했다.

"다음이라면 언제가 괜찮을까요?"

"괜찮은 시간에 제가 찾아가도록 하겠습니다."

그의 거절에도 나타샤는 곧장 자리를 뜨지 못했다. 할 말이 있는지 여러 번 입을 열고 닫다가, 마지막 한마디만 겨우 남기고 집무실을 나갔다.

"기다릴게요."

리히튼은 나타샤가 사라진 즉시 베르크네에게 물었다.

"베르크네. 아그레인 캐롤드가 어디 있는지 알고 있나?"

"아마 서재에 있을 겁니다."

당연히 알아보겠다고 다녀올 줄 알았는데, 들려온 건 의외의 대답이었다. 리히튼은 어쩐지 허점을 공격당한 기분으로 입을 떼었다.

"잘 아는군."

"가깝다고는 할 수 없지만, 아그레인 영애와는 예전부터 알던 사이입니다."

"영애가 잉고르드를 그리운 장소라고 표현하던데. 그건 자네와 관련 있는 건가?"

베르크네는 바로 대답하지 않고 조용히 생각에 빠졌다. 그 모습에서 리히튼은 정확히 정의할 수 없는 미묘한 답답함을 느꼈다. 그가 기억하지 못하는 시간에 아그레인이 속해 있다. 어떤 시간이었을지 당장 확인하고 싶었다.

"아예 없다고는 할 수 없겠군요. 하지만 있어도 없는 수준일 거라 생각합니다. 그녀가 잉고르드를 그립다고 표현한 건 절대로 저 때문이 아닐 겁니다."

그렇게 확신하는 것부터가 이미 멀지 않은 관계란 방증이었다. 리히튼은 곧장 서재로 걸음을 옮겼다. 그의 말대로 아그레인은 커튼을 거두고 볕이 드는 창가에 앉아 책을 읽고 있었다. 가만히 그 모습을 응시하다가, 조용히 맞은편 자리로 걸어갔다.

"발소리를 죽이는 법을 배워야겠어요."

최대한 인기척을 죽였다고 생각했는데, 아그레인은 고개도 들지 않은 채 입을 열었다. 그녀의 시선은 여전히 책 속에 고정되어 있었다.

"…라고 한때 제게 말씀하셨던 적이 있죠, 오라버니. 기억하세요?"

대답하지 않고 의자를 빼 앉았다. 아그레인의 작고 곧은 콧대 옆과 깊게 파인 눈매 안쪽으로 회색빛 음영이 져 있었다. 리히튼은 한 폭의 그림처럼 정적인 그 풍경을 가만히 눈에 담았다. 대답이 없자, 아그레인이 살며시 고개를 들어 그를 바라봤다. 실망스럽다는 눈빛이었다.

"괜한 물음이었네요."

"누이는 늘 내게 무언가 바라는 얼굴을 하는군."

무얼 바라는 걸까? 속 시원하게 밝혔으면 하는 마음과 계속 비밀스레 숨겼으면 하는 마음이 동시에 들었다. 아그레인은 진저리가 난다는 표정으로 어깨를 떨었나.

"웬만하면 누이라고 부르지 말아 주세요. 제가 듣기 싫어하는 단어라서요. 그냥 이름으로 불러 주시는 게 좋을 것 같아요."

"원래 그렇게 까다롭나?"

"예민하단 소리는 더러 들었어요."

하기야 워낙 섬세하고 여린 선을 지닌 여자라, 대화를 나누지 않고도 예민하다는 걸 알 수 있을 것 같았다. 이렇게 보니 킨과는 조금도 닮은 점이 없다. 이복 남매라는 소리를 듣기는 했지만, 머리색과 눈색이 비슷한 걸 제외하고는 완전한 타인처럼 느껴질 정도였다.

"할 말 있으세요?"

물끄러미 바라보는 리히튼의 시선이 부담스러웠는지, 다시 책으로 돌아갔던 시선이 금방 그를 향했다.

"아그레인."

"네."

"본인이 예쁘다는 걸 알고 있나?"

아그레인의 미간이 좁아졌다. 그녀는 혼란스러운 표정으로 눈을 깜빡이다가, 이윽고 아예 고개를 돌려 버렸다. 기죽지 않고 이것저것 요구하던 모습과는 상반되는 반응이었다. 이래서 아그레인이 어떤 인물인지 파악하기 힘들었다. 그녀는 곧 어처구니없다는 투로 말했다.

"지금 나 놀려요?"

리히튼은 솔직한 속내를 밝힌 것에 불과했다. 한데 아그레인이 한 소리를 하고 나서야 어감이 조금 이상했단 사실을 깨달았다. 그는 마치 변명하듯 뒷말을 덧붙였다.

"구애하는 남자가 많을 것 같은데, 아직까지 미혼인 이유가 궁금해서."

"그런 게 왜 궁금해요?"

"의동생의 사정을 궁금해 하면 안 되는 건가? 서운한 소리야."

기억을 잃기 전에도 이런 식으로 대화했을까? 눈앞의 아그레인이 아쉬운 마음을 숨기지 못할 정도니, 적어도 지금보다는 친근했을 게 분명했다. 아그레인은 끝까지 입을 열지 않았다. 리히튼은 문득 자신이 몇 살은 더 어린 아가씨를 괴롭히고 있는 건가 싶었다.

"아그레인. 혹시 내가 싫거나, 혐오스럽거나, 불편한 거라면 바로 말해도 돼."

다행스럽게도 이번에는 바로 입이 열렸다.

"전혀요. 차라리 그런 마음이 들었으면 좋겠네요."

아그레인은 처음으로 똑바로 그를 바라봤다. 이전처럼 은근히 시선을 피하거나, 부정적인 감정을 여실히 표현하지 않았다. 그렇게 정면으로 마주한 아그레인 캐롤드는 이전과 또 다른 느낌이었다.

"저는 오라버니가 싫지 않아요. 오히려 제가 이런 식으로 구는 걸 다행으로 여기셔야 할걸요. 일부러 선을 지키고 있는 거라고요. 예전처럼 굴면 놀라 까무러질 테니까."

리히튼은 아그레인이 이토록 길게 말하는 걸 처음 봤다. 문장에 담긴 의미는 격정적인데, 정작 그 말을 뱉은 주체는 격양된 감정 없이 차분하다. 그러면서도 눈빛은 제 뜻을 확실히 관철하겠다는 듯 매서웠다. 이쯤 되면 궁금해질 수밖에 없다. 아니, 아무리 생각해도 궁금하라고 몰아붙이는 심보와 다름없다고 생각했다.

"해 봐."

그의 답에 아그레인의 숨이 미세하게 가빠졌다.

"처음 봤을 때부터 궁금했지만, 방금 그 말로 더 궁금해졌어. 내가 어찌하면 되는 거지?"

리히튼의 손끝이 책 위에 놓인 아그레인의 손을 살짝 건드렸다. 겨우 살갗이 닿은 것에 불과한데 열이 몰리는 기분이있다.

"…아아."

그를 바라보는 아그레인의 입매가 처음으로 호선을 그린다. 아그레인은 말 그대로 싱긋 웃었다. 잠깐이라지만, 숨 쉬는 일이 사뭇 곤욕스런 행위로 느껴졌다. 하얀 손이 돌연 아슬아슬하게 닿은 리히튼의 손등을 확 움켜쥐고는 그대로 놓아 버렸다.

"싫어요."

그리고는 책을 든 채 자리에서 일어선다. 아그레인은 미련 없이 몸을 돌려 책장에 책을 끼워 넣었다. 여린 뒷모습이 그렇게 새침해 보일 수가 없었다. 단호한 거절에 김이 샐 만도 한데, 어찌된 게 전신을 휘감고 있는 긴장감은 여전한 것 같다. 리히튼은 마치 날카로운 갈퀴가 할퀴고 간 양, 이상하게 헛헛한 손등을 내려다보며 말했다.

"나를 잘 가지고 노는군."

"그건 제가 할 말이네요. 기억을 잃었어도 여자 꼬시는 재주는 여전한가 봐요."

아그레인은 문을 밀어 서재를 나가려다 말고 살짝 고개를 돌렸다.

"그쪽을 만나기 위해 찾아온 아가씨들이나 꼬셔 보는 게 어때요? 다들 각하와 놀지 못해 안달이던데."

뭘 잘못 먹기라도 한 건지, 까다롭게 구는 것도 다 귀엽게 느껴진다. 의자에 기댄 리히튼이 다리를 꼬며 가볍게 대꾸했다.

"그쪽이 아니라 '오라버니'라고 불러야지."

아그레인은 날이 선 눈빛으로 욕설을 대신하고 서재를 나갔다. 분명 싫어하는 것처럼 보이지는 않는데. 왜 이리도 어렵게 느껴지는지 모르겠다.

해가 구름에 가려진 늦은 오후. 그가 아그레인이 잉고르드의 하녀로 일했었단 사실을 알게 된 건 아주 우연한 경로를 통해서였다. 검은매 기사단의 재정 상황을 보고 받는 와중에, 새 부기사단장이 지나가듯 아그레인의 이름을 언급한 것이다.

'다들 킨 경… 아, 죄송합니다. 호칭이 아직 익숙하지 않아서 실수했습니다. 킨 후작 각하와 대련하느라 바쁩니다. 겁 없는 녀석들이 반드시 후작 각하를 이겨서 아그레인 아가씨를 소개받고 싶다더군요. 아가씨께서 이곳에서 몇 달을 하녀로 일하셨을 때도 하나같이 말을 걸고 싶어 안달이긴 했습니다.'

하녀라니. 손님으로 며칠을 묵었던 것도 아니고, 고작 하녀로서 일했던 시간이 그리웠다고? 리히튼이 당시의 아그레인에 대해 몇 가지 질문하자, 기사는 당시에 아그레인이 시녀, 메어리와 가까운 사이였다고 밝혔다.

리히튼은 곧장 메어리를 불렀다. 그러나 정작 그녀를 불러온 후에는 아그레인에 대해 물을 수 없었다. 당사자에게서 직접 듣지 않는 이상 아무런 의미가 없다는 것을, 뒤늦게 상기한 것이다. 리히튼은 다시 메어리를 돌려보냈다. 한데 메어리는 그의 집무실을 나서기 전에 조심히 입을 열었다.

'감히 먼저 입을 열자면… 저는 지금이 더 좋아 보인다고 말씀드리고 싶어요.'

'무슨 의미지?'

'아그레인 아가씨도, 각하도 지금이 훨씬 편해 보이세요. 저는 두 분이 행복해지셨으면 좋겠어요.'

그 말을 남기고, 메어리는 후다닥 문 밖으로 뛰쳐나갔다. 덕분에 리히튼의 머릿속은 더더욱 혼란스러워졌다. 지금이 더 나아 보인다? 그 말은 즉 전에는 최악이었단 뜻이지 않은가. 그라는 존재 때문에 잉고르드가 그리웠단 말은 단순히 비꼬는 의도였을까? 알아갈수록 미궁에 빠지는 느낌이었다.

이튿날 리히튼은 일찍 눈을 떴다. 여름은 해가 길게 떠서 다른 계절보다 깨어 있는 시간이 길다. 더군다나 그는 백지장처럼 하얗게 지워진 기억의 일부를 메우기 위해 앉아서 서류를 들여다보는 일이 잦았다. 사람과의 관계를 잊다 보니, 어디에 얼마만큼 대금을 대줬는지도 하나하나 찾아서 살펴야 했다. 머리와 눈, 그리고 사지가 쉴 틈 없이 일하니 피로가 쌓일 수밖에 없었다.

그래서 최근에는 시가를 피우는 시간이 더 늘었다. 아마 그의 집무실에도, 몸에도 온종일 진한 시가 향이 배어 있을 게 분명했다. 베르크네가 방 안쪽 구석에 배치된 테이블 위에 향수를 두고 갔지만, 단 한 번도 사용한 적이 없었다. 사용의 필요성을 못 느꼈기 때문이다.

흰 연기가 짧은 시간 시야를 가리다가 하늘 위로 올라가 사라진다. 찌르르, 찌르르 우는 새소리가 지겹도록 들렸다. 리히튼의 시선은 창 너머 울창한 활엽수로 이루어진 숲의 앞쪽, 시원하게 흐르는 냇가에 고정되어 있었다. 날이 더워지고 냇가를 찾는 사람이 늘었다. 그건 잉고르드를 방문한 아가씨들 역시 마찬가지였다.

"뜨겁겠군."

한데 그중에서도 유독 해가 높게 뜬 정오에 물가를 밟는 여자가 있었는데, 바로 아그레인이었다. 아그레인은 바위에 걸터앉아 냇물에 발목을 담그거나, 종종 옷을 걸친 채로 물가에 뛰어 들어 수영을 즐겼다. 그런 그녀의 곁에는 대개 킨이 함께했다. 둘은 함께하는 대부분의 시간을 크고 작은 다툼을 하는 데 소비했다. 리히튼이 며칠을 가만히 지켜본 결과, 충분히 그럴 만하다고 생각했다. 킨은 다 자란 숙녀인 아그레인을 마치 걸음도 못 뗀 갓난 아이처럼 대하고 있었다. 짧은 외출도 반드시 허락을 받도록 했으며 특히 사람을 만날 때는 더 간섭이 심했다. 그렇다고 아그레인이 그가 시키는 대로 고분고분 굴 성격은 아니었다. 그녀는 오히려 킨의 집착을 끔찍하게 여겼다.

때로는 '귀찮게 굴지 좀 마. 너한테 오라버니 노릇은 바라지도 않아. 너는 내게 잘못한 것 없고 난 속죄해 줄 생각도 없어. 혼자서 염병 떨지 말라는 소리야.' 같은, 이해 못할 타박과 함께 큰소리를 치고는 했다. 그에 리히튼은 자신이 여겼던 것보다 이복 남매 사이의 서사가 퍽 복잡하구나 싶었다. 나서서 도와야겠다는 생각은 일말도 들지 않았다. 오히려 그들이 서로 죽고 못 사는 남매 관계였다면 명치가 서늘해졌을 것이다. 스스로에게 왜냐는 질문은 하지 않았다. 그러기 시작하면 아그레인을 향한 감정의 골이 손 쓸 겨를도 없이 심연보다 더, 더 깊어질 것 같았기 때문이다.

"저런 식으로 햇빛을 쬐다간 그림자와 구별도 못할 정도로 타고 말지."

아그레인에게는 들리지도 않을 혼잣말이 집무실을 울렸다. 아그레인이 냇가에 머무는 동안, 그의 시선도 그곳에 고정되어 있었다. 한 시간이 채 되지 않는 이 짧은 시간은 리히튼이 숨을 돌리고 휴식을 취하는 때였다. 그는 시답잖은 짓을 하는 자신이 가끔은 한심하게 느껴졌다.

한데 어느 날부턴가, 아그레인만 찾아오던 정오의 냇가에 또 다른 손님이 하나둘 늘기 시작했다. 그들은 비슷한 시간대에 물가에서 물장구를 치다가 몇 분 후 순식간에 사라졌다. 아그레인은 킨이 아닌 이상 다른 이들과 부딪히는 걸 꺼려했으므로, 자연스레 그녀를 보는 날도 줄어들었다. 아그레인의 자리를 대신한 여자들은 우아하게 물놀이를 즐기다가 리히튼 쪽으로 힐긋 고개를 돌리곤 했다. 여자들의 시선은 정확히 그가 앉은 집무실의 창가를 향하고 있었다. 리히튼은 뒤늦게 냇가에 여자들이 늘어난 이유를 눈치챘다.

리히튼이 관심을 끊자 냇가도 조금씩 한산해지기 시작했다. 그러다 어느 날엔가 문득 창밖을 확인했을 때, 물가에 다시금 아그레인이 나와 있었다. 리히튼은 고민도 하지 않고 자리에서 일어나 저택을 나갔다. 아그레인은 킨과 함께였다. 킨은 땀을 닦아 내듯 냇물로 여러 번 제 얼굴과 목을 적셨고, 아그레인은 흘러내려가는 수면을 멍하니 응시했다. 곧 리히튼을 알아본 킨이 커다란 목소리로 외쳤다.

"각하!"

아그레인이 곧장 고개를 들어 리히튼을 찾았다. 저런 반응을 보면 자신에게 호감을 가진 건 확실했다.

"각하께서도 결국 더위를 참지 못하고 나오셨군요."

리히튼은 대놓고 아그레인을 바라보며 대답했다.

"그럴 수밖에. 새로운 의동생과 근래 친해질 기회가 없어서."

"아하…."

킨이 조심스럽게 그와 아그레인을 살폈다. 아그레인은 제 이름이 나왔음에도, 마치 더 해 보라는 듯 가슴 쪽으로 끌어당긴 무릎에 턱을 괸 채 리히튼을 바라봤다. 그때 멀지 않은 곳에서 킨을 부르는 외침이 들려왔다. 이제곧 검은매 기사단의 오후 대련이 있을 시간이었다.

"이런, 저는 먼저 자리를 뜨겠습니다. 아그레인. 각하께 무례하게 굴지 마라."

"그 말은 지겹지도 않니?"

킨이 떠나고 나자, 둘 사이에는 노골적인 침묵이 내려앉았다. 리히튼은 처음으로 여자에게 어떤 식으로 말을 걸어야 할지 고민에 빠졌다. 왜 자꾸 피하느냐고 물어야 할지, 왜 아무런 말이 없냐고 물어야 할지.

그러나 그런 고민을 끝마치기 전에, 등 뒤에서 바삐 다가오는 인기척이 느껴졌다. 나타샤였다. 그녀는 햇살처럼 해사한 미소와 함께 리히튼의 곁으로 뛰듯이 걸어왔다.

"좋은 오후예요, 각하. 안 그래도 요즘 날이 더워 자주 냇가에 나오곤 했는데… 이런 식으로 뵙네요."

"좋은 오후입니다."

예전이었다면 흥미를 끌고자 거침없이 행동하는 그녀를 좋게 봤을 텐데. 어쩐지 지금은 번거롭게 느껴지기만 한다. 나타샤는 귀에 잘 들어오지도 않는 안부 인사를 길게 건넸다. 냇가에서 만나게 될 줄 몰랐다는데, 물놀이를 하러 온 것치고 그녀는 너무나 정복에 가까운 드레스 차림이었다.

"그래서… 시간적 여유는 언제 갖게 되실까요?"

시간, 시간이라. 그가 어떤 식으로 거절할지 고민하는 사이, 대답은 엉뚱한 곳에서 들려왔다.

"좋아 죽는 티를 숨기지 못하네."

아그레인의 음성은 다분히 신경질적이었다. 그녀의 젖은 몸이 물살을 가로지르며 천천히 가까워졌다.

"잘 생각해 봐요, 나타샤 영애. 나타샤 영애도 그런 적이 있죠? 조금도 관심 없는 영식이 좋아한다는 눈치를 풀풀 풍기며 사사건건 참견하려 들 때 말이에요. 짜증을 넘어서 혐오스럽지 않던가요?"

나타샤는 당황스러움이 역력한 낯으로 두어 발자국 물러섰다. 뭍으로 올라온 아그레인은 나이트가운에 가까운 차림이었던 터라, 새하얀 레이스로 뒤덮인 천 안쪽의 살이 훤히 비쳤다. 리히튼은 혹시나 싶은 마음에 무더위를 감수해서라도 상의를 입고 온 자신의 선택을 다행이라 여겼다. 걸치고 있던 상의를 어깨에 걸쳐 주자, 아그레인은 당연하다는 듯 받아 들었다. 그리고는 눈인사도 없이 나타샤만을 바라보는데, 리히튼은 이상하게 그 새하얀 얼굴에서 눈을 뗄 수 없었다.

"웬만하면 남의 일에 참견 안 하는데, 보다 못해 하는 소리예요. 그쪽 아가씨들이 내 아침 수영 시간을 빼앗은 탓에 요 며칠 몸이 무거웠거든."

눈 둘 곳도 찾지 못하던 나타샤는 이내 굳어 있던 표정을 갈무리하고 서글서글한 미소를 보였다.

"좋은 아침이에요, 아그레인 캐롤드 양. 평소에는 인사 한 번 없다가 이리도 갑자기 절 타박하시니, 저로선 조금 당황스럽네요."

"잉고르드에 방문한 이들 중 서로 아침 인사를 나누면서까지 친근한 관계가 있나? 있다면 친근한 척을 하는 거겠지. 상식적으로 따지면 서로가 연적이나 마찬가지인데."

나타샤의 코앞으로 다가간 아그레인이 손가락을 들어 구불구불한 금발을 툭, 건드렸다.

"서로 잘 지내는 게 더 멍청한 거 아니야? 그러다가 한 명이 우리 오라버니와 눈이 맞기라도 하면? 바보처럼 축하해 줄래? 계속 잘 지낼 수 있을 거라고 생각하는 건가?"

싱긋 웃으면서 보란 듯이 조롱하는 아그레인과 그 앞에서 입술을 깨문 채 주먹을 쥔 나타샤. 그 둘 사이에 낀 리히튼은 난감해질 수밖에 없었다. 처음에는 아그레인을 달래고 저택 안으로 끌고 들어갈까 생각했지만, 그렇게 되면 몸소 나서 나타샤 밀레오나에게 비참함을 선사하는 것이나 마찬가지였다. 게다가 아그레인이 끌고 간다고 얌전히 끌려갈 사람처럼 보이지도 않았다. 반대로 나타샤를 데려가는 건…. 아그레인과 한 공간에 있는 이상 고려할 필요조차 없는 선택지였다.

나타샤는 표정 관리 자체가 버거워 보였다. 그 역시 아그레인처럼 상대방을 앞에 두고 무참히 깎아내리는 귀족은 처음이었다. 보통은 뒷담을 하거나 고상한 시로 에둘러서 조롱하기 마련인데, 아그레인에게는 해당되지 않는 이야기인 모양이었다.

"당신의 말대로라면 혼인하기 전까지 귀족 여식들은 서로 친구도 될 수 없겠네요."

나타샤의 말에 아그레인이 이마를 짚었다.

"아, 제발… 그런 머저리 같은 소리하지 마요, 나타샤."

리히튼은 이도 저도 하지 못하고 가까운 나무에 몸을 기댔다. 그들은 리히튼이 선 방향으로는 고개도 돌리지 않고 있었다.

"아그레인 캐롤드. 당신은 정말 입조심해야겠…"

"나타샤도 알잖아요? 결국 여우 같은 애들이 더 많은 걸, 아니 모든 걸 가져간단 사실을. 바로 당신처럼 말이야. 친우가 대수인가? 다 가지면 자연스레 생기는 게 그 친우인 것을. 여우라는 표현은 비하에 불과해. 오히려 똑똑하다고 해야 옳지."

"그건 신의 없이 구는 자들을 미화하는 것에 불과해요."

"하지만 대다수의 사람은 신의가 없잖아."

리히튼에게 아그레인은 정말 즐거워서 웃는 게 아니라, 나타샤의 속을 긁기 위해 웃는 것처럼 느껴졌다. 또한 그런 행위가 애먼 데에 화풀이하는 것처럼 보였다.

"그러니까, 내가 하고 싶은 말은…"

말려야겠군. 이 말다툼이 단순히 아그레인의 화풀이에 불과하다면, 그건 이 저택의 주인인 리히튼으로서 두고 볼 수만은 없었다. 한데 리히튼이 걸음을 떼기 전에, 아그레인이 먼저 그에게로 다가왔다. 그리고 보란 듯이 한쪽 어깨에 젖은 얼굴을 기대며 나타샤를 비꼬았다.

"우리 오라버니는 그쪽에게 일말의 마음도 없거든. 그러니까 그만 찝쩍대라는 소리야."

리히튼이 짧은 한숨과 함께 그녀를 말렸다.

"아그레인."

"내 말이 틀렸어요? 오라버니는 그 누구에게도 관심 없잖아요. 있는 게 더 말이 안 돼요. 당신은 그러면 안 되는 사람이니까."

애매하게 둘러서 표현하고 있었지만, 아그레인이 말하는 바는 명확했다. 그녀는 리히튼에게 그 어떤 여자에게도 관심을 보이면 안 된다고 이야기하고 있었다.

의아한 점이 있다면 부탁도 명령도 아닌, 마치 강이 높은 곳에서 낮은 곳으로 흐르는 것처럼 당연한 순리를 말하는 듯한 아그레인의 어투였다. 기억을 잃었기에 그 이유를 알지는 못하나. 하지만 리히튼은 아그레인의 그런 모습에서 기이한 만족감과 고양을 느꼈다. 시간이 흐를수록 그를 원하는 아그레인의 행위와 발언이 더 노골적으로 변하고 있다는 사실에. 그랬기에 모르는 척 아그레인을 꾸짖었다. 최대한 그녀의 비위를 건드리지 않으면서, 가능한 부드럽게.

"도통 무슨 말을 하고 있는 건지 모르겠군. 내게 할 말이 있다면 따로 자리를 가지면 될 일이야."

"그런 식으로 어중간하게 구는 건 이 아가씨들에게도 실례라고요. 귀족들에게는 혼인 적령기라는 게 있기 마련인데, 이런 곳에서 시간 낭비하게 할 셈이에요?"

고개를 든 아그레인이 예의 그 여동생의 음성과 몸짓으로 그를 바라봤다. 물기에 축축해진 적발이 맞닿은 리히튼의 어깨를 적신다. 리히튼은 살갗 위로 스며들어오는 그 차가움이 마음에 들었다. 나타샤를 옹호하는 척, 그를 나무라는 목소리도 만족스러웠다. 하지만 나타샤는 물러설 기색이 없어 보였다. 그녀의 눈에 아그레인이 얼마나 아니꼬워 보일지는 굳이 상상하지 않아도 당연한 일이었다.

"아그레인 양? 갑자기 저에게 적의를 보이시는 이유가 궁금하네요. 제가 감히 그쪽에 대적할 수 있는 사람은 아닌데."

나타샤가 밀려 올라오는 화를 참아 내듯, 다소 높아진 목청과 붉어진 뺨으로 물었다.

"마음에 둔 사람과 조금이라도 더 대화하고 싶은 마음이 그리도 지탄받을 일인가요?"

그의 어깨에 바짝 붙어 있던 아그레인이 다시 나타샤에게로 다가갔다. 떨어진 한기가 살짝 아쉬웠다.

"그새 내가 말한 걸 잊은 거야? 반대로 생각해 보래도. 나는 우리 리히튼 오라버니의 동생으로서, 오라버니를 괴롭히는 사람은 두고 볼 마음이 없는 거예요."

하. 나타샤가 코웃음을 치며 대꾸했다.

"그런 식으로 본인의 적을 치워 버리고 싶은 건 아니고요?"

"미안하지만… 그 누구도 내 적이 될 수 없어, 나타샤 영애. 내 유일한 천적은 이미 명을 달리했거든."

내려앉은 공기가 고요했다. 아그레인은 나타샤가 고개를 돌리기 전까지, 그녀의 눈에서 시선을 떼지 않았다. 푹 숙인 나타샤의 얼굴이 패배감으로 까맣게 변한다.

"알아들었으면 앞으로 아침에는 내 냇가를 빼앗아 가는 일이 없으면 싶네. 너무 티를 내면 그건 그것대로 추하단 걸 잊지 말고."

아그레인은 그렇게 리히튼의 상의를 어깨에 걸친 채로 그들을 지나쳤다. 젖은 걸음이 자갈 위에 흔적을 남긴다. 나타샤는 뒤늦게 그 뒷모습을 향해서 고래고래 소리쳤다.

"당신이 잉고르드 부인이라도 돼? 나에게 이래라저래라 하지 마요! 나도 엄연히 리히튼 각하의 손님이라고!"

멀찍이서 대답하는 아그레인의 목소리가 코앞의 나타샤의 목소리보다 훨씬 선명하게 들렸다.

"누가 뭐래니?"

아그레인이 사라진 후, 리히튼은 나무에 기대고 있던 몸을 떼 나타샤에게로 다가갔다.

"나타샤 양."

그녀의 눈에는 옅은 물기가 고여 있었다. 분함과 억울함이 한데 공존하는 얼굴이었다. 그제야 리히튼은 나타샤에게 작게나마 안쓰러움을 느꼈다.

"제가 아그레인을 대신해 사과드리겠습니다. 너무 마음에 두지 마십시오. 햇볕이 강하니 이만 들어가는 게 좋을 것 같습니다. 제가 방까지 데려다드리겠습니다."

나타샤에게 이토록 길게 입을 뗀 건 처음 있는 일이었다. 그가 부드럽게 등을 토닥이며 저택 쪽으로 이끌자, 나타샤가 겨우겨우 걸음을 떼며 그에게 울분을 토했다.

"각하께서 왜 저 여자를 대신해 사과하시는 거예요?"

리히튼은 대답 대신 그녀의 등을 한 번 더 토닥였다.

"아무리 의동생이라지만, 각하께서는 더 예의 바르고 곧은 사람을 곁에 두셔야 해요. 저는 저렇게 험악한 말을 하는 귀족 여식은 처음 봐요."

리히튼은 그녀의 등에서 팔을 내렸다. 저택에 가까워질수록 나타샤의 목소리는 더욱 격양되어 갔다.

"황제 폐하의 총애를 받는다고 앞뒤 분간 없이 고삐 풀린 망아지처럼 구는 게 말이 되냐는 소리예요. 캐롤드 영애는 분명 각하께 독이 될 거예요. 저는 그런 각하가 무척 걱정스…."

"밀레오나 영애."

앓는 소리를 하던 얇은 입술이 닫혔다. 여자의 시선이 리히튼에게로 향했다.

"그건 당신이 걱정할 일이 아닙니다."

나긋한 음성과 함께, 리히튼은 나타샤에게 단 한 번도 보여 준 적 없었던 부드러운 미소를 보였다. 멍하니 눈을 깜빡이던 나타샤는 그를 따라 미묘한 웃음을 지었다. 자신의 눈을 믿어야 할지, 아니면 귀를 믿어야 할지 혼란스러운 표정이었다.

"어서 들어가시죠."

나타샤는 리히튼의 말에 군말 없이 따랐다. 그녀를 꽤 눈치 있다고 여겼던 게 엊그제 같은데. 아무래도 성급한 판단이었던 듯싶다.

그날 저녁, 리히튼은 아그레인의 주장을 꽤 심도 있게 고민했다. 마음이 없다면 여자들을 더 이상 잉고르드에 붙잡아 두지 말라던 주장을. 고민 끝에 그는 베르크네에게 명령했다.

"베르크네."

"예."

"손님들에게 내가 사흘 후 저택을 비우게 될 거란 이야기를 전달해."

베르크네는 리히튼의 의도를 단번에 파악한 듯했다. 신부를 찾는 일은 이쯤에서 끝내겠단 뜻이었다. 여러 가문의 여식들이 잉고르드에 들른 동안 그렇다 할 염문 한번이 없었으니, 사교계에는 당분간 여러 자극적인 소문이 돌 터였다.

그가 잉고르드를 찾아온 여자들을 동정할 필요는 없었다. 잉고르드에 비할 바는 아니지만, 그를 찾아온 여식들은 하나같이 쟁쟁한 귀족 가문 출신이었으며 품행과 교양이 뛰어났다. 시간이 흐르면 그들 역시 언제 잉고르드를 방문했었냐는 듯, 사랑 없는 정략결혼을 올릴 것이다. 이후 아이를 낳으면 각자 사랑을 불태울 정부를 두며 데면데면한 부부 생활을 이어 가겠지.

리히튼이 미안하게 여길 부분이 있다면, 그들의 시간을 한 달 가까이 빼앗았다는 것이 전부였다. 그러나 그 정도는 어렴히 각오하고 찾아왔을 테니, 결론적으로는 그 누구도 리히튼의 결정에 토를 달 수 없을 터였다. 베르크네가 물었다.

"캐롤드 후작에게도 말씀을 전할까요?"

리히튼은 잠깐의 고민도 없이 곧장 부인했다.

"아니. 그쪽은 상관없어."

베르크네의 입술이 작게 열리다가 닫힌다. 무언가 묻고 싶은 눈치였지만, 곧 아무렇지 않게 등을 돌려 집무실을 나갔다. 리히튼은 그가 어떤 말을 입에 담으려 했는지 어렴풋이 알 수 있을 것 같았다. 아그레인에 대해 묻고 싶었겠지. 그녀에게 특별한 마음을 가졌느냐고. 그런 질문을 받게 되었을 때, 자신은 과연 어떤 대답을 하게 될까? 리히튼 스스로도 확신할 수 없었다.

다음날 늦은 오후. 각 가문에 리히튼의 전언을 밝힌 베르크네가 집무실을 찾아왔다.

"각하. 나타샤 밀레오나 영애께서 모레 밀레오나 영지로 돌아갈 예정이라고 합니다. 그전에 저녁 식사를 나누길 청했습니다."

서류에 사인을 갈기며, 리히튼이 되물었다.

"다른 가문은?"

"나머지 가문들은 오늘 내에 출발한다고 합니다."

"그렇다면 오늘 저녁에는 밀레오나 가문의 손님과 캐롤드 가문의 손님만이 남게 되겠군."

"예."

만년필을 내려놓으며, 리히튼이 창문 너머로 시선을 돌렸다. 오전부터 하늘이 어둑한 것을 봐선 며칠 안에 비가 내릴 것 같았다. 잉고르드는 해안과 가까운 영지였다. 여름에는 특히 비가 많이 내렸는데, 그간 조용했던 것으로 봐선 태풍이 몰아칠 수도 있을 거라 생각했다. 무릎 위로 깍지 낀 손을 올려놓은 채 한동안 잠잠했던 리히튼이 느릿하게 입을 열었다.

"이런 경우에는 다 같이 저녁 식사를 즐기는 게 옳지. 킨 후작과 아그레인에게도 말해 두도록. 오늘 저녁에 만찬이 예정되어 있으니, 부디 참석해 달라고."

"알겠습니다."

어제까지와 달리 해는 금방 졌다. 먹구름이 짙어지면서 밤도 한 박자 이르게 찾아온 듯했다. 날씨는 점차 더 안 좋아질 기미를 보이는데, 캐롤드 가문과 밀레오나 가문을 제외한 모든 가문은 잉고르드에 전염병이라도 도진 것처럼 허겁지겁 저택을 떠났다. 리히튼이 거부 의사를 나타냈으니, 그들 또한 마음이 떠 버린 것이다. 저녁이 되고 다이닝 룸에는 호화로운 식사가 준비되었다. 리히튼은 가장 늦게 내려와 상석에 착석했다.

"제가 그동안 가문을 돌보는 일에 바빠, 손님 분들 대접이 시원찮았습니다. 뒤늦게 이런 자리를 가지게 된 점, 사과드리고 싶군요."

그를 중심으로 오른쪽에는 밀레오나 백작 부인과 밀레오나 자매가, 왼쪽에는 킨과 아그레인이 앉아 있었다. 리히튼은 가장 먼저 아그레인을 확인했다. 그녀는 턱을 치켜들고 리히튼의 시선을 마주했다. 이제는 예전처럼 시선을 피하지 않았다. 그의 말에 밀레오나 부인이 손으로 입을 가리며 웃었다.

"아닙니다, 각하. 각하께서 눈코 뜰 새 없이 바쁘시다는 사실은 제국의 귀족들이라면 모두들 알 겁니다. 그러니 괘념치 마세요."

리히튼에게서 떨어진 그녀의 시선이 킨에게로 향했다.

"또 평소에 접점이 없던 캐롤드 가문과도 안면을 트게 되었으니, 저희로선 그저 감사할 뿐입니다."

"저야말로 이런 특별한 자리를 갖게 되어 기분이 좋군요."

킨이 특유의 사람 좋은 미소로 반응을 보이자 밀레오나 부인이 상체를 나타샤 쪽으로 틀었다.

"이제야 제대로 된 인사를 드리게 됐네요. 저는 밀레오나 가문의 아스란 밀레오나입니다. 제 옆에 앉은 아이는 장녀인 나타샤 밀레오나, 그 옆의 아이는 올해 막 성인이 된 이브 밀레오나예요."

밀레오나 부인은 이브의 이름을 특히 강조해 소개했다. 이제 보니 부인 입장에선 두 딸의 혼처를 한 번에 해결할 수도 있는 자리이지 않은가? 나타샤와 이브가 차례로 고개를 숙였고, 특히 이브는 킨과 눈을 제대로 마주치지 못하며 수줍은 미소를 지었다.

"소문대로 두 따님 모두 아름다우시군요. 저는 캐롤드 가문의 킨 캐롤드 후작이고, 이쪽은 제 하나뿐인 여동생, 아그레인 캐롤드입니다. 아그레인?"

리히튼이 입술을 축이고 있던 물 잔을 조심스럽게 내려놓았다. 아그레인이 어떤 말로 첫 운을 뗄지 무척이나 궁금했다.

그러나 그의 예상과 달리 아그레인에게선 별다른 반응이라 할 것이 없었다. 그녀는 있는 듯 없는 듯 굴며 식사에만 집중했고 간간이 들려오는 질문에 답할 뿐이었다. 나타샤는 그런 아그레인을 지속해서 훔쳐봤다. 어쩐지 애 닳은 모습처럼 느껴지기도 했다. 저번처럼 모욕적인 언사라도 오고 가길 바라는 걸까 싶을 정도였다. 만찬이 열리면 필연적으로 공작저에 머무는 모든 손님이 초대되니, 그런 상황을 노렸을 수도 있을 터였다.

그날의 저녁 식사는 그렇게 조용히 끝났다. 모두가 잠들었을 늦은 밤. 착각이 아니라면 마른 저녁 하늘 아래에서 천둥소리가 들렸던 것 같기도 했다. 곧 비가 쏟아질 듯 저택 내의 공기가 습하고 무거웠다. 리히튼은 눈에 들어오지 않는 책을 덮고 침실을 나갔다. 복도 끝의 응접실에서 노란 등불이 일렁이는 것이 보였다. 리히튼이 그 불빛을 따라 도착했을 때에는, 까만 그림자가 작게 타오르는 벽난로 앞에 앉아 있었다.

아그레인이었다. 여름치고 스산한 공기이기는 했으나, 그렇다고 해서 벽난로에 불을 붙일 만큼 추운 것은 아니다. 리히튼은 불가의 건조한 공기를 뚫고 들어가 아그레인의 맞은편에 자리를 잡았다. 모르는 척, 벽난로와 등불에 의존해 책을 읽고 있던 아그레인은 한참이 지나고 나서야 입을 떼었다.

"그렇게 재밌었어요?"

무엇에 관한 물음이었는지는 뻔했다. 저녁 식사에 초대된 일을 말하는 것일 테지.

"내가 웃었던 적이 있었나?"

"나는 바보가 아니에요. 원래는 밀레오나 가문과의 식사 자리였죠? 그런데도 굳이 나를 부른 거잖아요. 나타샤 밀레오나와 개처럼 싸우길 바라는 것처럼."

몸을 일으켜 아그레인의 옆자리에 앉았다. 아그레인은 작게 어깨를 움찔거리긴 했으나, 그를 피하지는 않았다. 코앞의 선명한 녹안을 바라보며 리히튼이 대답했다.

"눈치가 빠르군."

아그레인이 그를 위한답시고 어디까지 거칠어질 수 있는지 궁금했었다. 그의 답에 아그레인이 코웃음을 쳤다.

"그 여자의 표정만 봐도 알 수 있어요. 나를 아주 잡아먹을 듯이 쳐다보더군요."

"나는 아그레인, 네가 저번처럼 그녀에게 예민하게 굴 줄 알았는데."

"그 기대가 보여서 가만히 있던 거예요."

자신이 그렇게 노골적으로 기대하는 얼굴이었을 줄은 몰랐다. 리히튼은 아그레인의 낯을 물끄러미 응시했다. 불길에 일렁이는 녹안에는 그조차 깊이를 알 수 없는 우울감이 존재했다. 아그레인이 어느 곳에 있든 형형한 존재감을 내뿜는 이유가 바로 그 우울감 때문이다. 리히튼은 먹구름 같은 아그레인의 눈이 좋았다. 그와 마주할 때면 더 까맣게 그늘지는 모습이 황홀할 만큼 아름다웠다.

"오라버니. 오라버니가 어떤 눈으로 나를 보고 있는지 알아요?"

응접실을 울리는 목소리가 더없이 나직하다. 리히튼은 그녀의 물음에 곧장 대답하지 못했다. 그녀를 바라보는 자신의 눈이 어떤 형태일지, 상상하면 할수록 스스로가 역겨워지는 기분이었다. 시간이 흐르면서 점차 음습해지는 그의 생각을 아그레인이 모르기를 바랐다. 아그레인올 알고부터, 리히튼의 시선은 그녀에게서 떨어질 줄 몰랐다. 그녀를 이루고 있는 숨과 생각, 사상, 관념 그 모든 것을 샅샅이 파헤쳐서 알아내고 싶었다.

전부 내 것으로 만들 수 있다면 좋을 텐데. 이 욕구가 어디에서 기인하는지는 알 수 없다. 모든 것이 비이상적이고 이질적인데, 동시에 피와 살에 새겨진 것처럼 자연스러웠다. 아그레인을 향한 갈증은 갈수록 깊어지고 있었다.

"내가 가장 묻고 싶은 질문이야. 어때, 아그레인. 너를 보는 내 눈은 어떤 식으로 빛나고 있지?"

아그레인은 대답을 망설였다. 작게 달싹거리는 입술을 바라보고 있자면 가슴 속의 무언가가 은근하게 끓는 것 같은 착각이 든다.

"당신은 자꾸 나를 기대하게 만들어요."

너는 아마 모를 거야. 네가 보는 내 모습이, 사실은 인내에 인내를 깎아 그럴싸하게 빚어낸 모습이라는 것을.

"바보 같은 짓이지. 지금의 당신은 그때의 당신이 아니라는 것을 아는데…."

"아는데?"

이 인내의 둑이 빠른 시일 내에 무너질 것을 알고 있다. 리히튼은 사실, 아그레인과 자신이 과거에 어떤 관계였을지 더 이상 궁금하지 않았다.

"그런데도 나를 보는 눈은 그때 그대로야."

"어떤 식으로?"

모르면 모르는 대로라도 좋았다. 그는 이제 온전히 아그레인이라는 존재 자체만을 원했다. 그 근원을 모르기에 더 지독하고 빠르게 퍼져나가는 열망이었다. 아그레인이 말했다.

"내게서 눈을 떼지 못하잖아."

마치 홀리기라도 한 것처럼 천천히 팔을 뻗었다. 아그레인은 고개를 들어 그의 손길을 피하지 않았다. 손끝에 얇고 뜨거운 피부의 감촉이 닿는다. 아그레인의 뺨은 보아 온 것 이상으로 부드러웠다. 동시에 갈증은 더 심해져만 갔다.

"기억을 잃기 전의 나도, 이런 식으로 네게서 눈을 떼지 못했나?"

아그레인은 천천히 눈을 감았다. 그리고 리히튼의 온기를 느끼려는 듯, 그의 손에 천천히 고개를 기댔다. 그리고 속삭였다.

"궁금해요?"

손가락 사이로 파고드는 얇은 머리칼이, 그의 이성을 갈가리 찢어 버릴 것만 같았다. 가만히 눈을 뜨며, 아그레인이 속삭이는 목소리로 말했다.

"내 이름을 부르고 싶어 하는 눈이야."

리히튼에게는 그녀의 말이 제대로 귀에 들리지 않았다. 그보다는 눈앞의 아그레인이 그에게 보여 주는 섬세한 표정 변화에 집중했다. 투명한 녹안 속에 오롯이 그의 존재만이 가득 차 있단 사실만으로도 마음이 충만했다. 입술을 비집고 나오는 말이 의미 없이 단순한 소리를 나열하는 것에 불과하다 해도 만족했을 것이다.

"오라버니는 그래요. 나를 바라보는 당신의 눈은… 내 이름을 쉴 새 없이 불러서, 나의 시선과 의식 모두를 곁에 잡아 두고 싶어 하는 눈이에요."

"왜 그렇게 생각하는지 궁금하군."

"나를 유혹하고 있잖아요."

뺨과 턱을 쓸던 리히튼의 손끝이 아그레인의 귀를 건드린다. 그의 눈길은 제 손아귀에 걸려 있는 아그레인의 여린 살결과 거침없이 말을 쏟는 입술, 당연하다는 듯 구는 당당한 눈동자를 끊임없이 반복해 오갔다. 아그레인의 표정은 녹아내릴 듯 부드러웠다. 한데 지금은 어딘가 숨고 싶기라도 한 것처럼 낯부끄러운 얼굴을 하고 있었다. 그녀는 안 그런 척 시선을 떨어뜨리며 말을 이었다.

"계속해서 신경 쓰일 수밖에 없도록 눈빛으로 말하고 있다고요. 자신을 바라봐 달라고. 눈을 떼지 말라고."

"믿지 못하겠어. 그건 어쩌면 너만의 착각일 수도 있지."

아마 자신은 옅은 웃음을 숨기지 못하고 있을 것이다. 단칼에 발뺌하는 그를 원망하듯, 새침하게 흘겨보는 표정이 안 그래도 갈증이 느껴지는 목을 더 타게 만들었다. 리히튼의 손길이 귓불과 눈매를 살살 매만지다가, 목선을 타고 점차 밑으로 내려간다. 아그레인은 그런 점을 전혀 신경 쓰지 않고 귀여운 이유로 그를 탓하기만 했다.

"처음에는 나를 조금 궁금해하는 것 같더니…. 이제는 그런 기미가 덜 보이는 것 같기도 하고."

상대방이 궁금하다는 건, 그에 응하는 호의와 흥미를 가졌을 때. 지금의 리히튼은 달랐다. 그가 아그레인에게 지니는 욕망은 고작 호의나 흥미 따위로 표현할 수 있는 게 아니었다. 그런 시기도 분명 있었지만, 게눈 감추 듯 너무나 순식간에 지나가고 말았다.

"아그레인. 나는 네가…."

너는 내 손길을 어디까지 허용할까? 과거에는 어디까지 허용했었을까?

"그런 말을 하는 게 너무 좋아."

어느새 그들 사이의 간격은 서로의 코끝이 닿을 만큼 가까워져 있었다. 그때부터였을까? 리히튼의 손등이 얇고 하얀 목선을 쓸어내릴 때마다, 아그레인의 눈동자가 차츰 흔들리는 게 보이기 시작했다. 느슨하게 풀려 있던 목덜미의 근육이 이전과 달리 조금 뻣뻣해진 것 같기도 했다. 리히튼은 그런 아그레인의 모습에서 도저히 눈을 뗄 수 없었다. 그녀의 말이 맞았다. 그의 혀는 이미 수십, 수백 번 아그레인이라는 이름을 소리 없이 부르고 있었다.

"서로를 알아간다는 건 의남매 관계에서 아주 중요한 의무지."

그의 말에 아그레인이 코웃음을 쳤다.

"의남매요? 내가 아는 의남매는 이런 식으로 서로의 숨결이 닿을 거리에 바짝 붙어 앉아서, 그런 식의 눈을 하고, 그런 식의 손길로 만지지 않아요."

"무슨 소리를 하는지 모르겠는데."

그러고는 보란 듯이 더 강하게 아그레인의 피부를 감싸 쥐었다. 뒷목을 타고 올라가 부드러운 적발 사이에 손가락을 넣어 뒤통수를 끌어당겼다. 아그레인은 그런 리히튼을 거부하지 않았다. 이제는 옅게 보였던 수줍음도 순식간에 사라지고, 마치 더 해 보라는 듯 턱을 치켜들고 그를 자극하기까지 했다.

"내가 노골적으로 표현해 줘야 알아요? 마치 애무 같잖아요."

무언가 미묘하게, 아니 확실하게 걸리적거렸다.

"잘 알고 있다는 듯이 말하는군. 마치 누군가 네게 그래왔다는 것처럼."

그 누군가가 과거의 리히튼 자신이었다면 상관없다. 하지만 그녀가 이렇듯 아무렇지 않게 다른 남자의 손길을 받고, 서로의 시선을 교환하고, 마치 잡아먹으란 것처럼 굴었다면….

"앞으로는 그 누구와도 그런 일이 없어야 할 거야."

알게 모르게 들떠 있던 숨이 빠르게 식어 감을 느낀다. 혈관으로 핏줄 대신 서리가 흘러가는 기분이 들었다. 리히튼은 점차 뻐근해지는 손을 천천히 풀었다. 이 기분이라면 자신도 모르는 사이 아그레인에게 큰 실수를 저지를 것 같았다. 그러나 아그레인은 그런 리히튼의 속내를 낱낱이 꿰고 있는 듯했다. 조금도 모르겠다는 순진한 눈으로 아무렇지 않게 되물었다.

"어떤 일?"

리히튼은 그녀의 얇고 붉은 입술이 이름 모를 사내새끼에게 침범당하는 상상을 했다. 아니, 상상을 멈추었다. 고개를 뒤흔들어 내던졌다. 이런 식으로 이성의 끈을 놓치고 싶지 않았기 때문이다.

"내가 모르는 남녀 간의 음습하고 비밀스러운 일."

아그레인이 입을 가리고 웃었다.

"미안하지만, 나는 나타샤 밀레오나처럼 어리고 깜찍한 아가씨가 아니라서요. 오라버니도 나도 각자 어른의 사정이란 게 있지 않겠어요?"

그녀의 과거는 더 이상 리히튼이 알 바 아니었다. 지금까지는 어땠을지 몰라도, 앞으로는 그 어른의 사정이란 놀이를 그가 아닌 다른 남자와 즐길 일은 없을 것이다.

"오라버니로서의 당부라고 생각해."

어떻게 보자면 미안한 사람은 그녀가 아닌 리히튼이었다. 그는 아그레인이 놀라지 않게. 도망치지 않게. 벗어나지 않게. 발버둥 치지 않게. 고통스러워하지 않게…. 아주 서서히, 천천히 목구멍 안으로 삼켜 갈 생각이었다. 의남매라는 얼토당토 않는 단어를 이용해 아그레인을 잡아 쥘 상상을 할 때마다 명치가 뜨거워졌다. 머리가 어지러웠고 숨이 벅찼다.

리히튼이 아그레인에게 느끼는 감정은 남녀 간의 본능적이고 은근한 육감과는 차원이 달랐다. 그건 고작 서로를 떠보고, 웃고, 간파하고, 우세를 잡아 쥐려는 연애 감정 같은 게 아니었다. 리히튼조차 납득할 수 없는 이 어둡고 더러운 욕구를, 아그레인은 반드시 몰랐으면 했다. 지금은 이 정도로도 만족해. 내가 보이는 이 표정과 반응이 질투 정도로 비춰진다면…. 리히튼은 하늘에게 더없이 감사할 것이었다.

"친오라비인 킨조차 내게 그런 당부할 자격 없어요."

"그럼 어떤 자격이어야 하는 거지? 남편?"

아그레인의 반응은 건조한 웃음이 다였다. 아직 쉬이 건들 수 없는 선인 걸까? 그렇다면 그녀를 위해 기꺼이 관심을 물릴 수 있었다.

"그 자격이라는 게 어떤 식으로 얻을 수 있는 건지 궁금한데."

"그런 걸 가져서 뭐 해요? 나에 대해 알지도 못하면서."

그의 눈에 비친 아그레인은, 현실보다 과거에 더 목을 매는 것처럼 보였다. 어느 순간부터였을까? 리히튼은 과거의 그녀와 자신이 연인 이상의 감정을 교류했음을 어렴풋이 깨닫고 있었다. 그래서 아그레인이 이런 식으로 기억을 잃은 그를 탓할 때마다, 그녀를 원하고 바라는 소유욕이 조금이나마 채워짐을 느꼈다. 아그레인은 아직도 그를 놓지 못하고 있었다. 과거의 자신과 얼마나 절절한 애정을 나누었을지는 모르겠지만, 지금의 그에게는 퍽 고마운 일이었다. 리히튼은 그녀에게서 천천히 손을 떼었다. 미세한 아쉬움이 아그레인의 얼굴에 겉돌다 사라진다.

"좋아하는 색은?"

"…청회색."

정확히 그의 눈을 바라보며 뱉은 대답이었다.

"좋아하는 계절은?"

"가을."

"좋아하는 차는?"

"차보다는 커피가 더 좋아요."

"친구는 몇 명?"

아그레인이 미간을 좁히며 되물었다.

"그런 건 왜 물어요?"

"네 성격에 친구가 한 명이라도 있으면 다행일 것 같아서."

"적어도 두 명 이상이니까 걱정할 필요 없네요."

그중 한 명은 황제겠지. 나머지 한 명은 누구일지 궁금했다.

"평소에는 저택에서 무얼 하지?"

"킨의 일을 돕거나, 책을 읽거나, 산책을 하거나…. 다른 여자들과 별반 다르지 않아요."

그 대답을 할 때의 아그레인은 이제껏 본 얼굴 중에서 가장 무료해 보였다.

"마음에 둔 남자는?"

되도록 가장 아무렇지 않게 질문했는데, 아그레인은 금방 코웃음 쳤다.

"은근슬쩍 묻는 거지? 비밀이에…."

콰앙.

그때였다. 갑작스레 들려온 하늘이 찢기는 소리에 아그레인의 눈이 동그래졌다. 이어서 고요했던 저택이 빗소리로 가득 차기 시작했다. 오전부터 날이 좋지 않더니 결국 비바람이 몰아치는 모양이었다. 한데, 어쩐지 그를 바라보는 아그레인의 표정이 불안하다. 눈의 깜빡임이 잦아졌다. 혀로 연신 입술을 축이며 리히튼의 얼굴을 살폈다.

왜 그러냐고 물으려다, 리히튼은 다시 입을 닫았다. 지금껏 봐 온 아그레인을 생각하면 그 이유에 대해 절대 말할 것 같지 않았다. 이제까지 생기로 넘쳐흘렀던 눈에 공포와 불안이 번지기 시작했다. 리히튼은 다시 손을 뻗어 아그레인의 얼굴을 쓸었다. 그럼에도 그녀의 눈에 박힌 공포는 여전했다.

"좋아하는 날씨는?"

차라리 다른 쪽으로 생각을 돌리게 하는 게 나아 보였다. 아그레인이 천둥을 무서워하는 것일 수도 있다. 다음 천둥에도 똑같은 반응을 보인다면 밤새도록 곁을 지키는 게 나을 것 같았다. 한동안 말이 없던 그녀는 메말라 갈라진 음성으로 대답했다.

"비 내리는 날을 제외하곤 전부 좋아요."

"그 점은 나와 다르군."

다른 이는 몰라도 아그레인이라면 비를 좋아할 줄 알았다. 무엇보다 추적추적 내리는 비와 아그레인은 한 몸처럼 어울렸다. 흐리게 피어나는 안개와도.

"비 오는 날이 좋아요?"

정말 그러냐고 되묻는 눈이 금방이라도 사라질 것처럼 유약하게 흔들린다. 리히튼은 무엇이 문제인지 알 수 없었다. 그랬기에 솔직하게 대답했다.

"그래."

아주 짧은 긍정이었다. 그 긍정에 아그레인은 지독하게 외로운 낯을 했다. 금방이라도 울음을 터트릴 듯 엉망으로 구겨진 얼굴에, 리히튼은 순간 아무런 말도 할 수 없었다. 아그레인은 적어도 천둥을 무서워하는 게 아니었다. 이후로 서너 번 창밖을 번쩍이며 번개와 천둥이 오고갔지만, 아그레인은 조금도 반응하지 않았다. 그녀는 때때로 그를 탓하고 미안해하고 고독해하며 얼굴을 일그러뜨렸다. 나중에는 두 손으로 자신을 가리며 무릎 사이로 얼굴을 묻었다.

리히튼이 해 줄 수 있는 건 이유 모를 좌절에 빠진 아그레인의 등을 토닥이는 것이 전부였다. 리히튼은 그때 처음으로 공허함을 느꼈다. 그와 아그레인 사이에 메울 수 없는 거대한 간극이 존재함을, 아주 절실히 깨달은 것이다. 아그레인이 울었는지는 알 수 없다. 그녀가 다시 고개를 들어 올렸을 땐 눈물 자국이 보이지 않았다. 리히튼은 다소 피곤해 보이는 그녀를 직접 방까지 데려다 주었다. 마지막에는 순수한 걱정의 의미로 그녀의 어깨를 다독이며 껴안았다. 막연하게 생각했던 것보다 훨씬 작고 가녀린 몸이었다.

그날 밤. 리히튼은 아주 긴 꿈을 꾸었다. 꿈에서 그는 여자에게 안겨 있었다.

아니, 그가 여자를 안은 것 같기도 했다. 얼굴은 보이지 않았으나 정신이 혼미해질 만큼 짙고 중독적인 향이 그를 감싸고 있었다.

'아….'

그는 여자와 깊은 입맞춤을 나누었다. 여자의 작은 입 안을 전부 삼킬 기세로 거칠게 숨을 밀어 넣었다. 작은 몸이 그의 아래에서 헐떡였다. 상대방은 입맞춤 내내 그의 몸을 강하게 끌어안고 있었다. 얇고 부드러운 손가락이 그의 살갗에 닿을 때마다 숨이 뜨거워졌다. 여자는 리히튼을 간절히 원하고 있었고, 그 역시 그러했지만 손 안의 몸이 깨질까 걱정되어 수십, 수백 번을 인내했다.

여자는 그런 리히튼을 계속해서 타일렀다. 그를 자신의 품으로 끌어들여 어깨를 감싸고 고개를 비틀었다. 서로를 더 깊이 탐할 수 있게 되자 머릿속이 점차 흐릿해져 갔다. 자신의 몸 아래에서 잘게 떠는 허리와 간간이 들려오는 억제된 신음이 그의 뇌리에 그림처럼 틀어 박혔나. 리히튼은 스스로에 대한 통제권을 서서히 잃고 있었고, 그 과정이 너무나 황홀하게 느껴졌다.

'리히튼….'

여자의 몸은 작았다. 자신의 그림자 아래에 전부 가려질 만큼 여리고 가녀렸다. 자칫하면 부러뜨릴 수 있겠다는 우려가 그를 더 강한 흥분과 정복욕에 빠져들도록 만들었다. 리히튼은 여자의 목과 가슴 위를 타고 내려가며 여린 피부 위에 끊임없이 입을 맞추었다. 흥분에 젖어드는 땀도, 긴장으로 뻣뻣해진 선도 모두 향긋했다. 정원을 나뒹구는 것처럼 정신이 몽롱했다. 그와 여자는 서로를 원하고 있었다. 이제껏 느껴 보지 못한 강한 유대감과 가슴이 저릿할 만큼 강렬한 감정이 그를 지배했다. 이 순간이었다. 그는 이 순간을 맞이하기 위해 이제껏 버텨 온 것이다.

'아…. 으음.'

입을 맞추면 맞출수록 갈증이 들끓었다. 이대로 여자를 자신의 것으로 만들고 싶었다. 그 누구도 욕심낼 수 없도록 오롯이 자신의 냄새와 존재로 영원히 각인하고 싶었다.

　동시에 두려웠다. 여자가 이토록 자신을 원하고 있다는 사실이 믿기지 않았다. 이대로 이 본능에 홀려 여자를 가진다면 그녀가 신기루처럼 사라질까 무서웠다. 도망치고도 싶었지만 그녀를 향한 염원과 욕구는 너무나 강했다. 제 몸을 훑은 손을 떨쳐낼 수 없었다. 이 여자가 그에게 보였던 진심이 잘 꾸며진 거짓이었다고 해도…. 그를 개처럼 이용하는 것에 불과하다고 해도…. 리히튼은 기꺼이 그 놀음에 넘어갈 마음이었다.

　열에 맺힌 땀이 여자에게로 떨어졌다. 흥분에 젖어 그를 올려다보는 여자의 눈, 흐트러진 표정, 힘없이 따라오는 몸짓, 사랑한다고 말하는 입술. 모든 게 완벽했다. 그럼에도 리히튼은 두려웠다. 그녀가 다시 자신을 떠날까 봐. 그래서 더 간절하게 여자를 껴안았다. 이 순간이 꿈이 아니었으면 하는 바람으로.

　꿈에서 깨어났을 때, 리히튼은 헛웃음조차 지을 수 없었다. 현실보다 더 현실처럼 느껴지는 꿈이었다. 그러나 아무리 그 속을 헤집어도 여자의 얼굴과 목소리, 향이 기억나지 않았다. 그에게 남은 것은 미치도록 황홀했던 순간순간의 감각들과 마치 그림자처럼 따라붙던 불안함. 그 여자를 향한, 스스로를 내던질 듯 간절했던 감정이 전부였다.

　"빌어먹을."

　욕설과 함께 침대를 벗어났다. 머리가 깨질 듯 아팠다. 이건 단순하게 욕망에 젖은 꿈이 아니었다. 단언컨대 그가 꾼 꿈은 과거의 편린이었다. 리히튼은 과거의 그가 이토록 절망적인 감정에 빠져 있었다는 사실을 믿을 수 없었다. 꿈속의 여자는 그의 전부였다. 벗어날 수 없는 세상이었으며 그가 바라는 모든 것이기도 했다.

　"아그레인."

　그녀를 향한 감정이 계속해서 짙어지면, 아마 이런 기분을 평생 느끼며 살아야 하겠지. 꿈속의 여자는 누구일까? 아그레인일까? 아그레인이겠지. 장담하건대 그녀 외에 그를 이런 절망감에 빠지도록 만들 만한 인물은 존재하지 않았다. 여자의 정체가 아그레인이 맞다면 그간 생겼던 모든 의문이 해결된다. 어째서 그런 눈으로 바라봤던 건지. 무엇을 그리 서운해했던 건지. 왜 그렇게 잘 아는 양 굴었던 건지에 대해, 모두.

찬물로 목을 축여도 꿈속을 헤매는 기분은 여전했다. 비는 멈추지 않았고, 하늘은 이른 오전에서 저녁이 되었음에도 똑같은 어두운 빛이었다. 아그레인을 향한 욕망은 몸을 웅크리지 않았다. 오히려 꿈을 꾼 뒤에 기다렸다는 듯 더 커졌다. 스스로가 위험하다고 느낄 정도였다.

그 여자는 내게 도대체 무슨 짓을 한 걸까? 그제야 리히튼은 이 깊이도 모를 집착이 무서워지기 시작했다. 아그레인을 놓을 생각이 없었기에 더욱. 그렇다고 해서 억지로 취하거나 가져선 안 된다. 리히튼은 인형처럼 죽은 아그레인이 아닌, 살아 있는 아그레인을 원했다. 꿈속에서 보고 만지고 느꼈던 장면들이 머릿속에서 사라지지 않았다. 당장 그녀를 보면 무슨 짓을 할지 모를 지경이 되어 버렸다.

늦은 밤, 리히튼은 베르크네를 시켜 자신의 방으로 킨을 불렀다. 킨과는 종종 늦은 밤마다 술을 즐기곤 했다. 특히 비가 오는 날은 이상하게 잠들기 어려워서 술김에 그와 체스를 두거나 귀족들의 행보에 대해 논하기도 했다. 몇 가지 시답잖은 대화가 오간 후, 리히튼은 바로 자신의 본론을 꺼냈다.

"앞으로 아그레인의 혼인 상대를 물색할 생각이 있나?"

"잘 모르겠습니다. 저는 그 애가 가정을 갖고 안정되길 원하지만… 본인이 원하지 않는다면 강요할 수 없겠죠."

"원한다고 해도 찾지 못하도록 해."

킨은 리히튼의 속마음을 단번에 간파했다. 리히튼이 한 말은 고작 두 마디에 불과했음에도 조심스럽게 입을 열어 리히튼의 뜻을 물었다.

"아그레인에게 마음이 있으십니까?"

"시간이 걸리더라도 데려올 생각이다."

놀란 눈치는 아니었다.

"그렇다면 왜 그 아이를 의동생으로…."

"그때는 확신할 수 없었지."

정확히 말하자면 이 정도로 마음이 커질 줄 몰랐다. 그는 사람에게 신뢰를 주거나 받아도, 그 이상의 애정을 느끼지는 못하는 사람이었다. 한데 설마 만난 지 고작 며칠도 안 된 여자에게 이런 감정을 느끼게 될 줄이야. 낯간지러운 표현이었으나, 운명이라고 생각되기도 했다. 기억을 잃었는데도 같은 여자를 염원한다, 라. 이런 게 운명이 아니면 무엇이 운명일까?

"빗줄기가 약해지고 있으니, 내일 오전에는 거의 멈추겠군. 해가 뜨자마자 캐롤드로 돌아가도록."

"급한 일이라도 생기신 겁니까?"

"그렇다고 볼 수 있겠군."

지금 상태에서 아그레인을 아무렇지 않게 대할 자신이 없었다. 그녀를 볼 때마다 꿈속에서 보았던 흔들리는 몸과 끊어질 듯한 목소리, 손 안에 감기던 감촉들이 떠오를 것 같았다. 리히튼은 자신이 그 환상들을 떨쳐내지 못하리라 확신했다. 이 격렬하게 요동치는 감정이 안정을 되찾을 때까지 아그레인을 멀리해야 할 것 같았다. 남은 잔을 비운 킨이 옷깃을 정리하면서 물었다.

"아그레인은 어떤 반응인지 여쭈어도 되겠습니까?"

그에 대한 답은 명확했다.

"아그레인은 나를 원해."

그때는 알 수 없었으나, 지금은 알 수 있다. 아그레인은 그를 처음 봤을 때부터 원했다. 리히튼에게는 자신에게서 시선을 떼지 못한다며 놀리듯 말했지만, 그건 아그레인 역시 마찬가지였다. 어느 순간부터 그녀도 리히튼을 보고 있었다. 문득 고개를 돌리면 그녀가 리히튼을 보고 있었고, 반대인 경우도 허다했다. 누가 먼저 고개를 트나 대결하듯 눈싸움을 하기도 했다. 승자는 늘 리히튼이었다. 그 이유는 아그레인이 그와 눈을 마주치길 수줍어해서가 아니었다.

"하지만 과거의 내가 그녀의 발목을 붙잡고 있더군. 하지만 그래봤자 한낱 과거의 기억일 뿐이야. 현재를 이길 수는 없지."

기억? 돌아온다면 막을 생각은 없다. 오히려 좋았다. 과거를 빌미로 아그레인을 더 강하게 옭아맬 수 있으니까. 킨은 그에게 짧은 감사 인사를 남기고 자신의 방으로 돌아갔다. 어째서 감사하다고 말했는지는 모르겠다. 오라버니로서 아그레인이 과거에서 벗어나길 바라는 걸까?

다음날 이른 오전. 날이 밝자마자 킨과 캐롤드가 공작저를 나섰다. 리히튼은 준비된 마차로 향하면서, 한편으로는 아그레인이 잉고르드에 남아 주길 바랐다. 하지만 그녀는 킨의 옆에 나란히 서서 리히튼을 기다리고 있었다. 리히튼은 아쉬움과 안도감이 공존하는 기이한 기분을 느끼며 그들에게로 다가갔다. 아그레인은 그의 얼굴을 본 즉시 입을 열었다.

"보름 후에 황성에서 연회가 열려요."

여름 연회를 말하는 건가. 황성의 여름 연회는 마창 시합과 사냥 시합 등이 열리는, 황성의 연회 중에서는 황제 탄신일 다음으로 성대한 연회였다.

아그레인이 말을 이었다.

"아시다시피 저는 친구라고 해 봤자 고작 둘에 불과해서요. 괜찮으시다면 제 파트너가 되어 주실래요?"

남매 모두가 미혼인 경우에는 서로가 서로의 파트너가 된다. 그럼에도 리히튼에게 제안한 이유는… 깊게 생각할 필요 없겠지. 사실 그녀가 제안을 한 순간부터, 리히튼의 답은 정해져 있었다. 그는 망설임 없이 고개를 끄덕였다.

"그러지."

아그레인이 옅은 미소와 함께 리히튼에게 안겼고, 잠시 후 마차는 캐롤드를 향해 떠났다. 멀어지는 마차를 바라보며, 리히튼은 벌써부터 연회가 기다려졌다.

여름 연회는 시간이 흘러 부르는 이름이 변경되었을 뿐, 본래는 그렌페르크 제국의 건국을 축하하는 건국 축하 연회다. 따라서 황제 탄신일을 제외한다면, 해마다 열리는 황실 연회 중에서는 여름 연회가 가장 시끌벅적했다. 당대 황제가 누구냐에 따라 연회의 격식과 일정은 조금씩 바뀌었는데, 빈세르크 3세는 전대 황제에 비해 검소하고 조용하며 딱딱한 편이라 귀족들 모두 이번 연회는 격식 차린 고아한 자리가 될 거라 여겼다. 아니나 다를까 작년까지는 연회 전날의 전야제가 몹시 화려하게 열렸는데, 올해는 조용한 것으로 봐서 귀족들의 예상이 맞아떨어진 듯했다.

"각하. 도착했습니다."

리히튼은 활짝 열린 마차의 문틈으로 황성을 바라봤다. 연회에 대한 기대감이나 긴장 같은 건 조금도 엿보이지 않는, 무료한 표정이었다. 그가 성 안으로 들어가는 동안 이미 도착해 있던 귀족 자제들의 시선이 끊임없이 엉겨 붙었다. 세간은 리히튼 잉고르드 공작이 혼인 상대를 찾고 있다는 소문으로 떠들썩했다. 게다가 공작은 기억까지 잃은 터라, 혼인 적령기의 여자들은 앞다퉈 공작의 첫 연인이 되길 희망했다. 그가 공작저를 방문한 가문들에게 퇴짜를 놓은 후였기에 욕심 있는 귀부인들은 이번 여름 연회를 절호의 기회로 여기고 있었다.

비단 귀부인뿐만 아니라 귀족 영애들 사이에서도 리히튼은 흠모의 대상이었다. 그렌페르크 제국에 그만큼 젊고 잘생기고 능력 있는 미혼의 남자는 없었다. 게다가 이전과는 달리, 최근에는 그에게 다가가기가 마냥 어렵지도 않았다. 기억을 잃기 전의 리히튼도 뭇 여자들에게 다정하고 원숙했지만, 당시의 그에게는 함부로 눈을 마주칠 수 없는 껄끄러움과 위험한 분위기가 강했다. 또한 연회에서 그의 곁을 둘러싼 자들은 하나같이 쟁쟁한 가문의 어른이거나 후계자였기에 정치에 관심 없는 어린 여자들로선 바라보는 것으로 만족해야만 했다.

하지만 지금은 아니었다. 이전처럼 눈이 마주칠 때마다 붓으로 그린 듯한 아름다운 미소를 지어 주진 않았지만, 은연중에 느껴지던 범접할 수 없는 분위기가 많이 사라진 것이다.

"저, 리히튼 잉고르드 각하…."

황제를 알현하기 위해 계단으로 향하던 차였다. 기둥 뒤에서 갑작스레 뛰어 나온 여자가 그를 불렀다. 리히튼은 걸음을 멈추고 길을 가로막은 자의 얼굴을 물끄러미 내려다봤다. 여자의 나이는 아그레인보다 서너 살 적어 이제 막 성인이 된 듯했다. 무엇이 그리 수줍은지 새하얀 얼굴이 복숭아처럼 붉었다.

"다름이 아니오라… 여쭙고 싶은 일이 있는데, 꽤, 괜찮다면 대답해 주실 수 있으신가요?"

어디선가 어린 여자들이 까르르 웃는 소리가 들려왔다. 그 웃음소리에 리히튼의 앞을 가로막은 여자의 뺨이 더더욱 붉어졌다. 리히튼에게는 어쩐지 이 상황과 광경 모두가 지루한 극을 보는 듯했다.

"그러시죠."

그는 이 여자의 이름을 몰랐다. 하지만 알고 싶다는 마음도 들지 않았다. 대충 대답해 주고 갈 길을 마저 가려는 마음뿐이었다. 여자가 고개를 푹 숙인 채 입술을 떼었다.

"이번 연회에, 그, 그러니까 저녁의 무도회 말이에요. 혹시 파트너가 있으신지….."

"있습니다."

망설임 없는 대답에 여자의 표정이 멍해졌다.

"아… 그렇군요. 감사합니다."

작은 인영은 나타났을 때처럼 쏜살같이 사라졌다. 리히튼이 마지막으로 본 것은 기둥 뒤로 흩날리며 사라지는 분홍빛 레이스 드레스 자락이 끝이었다. 그가 다시 걸음을 옮긴 동안 절대 작지 않은 목소리들이 등 뒤에서 비명을 질렀다.

"어쩜, 그 사이에 누가 가로챘구나!"

"누군지는 몰라도 약아빠진 계집애야. 이럴 줄 알고 가장 먼저 달려갔던 건데."

"나타샤 밀레오나 아니야? 각하께서 책을 선물해 주셨다고 그렇게 자랑하고 다닌다던데."

"누가 됐든 무도회 전에 얼굴이나 한 번 보고 싶어. 얼마나 자신만만하게 굴지 궁금해."

리히튼은 계단을 따라 올라가면서 아그레인의 얼굴을 떠올렸다. 아무렇지 않게 나타샤를 조롱하던 모습을 생각하면 딱히 걱정할 필요는 없을 듯했다. 응접실 앞에 도착하자, 시종장은 황제에게 그의 방문을 알리지도 않고 기다렸다는 듯 문을 열었다. 리히튼은 묘한 기분으로 방 내부에 들어섰다. 황제를 알현할 때마다 느끼지만, 빈세르크 3세가 그를 대하는 태도는 리히튼이 아는 군신의 관계와 조금 달랐다.

"폐하, 부르셨다고 들었습니다."

황제는 햇빛이 내리쬐는 창가에 서서 후원을 내려다보고 있었다. 그를 향해 고개를 돌린 여자의 얼굴은 천장화에 그려진 미의 여신이 그대로 튀어나온 것처럼 아름답고 우아했다. 황제는 아무런 대답 없이 리히튼의 얼굴을 살폈고, 그에 리히튼은 불편함을 나타냈다.

"하실 말씀이라도 있으십니까?"

황제는 한참 만에 입을 떼었다.

"짐의 눈에는 아직 공작의 기억이 돌아오지 않은 것으로 보이는군."

"예."

옅게나마 황제의 눈에 실망한 기색이 스쳤다.

"그 사실을 확인하려 하신 겁니까?"

"그렇지. 몹시 중요한 사안이니까."

빈세르크 3세가 이런 식으로 그의 건강을 챙길 때마다, 리히튼은 눈앞의 여자가 자신과 퍽 특별한 군주와 신하 관계였음을 다시금 깨닫곤 했다.

"기미는 없나?"

기억이 돌아올 기미를 뜻하는 것일까? 황제의 물음에 리히튼은 지난 몇 주간 자신을 괴롭히던 꿈들을 떠올렸다. 잠들 때면 나타나는 그 과거의 기억들은 리히튼의 인내를 시험하듯 갈수록 대담해지고 노골적으로 변해갔다. 대단한 기억은 아니었다. 꿈속에서 그는 늘 과거의 아그레인과 사랑을 나누었다. 열기로 들뜬 목소리가 그의 이름을 부를 때면 귀는 물론이고 몸속의 장기가 모두 녹아내릴 듯 달콤했다. 덕분에 리히튼은 단 하루도 아그레인을 잊을 수가 없었다. 아주 곤욕스러운 상황이었다.

"아예 없지는 않습니다."

"모두들 공작이 곧 기억을 되찾을 거라 확신하고 있네."

"단정할 수는 없지요."

황제가 코웃음을 쳤다. 마치 단정할 수 없다는 그의 대답이 잘 꾸며진 거짓말이라 여기는 것처럼.

"짐 또한 다른 귀족들과 마찬가지야. 처음에는 단순한 사고였다고 여겼으나 조금씩 생각이 바뀌었다. 예전과 달리 시시때때로 그대를 언급하는 아그레인의 모습을 보면서 말이지···."

웬만한 일에는 관심을 보이지 않았던 리히튼이 아그레인의 이름에는 곧장 반응했다.

"그녀가 제 이야기를 합니까?"

황제의 눈이 음울한 분위기를 띠었다.

"하지. 짐의 눈에는 마치 거미줄에 둘둘 감긴 어여쁜 나비처럼 보였다. 달갑지만은 않더군."

황제의 시선이 서늘하다. 리히튼이 생각하기에, 빈세르크 3세는 오래된 친우인 아그레인을 그에게 빼앗겼다고 여기는 듯했다.

"하여간 공작은 한시라도 빨리 기억을 되찾아야만 해. 그대와 의논할 것이 많다. 짐의 후계와 관련된 사안부터 시작해 그간 일이 태산같이 쌓였어."

리히튼은 납득할 수 없었다. 황실의 후계를 어째서 그와 의논한단 말인가? 과거에 친분을 나누었다는 인물들과 대화할 때마다 그가 기억하지 못하는 '리히튼 잉고르드'라는 인물에 대해 의문이 생길 수밖에 없다. 측근들은 대체로 이전의 그를 무자비한 독재자라고 표현했다. 사교계의 평가와는 그야말로 극과 극인 평이었고, 때문에 리히튼은 본인이 어떤 인물이었는지에 대해 정확한 판단을 내리기 힘들었다.

"공작. 혼인 상대는 잘 물색하는 중인가?"

그런 것은 그만둔 지 오래였다.

"폐하께서 추천이라도 해 주실 생각이십니까?"

황제가 고개를 저었다.

"그럴 리가. 공작은 이미 상대를 정하지 않았나? 정했어야 할 거야. 또한 그 상대가 내가 예상하는 인물이 맞기를 바라. 공작이 기억을 되찾은 후에 그릇된 선택을 내린 것에 대한 책임을 떠맡고 싶지는 않으니까.”

리히튼의 귀에는 황제가 혼인 상대를 강요하는 것처럼 들렸다. 하지만 그녀가 어떤 여자를 들이밀든, 리히튼의 마음은 확고했다. 그는 그 마음을 숨길 생각도 없었다.

“아그레인 캐롤드를 부인으로 맞이할 예정입니다.”

“마땅한 판단이야.”

예상과 달리 황제의 반응은 담담했다. 그의 상대로 아그레인을 생각하고 있었다는 의미였다. 문득 그는 이 모든 상황이 섬세하게 짜인 판의 일부처럼 느껴졌다. 이유는 알 수 없었다. 그랬기에 머릿속 한구석이 찝찝했다.

“공작은 본래 황실 여름 연회에는 죽어도 참석하지 않았지. 한데 올해는 참석하는 것으로도 모자라 하루 일찍 찾아왔군.”

황제는 리히튼의 머릿속이 훤하다는 표정으로 창밖을 턱짓했다.

“아그레인은 후원을 산책하고 있을 거다. 이만 나가 봐도 좋다.”

응접실을 나오면서, 리히튼은 아무렇지 않게 그와 아그레인을 엮는 황제의 태도를 생각했다. 그녀는 리히튼이 아그레인을 마음에 두었단 사실을 진작 알고 있었다는 양 행동했다. 아그레인의 성격상 잉고르드에서의 일을 쉬이 입 밖에 꺼냈을 것 같지는 않았다. 그 말은 즉 황제가 기억을 잃기 전의 그와 아그레인의 관계를 전부 알고 있다는 뜻이 된다. 또한 거미줄과 같은 의미 모를 발언을 제외하곤 별다른 소리가 없는 걸 봐선 그들의 사이를 훼방 놓을 생각이 없는 듯했다. 아그레인을 제 부모이자 자식인 양 구는 황제가 그들의 관계를 인정한다는 건, 그간 아그레인과 리히튼 사이에 큰 문제가 없었음을 의미했다.

한데 아그레인은 어째서 그를 볼 때마다 종종 우는 얼굴을 하는 걸까? 단순하게 서운하다는 표현으로는 완전히 나타낼 수 없는 또 다른 무언가가 존재할 터였다. 리히튼은 여름 꽃이 만발한 후원을 가로지르며 아그레인을 찾앉다. 미인으로 넘치는 황성이지만 그녀만큼 선명한 적발을 가진 여자는 없다. 따라서 오래 헤맬 필요도 없이 금방 원하는 이를 발견할 수 있었다.

"아그레인."

그는 이름을 부르고 나서야 자신의 목소리가 퍽 컸다는 사실을 깨달았다. 의자에 앉아 가만히 책장을 넘기던 아그레인이 고개를 들었다. 의아한 표정으로 눈을 깜빡이던 그녀는 곧 책을 놓고 자리에서 일어섰다. 말간 얼굴에 꽃처럼 화사한 미소가 피어났다. 아그레인이 뛰어올 동안 리히튼은 그 모습을 넋을 놓은 채 바라봤다. 아그레인의 웃음에서 눈을 뗄 수가 없었다. 아그레인은 리히튼의 코앞에서 걸음을 멈추고 웃음이 지워지지 않은 낯으로 그를 올려다봤다. 햇빛에 선명한 녹색으로 일렁이는 눈동자엔 거짓 없는 기쁨이 만발했다. 리히튼은 저도 모르게 손을 뻗어 아그레인의 머리를 쓰다듬었다. 이토록 반가운 티를 내니 도저히 그러지 않고는 못 배길 것 같았다.

한데 그의 손이 매끄러운 머리칼에 닿은 순간을 기점으로, 아그레인의 표정이 삽시간에 멍해졌다. 자신을 쓰다듬는 부드러운 손길에 흠칫, 몸을 군힌 그녀는 당황한 기색으로 두어 발자국 물러섰다. 금붕어처럼 소리 없이 입술만 열고 닫히길 반복됐다. 아그레인은 활짝 핀 얼굴을 뒤늦게 갈무리하고 입을 열었다.

"일찍 오셨네요. 비비는 내일이나 되어야 만날 수 있을 거라 단언했었는데."

리히튼은 그런 아그레인의 얼굴을 물끄러미 내려다봤다. 밝은 웃음은 어디로 가고 순식간에 그가 알던 아그레인으로 돌아갔다. 그녀는 분명 또래에 비해 비정상적으로 어른스러운 감이 있었다. 그래서 그런 것일까? 종종 이런 답지 않은 행태를 보일 때마다 놀리고 싶어졌다.

"내가 언제 도착하는지 폐하께 여쭈었었나 보군."

그러나 아그레인은 당황하지 않았다.

"제 파트너의 일인데 당연하죠."

"가슴 깊이 신경 써 주다니 고맙다고 말해야 하나? 오늘은 특별히 내 파트너를 생각해 하루 일찍 도착했지."

리히튼은 벤치로 다가가 아그레인이 읽다 만 서적을 집었다. 그리고 그녀를 후원의 산책길로 능숙하게 이끌었다.

"괜찮다면 잠깐 걸을까? 이대로 헤어지기엔 날이 썩 괜찮아서."

아그레인은 가만히 눈을 깜빡이다가 그의 손에서 책을 빼앗았다. 그리고 새침한 얼굴로 고개를 끄덕였다. 그들은 여름의 꽃이 만발한 후원을 함께 거닐었다.

"폐하께 내 이야기를 했었나?"

아그레인이 힐끔 그의 옆선을 바라봤다. 불만스러운 눈빛이었다.

"어디서 그런 이야기를 들은 거예요?"

"폐하께서 직접 말씀하셨지. 너를 찾기 전에 그분을 먼저 알현했으니까."

"비비가 그런 사적인 소릴 했다고요? …믿기질 않네요."

황제와 아무리 특별한 사이라 하여도 아그레인은 한낱 귀족 영애에 불과했다. 그런 그녀가 타인 앞에서 황제를 애칭으로 부른단 사실이 퍽 놀라웠다. 하지만 사소한 부분에 딱히 대거리를 하고 싶지 않았던 리히튼은 모르는 척 넘어갔다.

"그 말은 폐하의 말씀이 사실이란 뜻이겠지. 어떤 이야기를 했기에 폐하께서 그런 식으로 나를 대하셨는지 궁금하네."

아그레인은 곧장 대답하지 않고 정면을 바라보며 빠르게 눈만 깜빡였다. 머리를 굴릴 때마다 보이는 습관인 듯했다. 리히튼은 나비처럼 팔락이는 기다랗고 얇은 그녀의 속눈썹을 살피며 대답을 기다렸다. 어떤 식으로 반응할지 궁금했다.

"비비가 오라버니를 어떤 식으로 대하기에 그런 말씀을 하세요?"

"그건 말할 수 없지. 내가 밝히면 네게 말조심하라는 압박밖에 더 되겠어? 나는 오히려, 아그레인 네가 이곳저곳에서 실컷 떠들길 바라는데."

"떠들 것도 없어요. 아니, 떠들 만한 이야기도 없다는 게 옳겠네요. 그냥 말해 주세요. 오라버니를 곤란하게 했다면 앞으로 조심할게요."

조심하지 말고 계속 경솔하게 굴라는 뜻이었는데, 아그레인은 그럴 마음이 없는 듯했다. 리히튼은 그녀가 바라는 대로 입을 열었다.

"너를 확실히 책임지라는 식으로 말씀하셨다."

아그레인이 커다래진 눈으로 그를 향해 고개를 홱 돌렸다. 리히튼은 문득 그녀의 이런 솔직한 반응이 자신에게만 보이는 반응인지 궁금했다. 킨이나 나타샤를 대하는 그녀의 모습은 매사에 무덤덤하고, 조롱하든 무시하든 파문 없는 수면처럼 고요했기 때문이다.

"거짓말하지 마세요. 지금 나를 놀리는 거죠? 미안하지만 비비는 그런 소릴 할 아이가 아니에요."

황제 폐하를 '아이'라 지칭하는 인물은 아그레인밖에 없을 것이다. 리히튼은 즐거운 마음으로 고개를 저었다.

"나는 진실이 밝혀질 거짓말은 하지 않아. 신하인 내가 황명을 거절할 수 있나? 마땅히 그리하겠다고 대답할 수밖에."

아그레인의 미간이 좁아졌다. 리히튼은 그녀의 얼굴을 바라보며 상냥하게 웃었다.

"물론 그전에 내가 널 공작 부인으로 맞이할 거라 말씀드렸지만."

황당한 목소리가 들려왔다.

"뭐? 리히튼, 너 미치…"

아그레인은 말을 끝내기 전에 입술을 오므렸다. 이전에는 나이, 신분에 관계없이 서로 편히 말을 놓는 사이였던 건가. 기분이 나쁘기는커녕 그녀의 입에서 나오는 자신의 이름이 가슴 안쪽을 간질일 정도로 기분 좋았다. 꿈속에서 수십 번 들어 온 그녀의 달콤한 목소리가 떠올랐다. 옅은 헐떡임과 함께 그를 깊게 끌어당기던 부름. 옴짝달싹도 못하게 만들던 눈짓까지. 리히튼은 무겁게 고개를 저었다. 눈앞의 아그레인과 꿈속의 아그레인이 자꾸 겹쳐 그를 곤욕스럽게 만들었다.

"나는 오라버니의 의남매인데요."

싫다는 소리는 없다.

"의남매 같은 건 그다지 의미를 갖지 않지."

심지어 아그레인은 싫다는 표정도 아니었다. 오히려 속내를 가늠하기 힘든, 미묘하게 풀린 얼굴로 그를 올려다보고 있었다. 리히튼은 그런 아그레인의 얼굴을 부여잡고 입 맞추고 싶단 충동에 사로잡혔다.

"내게 다른 여자는 필요 없어."

아그레인의 낯이 조금 서글퍼진다. 문득 그녀가 자신을 향한 호감과 별개로 그의 마음을 거절할 수 있다는 생각이 들었다. 리히튼은 걸음을 멈추고 아그레인을 정면으로 마주했다. 하얗고 작은 그녀의 손을 가슴 앞으로 끌어당기며 물었다.

"너는 아닌가? 너는 내가 아닌 다른 남자에게도 그런 표정을 짓는 거야?"

무엇이 아그레인을 힘들게 하는지는 모른다. 하지만 리히튼은 그녀의 모든 불안을 해결해 줄 자신이 있었다. 이런 기분을 느끼게 하는 건 아그레인이 유일했다. 그에게 잡힌 손을 조용히 응시하던 아그레인이 차분하게 입을 열었다.

"솔직하게 말할게요. 나는 오라버니가 내가 아닌 다른 여자를 선택해야 더 행복할 수 있다고 생각해요."

리히튼은 곧장 부정했다.

"그건 네가 정하는 게 아니야."

"내가 정하는 게 맞아요. 늘 그래왔으니까."

딴지를 걸기 힘들 만큼 단호한 어조였다. 리히튼은 손바닥에 식은땀이 흐를 수 있다는 걸 그 순간 처음 알았다. 그는 아그레인을 억지로 취할 생각이 없었다. 하지만 그녀가 그를 거절한다면 어떤 방법을 사용해서라도 데려갈 마음이었다. 그러나 리히튼은 자신이 그런 행동과 판단에서 최대한 멀어지길 바랐다. 그런 방식으로 얻은 몸과 마음은 오래 가지 못한다는 걸 알기 때문이다. 곧 무언가 다짐한 듯, 아그레인이 확고한 눈과 음성으로 말했다.

"내일까지 시간을 드릴게요."

리히튼은 그녀가 무슨 말을 할지 알 수 없어 쥐고 있던 손을 더 꽉 잡았다. 그런 리히튼의 행동을 비웃기라도 하듯, 아그레인은 그에게서 자신의 손을 매정하게 빼냈다.

"그전까지 생각을 바꾸는 게 좋을 거예요. 내일이 지나면 나도 나만을 위해 아주 이기적이고 못되게 굴 테니까. 당신은 죽어도 그 말을 못 무르게 될 거거든요."

리히튼은 머릿속이 깨끗하게 빈 듯한 기분을 느껴야 했다. 아그레인의 대답은 상당히 묘했다. 그의 구애를 거절하거나, 조롱하는 게 아니라 오히려 위협하고 있지 않은가. 리히튼은 마음이 놓이기는커녕 아그레인의 머릿속을 파헤치고 싶어 미칠 지경이었다.

"너는 지금… 내가 다른 여자를 사랑하는 것이 나를 위한 일이라고 말하는 건가?"

"이해를 바라고 한 말은 아니에요."

언젠가 그녀 스스로 입을 여는 날이 오게 될까? 아그레인의 맑고 깨끗한 눈을 바라보며, 리히튼은 조급해지려는 마음을 천천히 진정시켰다. 지금은 이것으로 되었다. 그들에게 주어진 시간은 내일로 끝나는 것이 아니라 아주 많았다. 그러니 괜히 그녀를 보채 관계를 그르칠 필요는 없을 터였다.

"우리 사이에는 한 번쯤 진지한 대화가 필요할 것 같군. 부부 사이에 숨기는 일이 많으면 관계가 소원해지기 마련이지.”

아그레인은 황당하단 눈으로 그를 흘겨봤다.

“예전에는 이렇게 뻔뻔하지 않았는데.”

그리고는 미련 없이 등을 돌려 왔던 길을 돌아갔다. 리히튼은 그 자리에 한참 동안 서서 아그레인의 뒷모습을 바라봤다. 두 팔 가득 품에 안고 싶은 마음을 간신히 잠재웠다.

다음날 정오. 연회의 시작을 알리기 위해 황제, 빈세르크 3세가 몸소 나섰다. 여름 연회는 당대 황제가 숲에서 가장 큰 수사슴을 사냥하면서 시작된다. 황제가 수사슴을 성공적으로 사냥하면, 황성은 수사슴의 뿔을 황제의 침실에 걸어 그해의 안녕을 기원한다. 연회 참석자 모두가 보는 자리에서 사슴의 뿔을 자르고 함께 축배를 올림으로써 황실의 평인과 제국의 무궁한 발전을 기렸다.

빈세르크 3세는 뛰어난 사냥 실력을 가진 황제라, 수사슴을 잡기까지 그리 긴 시간을 소요하지 않았다. 뿔이 잘리면서 시작된 연회의 첫 일정은 마창 시합이었다. 황성 마창 시합은 일 년에 고작 두 번 열리는 터라 귀족들의 관심이 뜨거웠다. 리히튼은 영주의 명예를 걸고 격해지는 시합을 조용히 감상했다. 귀부인들의 반응이 뜨거웠으나 귀에 들어오지는 않았다. 그런 그의 옆으로 누군가 인기척을 내며 다가왔다.

“본래는 해마다 잉고르드의 검은매 기사단이 마창 시합에서 우승을 하곤 했는데 말입니다.”

리히튼은 귀찮은 기색을 숨기며 고개를 돌렸다. 그에게 말을 건 젊은 남자는 잭 가문의 가주, 모리타트 잭이었다.

“킨 후작이 검은매 기사단의 대표로 나설 때는 모두들 찍소리 내지 못하고 나가 떨어졌지요. 올해부터는 그 호쾌한 모습을 보지 못한다고 하니, 괜히 아쉽군요."

모리타트 잭. 베르크네의 말에 따르면 모리타트 잭은 리히튼과 함께 비비안느 황녀를 지지하던 주요 인물이라고 했다. 또 다른 특이사항은, 그에게로 오기 전까지 아그레인의 옆자리에서 시시덕거리던 남자였단 점이다.

리히튼은 황성에 온 이래 아그레인에게서 계속 눈을 떼지 않고 있었다. 침실까지 찾아가 괴롭힌 건 아니었으나 일단 눈에 보이면 어디서 누구와 무얼 하는지 구경하는 게 기본이 되었다. 때문에 그는 모리타트라는 인물을 머릿속에 각인할 수밖에 없었다. 아그레인은 자신에게 다가오는 사람들에게 하나같이 무덤덤하거나 냉랭하게 굴곤 했다. 하지만 모리타트 잭에게는 조금 달랐다. 그는 마치 아그레인의 오랜 친우라도 되는 양 쉽게 다가가서 시답잖은 소릴 지껄이고 사라졌다가, 얼마 지나지 않아 다시 그녀 곁으로 돌아왔다.

리히튼이 지켜 본 결과, 아그레인은 적의를 가진 상대가 아닌 이상 상대방의 앞에서 대놓고 귀찮은 티를 내지 않았다. 하지만 모리타트가 옆에서 껄떡댈 때면 번거로운 마음을 얼굴에 대놓고 나타냈다. 그럼에도 그를 매정하게 내치거나 무시하지 않았다. 오히려 이제껏 그녀와 대화를 나눈 수십 명의 귀족들 중에서 가장 지인다운 대우를 했다면 모를까. 아그레인과 가장 가까운 인물 중 한 명. 심지어는 킨처럼 피가 반만 섞인 것도 아닌 완벽한 남남. 리히튼의 시선이 점점 어둡게 가라앉은 탓일까? 모리타트가 부자연스러운 웃음을 흘리며 그에게 물었다.

"제게 언짢은 일이라도 있으신지? 말씀하시면 고치도록 하겠습니다."

모리타트 잭과 리히튼은 지위도, 나이도 같았다. 한데 그는 리히튼을 한참 상관이라도 되는 양 공손하게 대했다. 그러한 태도 역시 과거 둘의 관계와 연관이 있을 터인데, 기억을 잃었음에도 불구하고 리히튼 앞에서 변함없이 예를 갖춘다는 점이 다소 놀라웠다.

"모리타트 공작은 아직 혼인에 대해 아무런 생각도 없으신 건지 궁금하군요."

그의 물음에 모리타트가 미묘하게 표정을 굳혔다. 혼인을 주제로 하는 담화는 모리타트에게 그다지 유쾌한 주제가 아닌 듯했다.

"없을 리가요? 다만 제가 원하는 대로 흘러가지 않을 뿐입니다."

"마음에 둔 여자라도 있는 것처럼 들립니다."

그렌페르크 제국에는 세 개의 공작 가문이 존재하는데, 공교롭게도 이번 세대에는 두 명의 젊은 공작이 미혼이었다. 그래서인지 현재 제국의 귀족 사회에선 새로운 약혼이나 혼인 소식이 뚝 끊긴 상황이었다. 여식을 둔 가문에서 두 공작 가문의 부인 자리를 놓고 눈치 싸움을 하고 있기 때문이다.

리히튼의 대답에 모리타트가 작게 헛웃음을 뱉었다.

"허…. 세상 오래 살고 볼 일입니다. 당신이 내게 관심을 보이는 것으로 모자라, 하대도 하지 않는 날이 오다니."

크흠. 그는 제가 뱉은 말에 손사래를 치며 말을 이었다.

"실례. 이럴 때 아니면 언제 즐기나 싶어서 말이죠. 말씀대로 저는 마음에 둔 여자가 있습니다. 한데 그쪽의 마음이 워낙 단단해 틈이 보이질 않는군요. 그 아가씨도 아직 상대방이 없다는 사실 하나가 그나마 위안이긴 합니다만…."

모리타트는 말이 많았다. 묻지도 않았는데 그 '상대'라는 여자에 대해 홀로 술술 불기 시작했다. 한데 들으면 들을수록, 모리타트가 묘사하는 여자는 아그레인과 유사한 점이 많았다. 혼인 적령기를 지난 여자. 제국에서도 내로라하는 미인. 쉽지 않은 성격 등. 리히튼이 모리타트가 마음에 둔 상대를 아그레인으로 확신할 때 즈음, 모리타트가 대뜸 고개를 저었다.

"혹시나 싶은 마음에 말씀드리지만, 캐롤드 가문의 아그레인 캐롤드 영애는 아닙니다. 그 아가씨는 죽어도 아니에요. 폐하의 성지가 내려오지 않는 이상 그 여자와 엮일 일은 없을 겁니다. 암, 그렇죠."

어쩐지 리히튼의 귀에는 변명처럼 느껴지는 말이었다. 그는 자신도 모르게 냉랭해진 음성으로 대답했다.

"그런 것치곤 가까워 보이더군."

"생사고락을 함께한 전우는 가까울 수밖에요. 하지만 원하신다면 거리를 두겠습니다. 아니, 확실히 둬야 할 것 같군요. 앞으로 거리를 두도록 하지요."

모리타트의 표정은 마치 인생의 가장 중요한 맹약을 나누듯 더없이 진지했다.

"저는 공작의 혼인을 응원합니다. 부디 아그레인 양과 부부의 연을 맺고 죽을 때까지 행복하게 사셨으면 좋겠습니다. 제 일생일대의 소원이라고 하면 믿으시겠습니까?"

어디서 들어 본 소리인가 했더니, 빈세르크 3세도 그와 비슷한 말을 했었다. 둘 모두 아그레인의 이름을 꺼내는 걸 봐선, 베르크네의 말대로 빈세르크 3세와 모리타트 공작은 기억을 잃기 전의 그와 가장 가까운 관계였던 게 맞는 듯했다. 그 둘만 알고 있다는 건 아그레인과 자신의 관계가 그리 요란스럽지는 않았음을 의미했다. 오히려 다른 이들은 알지 못하는, 비밀스러운 관계였을 수도 있었다. 그렇다면 아그레인의 불안은 그러한 부분에서 기인한 것일까? 차라리 그렇다면 다행이란 생각이 들었다.

마창 시합이 끝난 직후에는 첫 연회가 열렸다. 황제는 마창 시합 우승자에게 상을 내린 후, 모든 귀족들에게 새벽까지 연회를 즐기길 명했다. 아그레인은 의도적으로 리히튼을 멀리하려는 듯, 종일 황제의 곁에서 술잔을 나누었다. 그녀와 파트너로 움직이는 무도회는 연회의 마지막 날 밤이었기에 억지로 끌고 와 곁에 둘 수도 없었다. 그 작은 입술로 내일까지 두고 보겠다고 했으니 이 정도는 가볍게 인내할 수 있지.

"각하. 술을 잘 드신다고 들었어요. 저와 술 내기 하실래요?"

"잉고르드의 바다가 그렇게 멋있다면서요? 저도 한 번쯤 구경하고 싶어요."

텅 비어 있던 리히튼의 주위는 순식간에 수많은 사람들로 채워졌다. 그는 귀족들을 하나하나 상대하면서까지 귀찮음을 무릅쓰고 싶지 않았다. 하지만 끝까지 그를 모르는 체하는 아그레인을 보자 생각이 조금 바뀌었다. 리히튼은 그를 환대하는 여자들을 성심성의껏 대했다. 그들은 리히튼의 다정한 태도를 어색하게 여기지 않았다. 오히려 익숙하다는 듯 즐거움을 숨기지 않았다.

"각하께서는 기억을 잃으셔도 여전히 상냥하고 즐거우셔요!"

"차가워지셨다는 소문이 돌았는데 역시 소문은 소문에 불과한가 봐요."

"마음에 둔 여자가 생기신 건가 싶어 다들 얼마나 마음을 졸였는데요."

"그러니 어서 저와도 술 내기를 해요. 이번에는 절대 지지 않을 거예요."

그날 리히튼은 예상했던 것보다 더 많은 술을 마셨고, 기억을 잃은 이후 가장 깊게 취한 채 침실로 향했다. 그가 문을 닫고 넥타이를 끌어내려 던졌을 때, 시계의 시침은 새벽 두 시를 가리키고 있었다. 들러붙은 귀부인은 한둘이 아니었고, 되도 않는 술 내기까지 받아 줘야 했으니 피곤함이 이만저만 아니었다.

리히튼은 사람을 상대하는 게 귀찮았다. 이 같은 성정은 기억을 잃기 전에도 똑같았을 게 분명했다. 그럼에도 하나하나 상대해 주는 태도가 여전하다는 평을 듣는 걸 보면, 기억을 잃기 전의 자신이 퍽 대단하다고 생각됐다. 지위도, 부도, 명예도 모든 것이 완벽한 그인데. 타인들에게 조금은 냉정하게 굴 법도 한데. 무얼 위해서 그리도 번거로운 삶을 선택했던 걸까?

"리히튼…."

막 셔츠를 벗으려던 때였다. 누군가 등 뒤에서 그를 안아왔다. 얇고 낭창

한 몸이 리히튼의 몸에 감겨오며 농밀한 목소리로 속삭였다.

"당신을 위해 오늘 밤을 바칠게요. 어서 날 가져 줘요."

하얀 손가락이 셔츠 안쪽의 그의 맨살을 더듬기 시작했다. 리히튼은 잘 다듬어진 손톱 끝을 보면서 생각했다.

'아그레인이 아니로군.'

"연회는 길어요. 밤마다 당신을… 아!"

당황하거나 망설일 일은 아니었다. 리히튼은 제 살갗 위를 뱀처럼 기어 다니는 손을 앞으로 강하게 끌었다. 마음 같아선 손가락 전부를 잘게 부러 뜨리고 싶었지만, 숨을 가다듬으며 몰려오는 폭력성을 참아냈다.

"리, 리히튼…."

"내가 언제 내 이름을 허락했지?"

술기운이 돌기는 했으나, 당장의 일을 분간하지 못할 정도로 취한 건 아니었다. 그의 침실에 숨어 들어온 여자는 몸의 선이 노골적으로 비치는, 반투명한 나이트가운을 걸치고 있었다. 그나마도 가슴 쪽이 깊게 패여 맨살이 훤히 드러나 있었다.

"방을 착각한 것 같군요. 밤이 늦었으니 돌아가는 게 좋을 듯합니다."

나름대로 친절한 거절에 용기가 생긴 것일까? 여자는 침착한 표정으로 다시 그의 팔에 몸을 들이밀기 시작했다.

"어렵게 생각하지 마셔요. 저는 혼인을 빌미로 리히… 아니, 각하께 온 게 아니어요. 그저 당신이 즐거우면 그만…."

"해가 뜨면 돌아갈 수 없을 텐데."

리히튼의 말을 어찌 해석했는지 몰라도, 여자가 볼을 발갛게 물들이며 은근한 시선을 보냈다.

"저는 그게 더 좋아요."

그런 여자의 얼굴을 바라보며, 리히튼은 연회에서 그러했듯 더없이 상냥한 미소를 지었다.

"버러지들은 하나같이 곱게 말할 때 말을 들어먹지 않는군."

살이 베일 듯 차갑고 서늘한 목소리에 여자의 얼굴이 굳어졌다. 리히튼은 미소를 지우지 않고 말을 이었다.

"그게 더 좋다고? 원한다니 어쩔 수 없지. 창가의 포주에게 아주 비싼 값으로 팔아 주마. 그곳의 쓰레기들은 곱게 자란 귀부인들에 사족을 못 쓰거든."

"차, 창가라니, 어찌 그런⋯."

"놀라는 이유를 알 수 없군. 지금 네가 보이는 짓이 그 짓이지 않나?"

그를 유혹하던 손이 빠르게 멀어졌다. 여자의 눈동자가 치욕과 공포로 덜덜 떨렸다.

"그 정도는 각오하고 내 침실에 숨어들었을 텐데."

수치도 모르고 제 몸을 더듬거렸던 눈앞의 여자가 참을 수 없이 역했다. 과거의 그에게 이러한 일이 시도 때도 없이 일어났으리라 생각하니 더욱 그러했다. 눈치 빠른 여자는 급히 무릎을 꿇고 용서를 구했다.

"주, 죽을죄를 지었습니다, 각하! 저는 그저 어, 어머니의 명으로⋯."

하지만 리히튼은 그녀의 변명을 들어 줄 마음이 없었다. 자신의 공간에서 허락하지 않은 여자의 존재를 한시라도 빨리 지워내고 싶었다.

"역겨운 목소리 내지 말고 꺼져."

울음을 삼키는 소리가 났다. 여자는 흘러내리는 옷깃을 붙잡고 급히 리히튼의 방을 떠났다. 리히튼은 소리 내며 닫힌 문 쪽으론 고개도 돌리지 않았다. 천박한 짓거리에 대응해야 했다는 사실만으로도 급격하게 몸이 피로해졌다. 이 같은 상황을 예상하지 못한 그의 잘못이었다. 시종에게 다른 이들의 출입을 엄금시켜야 했다. 예전에도 이런 일이 잦았을 텐데, 과거의 그는 어떤 식으로 처리했을지 궁금했다. 리히튼은 셔츠를 내던지고 곧장 침대로 올라가 눈을 감았다.

여름 연회라고 해 봤자 보통 연회보다 일정이 조금 더 길고 중간중간 사냥 대회와 마창 시합이 껴 있을 뿐, 며칠 내내 술을 마시고 카드 게임하며 진탕 취하는 건 똑같았다. 그랬기에 리히튼은 더더욱 무료했다. 이튿날 낮부터 귀족들은 각자 후원과 응접실에 모여 술을 마셨는데, 시간이 흐를수록 엉겨 붙는 여자들의 수가 많아졌기 때문이다. 여름에는 해가 늦게 진다. 리히튼은 하늘이 노래질 즈음 술과 시가, 텁텁한 마약 냄새로 가득한 실내를 벗어났다.

"어디 가세요?"

처음에는 아그레인을 골리려는 생각이었고, 그 다음에는 과거의 자신이 사교계의 평판을 신경 쓴 데 마땅한 이유가 있겠거니, 했다. 그랬기에 리히튼은 귀부인과 늙은 귀족들의 비위를 적당히 맞춰 주었다. 이러한 자신의 행동이 차후 아그레인이 잉고르드에 왔을 때 그녀의 사교 생활에 도움이 될 수 있으리라 여긴 것도 있었다.

"각하. 어디 가셔요? 저도 데려가 주세요."

하지만 갈수록 시간 낭비라고 느껴졌다. 헛소리에 귀 기울이며 연회를 즐기느니 나뭇잎에 매달린 송충이의 수를 헤아리는 게 더 생산적일 것 같았다. 리히튼은 진득하게 달라붙은 팔을 떼어냈다. 그의 뒤를 졸졸 따라오기 바쁜 여자의 눈에는 이미 초점이랄 게 없었다. 여자의 몸에서 마약과 시가 냄새가 동시에 풍겼다. 힘을 쓸 필요도 없이, 엉겨 붙는 몸을 살짝 밀어내는 것만으로도 여자가 비틀거리며 멀어진다. 속이 좋지 않았다.

리히튼은 기다란 복도를 가로질렀다. 그는 진정으로 성을 나가 나뭇잎에 달라붙은 송충이의 수를 셀 생각이었다. 복도 끝, 밤의 테라스에는 커다란 보름달이 걸려 있었다. 달 아래에 보이는 기다란 적발이 어쩐지 눈에 익다.

리히튼은 본능적으로 테라스를 향해 걸음을 틀었다. 그가 다가가자 테라스에 기대어 있던 여자가 시선을 돌렸다. 리히튼의 얼굴을 확인한 그녀는 표정을 굳히며 옆으로 물러섰다.

"다가오지 마. 약 냄새 나니까."

오라버니라는 호칭은 이제 아그레인의 머릿속에서 완전히 사라진 듯했다. 디는 그리 부를 가치를 못 느끼는 것이겠지. 리히튼에게는 중요하지 않은 사항이었다. 그녀의 냉소적인 음성에 리히튼이 셔츠 소매를 코끝으로 가져갔다. 향수와 시가, 마약 냄새가 한데 뒤섞여 지독하고 텁텁한 향이 났다.

"냄새가 뱄군."

리히튼은 두 사람 정도 들어설 수 있는 거리를 두고 베란다에 몸을 기댔다.

"이 정도 거리면 되나?"

아그레인의 표정은 시큰둥했다. 리히튼은 어딘가 불만족스러워 보이는 그녀의 낯을 꼼꼼하게 훑었다. 그의 시선을 알아챈 아그레인이 비스듬히 고개를 돌리며 말했다.

"즐거워 보이던데. 연회를 계속 즐기지, 뭐 하러 나온 거야?"

"끔찍하리만치 지루하기에 나왔지."

"우스운 소리를 하네. 지루한 것치고는 어젯밤엔 꽤 뜨거운 밤을 보낸 것 같던데."

그런 이유로 표정이 좋지 않았던 건가. 확신할 수는 없어도 괜히 작은 기대를 갖게 된다. 리히튼은 대답을 고민했다. 부정한다고 해서 그녀가 자신의 말을 쉬이 믿어 줄 것 같진 않았다. 두 손에 담고도 남을 법한 작고 하얀 얼굴에는 이미 불신의 기운이 충만했다. 머저리처럼 대답해서 의심을 남기고 싶지 않았던 리히튼은 말을 골랐다. 하지만 정작 아그레인의 눈에는 신중한 게 아닌, 어떻게 변명할지 고민하는 것으로 보인 듯했다.

"입을 닫은 이유는 긍정하기 때문이야?"

아그레인이 차갑게 가라앉은 목소리로 거리를 좁혔다. 밝은 달빛이 그녀의 맑은 피부를 어루만지며 떨어졌다. 선명한 녹안에는 늪과 같은 우울함이 깃들어 있었다.

순간, 리히튼은 꿈속의 아그레인과 현실의 아그레인 사이에서 지독한 혼란을 느꼈다. 꿈속에서 그를 괴롭히던 아그레인의 얼굴이 바로 이러했다. 심장이 미친 듯이 뛰었다. 자신도 모르게 손을 뻗어 그녀의 뒷목과 허리를 움켜쥐고 입술을 삼킬 것 같았다. 때문에 그는 본능적으로 물러섰다. 이 진득한 욕구를 이기지 못해 그녀를 가진다면, 아그레인이 자신을 혐오하게 될까 두려웠다.

"…피해?"

그가 물러서자 아그레인이 헛웃음을 뱉었다. 그녀는 도저히 믿을 수 없다는 눈으로 리히튼을 올려다봤다. 그 얼굴을 멍하니 내려다보던 리히튼은 뒤늦게 자신이 오해를 불러일으킬 만한 행동을 했음을 인지했다.

"아그레인. 피한 게 아니야, 나는 그저…."

네게 실수하지 않으려 했을 뿐인데. 달에 비춰지는 하얀 낯은 여전히 고요했다. 하지만 잠시뿐이었다. 아그레인은 곧 참을 수 없다는 듯 입술을 깨물고 그에게서 몸을 돌렸다.

"아그레인."

아그레인의 걸음은 빨랐다. 어느 순간부터는 머리를 휘날리며 그에게서 도망치고 있었다. 리히튼은 그런 그녀를 뒤따랐다. 마음먹고 따라간다면 금세 따라잡을 수 있겠지만, 위태롭게 흔들리는 뒷모습을 보고 있자면 도저히 그럴 수 없었다.

"아그레인!"

216

그들은 어느새 아카시아 향이 가득한 숲속으로 들어와 있었다. 숨이 막힐 정도로 짙은 향에 머릿속이 어지러웠다. 숲은 벌레 우는 소리로 가득했다. 여름의 정취가 깊게 풍겼다. 리히튼은 그 속으로 아그레인이 사라져 버릴까 덜컥 겁이 났다. 그러던 어느 순간. 아그레인이 걸음을 멈추고 그를 돌아봤다. 여름바람에 잎사귀가 부딪혀 흔들리는 소리가 났다. 은하수의 은은한 빛이 나뭇가지 사이사이로 떨어져 아그레인을 비췄다.

"어때? 오늘까지 마음을 정하라고 말해 두길 잘했지?"

기다란 길을 내달리며 무슨 생각을 했던 것일까? 아그레인은 미동도 없는 목소리로 말을 이었다. 무언가 포기한 얼굴로.

"적어도 네게는 좋은 기회였던 것 같네. 설마 하루도 지나지 않아 마음을 바꿀 줄은 몰랐지만."

리히튼은 그녀에게로 천천히 다가갔다. 아그레인은 더 이상 도망가지 않았다. 그러나 거리가 좁아질수록 들려오는 목소리의 끝이 격정적으로 떨렸다.

"나에게 고마워하도록 해. 하루라도 더 지지부진했으면 다른 여자는 꿈도 못 꿨을 테니까!"

이어진 숨은 거칠었다. 무엇이 이 여자를 이렇게 불안하게 만드는 건지 알 수 없다. 붉게 달아오른 아그레인의 눈은 감히 추측할 수 없는 갖가지 감정들로 뒤덮여 있었다. 리히튼은 조심스럽게 두 손을 들어 아그레인의 어깨를 잡았다. 위로하듯 토닥이다가, 손을 내려 차가워진 두 손을 쥐었다.

"할 말은 더 남지 않았어? 그러면 이제는 내 말을 들어 줘, 아그레인."

시야를 맞추기 위해 등을 굽히고 눈을 맞췄다. 리히튼은 감춰 두던 속마음을 밝혔다.

"나는 매일같이 너를 가지는 꿈을 꿔."

아그레인의 눈꺼풀이 느리게 깜빡였다. 바람이 불자 길고 얇은 속눈썹이 갈대처럼 흔들렸다. 리히튼은 그 평화롭고 아득한 모습에서 눈을 떼지 못했다.

"그 빌어먹을 꿈이 도통 머릿속에서 사라지질 않아. 모든 꿈이 마치 어제의 일처럼 뚜렷해. 너는 녹아내릴 것 같은 목소리로 내 이름을 부르고, 내 어깨를 쓸면서 영원한 사랑을 속삭이지."

굳어 있던 아그레인의 표정이 점차 느슨해졌다. 리히튼이 손을 들어 서늘하게 식은 뺨을 쓰다듬었다. 욕망에 점철된 속내를 낱낱이 밝히려니 헛웃음이 나올 것 같았다.

"너는 내가 종일 네 얼굴을 머릿속에 그려 놓고 무슨 짓을 하는지 모를 거다."

리히튼은 자신의 완전한 진심을 털어 놓았다. 하지만 아그레인은 도무지 속을 알 수 없는 얼굴을 하고 있었다.

"진심이야. 너 아닌 다른 여자는 손도 잡은 적 없어. 앞으로도 없을 거야."

목이 무겁다. 이토록 무거운 말을 한 건 살아가면서 처음 있는 일이었다. 이상하게 가슴 안쪽이 저리고, 아그레인이 어떤 반응을 할지 두려웠다. 나를 거절하면 어쩌지?

아그레인의 대답은 한참 만에 들려왔다.

"리히튼. 너는 나를 선택하고 후회하지 않을 자신이 있어?"

잡고 있던 그녀의 손이 스르륵 빠져나간다. 아그레인의 시선이 바닥으로 향했다. 언젠가 느꼈듯, 지금의 그녀는 지독히도 외로워 보였다.

"나는 하루에 수천, 수백 번을 생각해. 네가 있을 곳은 내 옆자리라고. 이번에는 내가 널 구해야 한다고."

무엇으로부터? 그가 되묻기 전에 아그레인이 자조적인 웃음을 지었다.

"하지만 이제는 잘 모르겠어."

리히튼에게는 그 소리가 마치 너를 놓아 버리겠다는 말로 들렸다. 그는 자신도 모르게 빠져나간 아그레인의 손을 다시 쥐었다. 다신 빼낼 수 없도록, 그 어느 때보다 강하게. 아그레인이 음울한 목소리로 말을 이었다.

"그거 알아? 네가 짓는 웃음, 표정… 전부 예전과 달라. 너무 달라. 마치 다른 사람 같아. 그래서 더 행복해 보여. 잃어버린 삶을 되찾은 것처럼."

목소리의 끝이 잘게 떨린다. 아그레인은 지금 울음을 참고 있었다. 그녀가 하는 말이 무슨 의미를 지니고 있는지는 모른다. 다만 리히튼은 자신의 존재가 아그레인에게 고통이 될 수도 있단 사실을 처음으로 인지하게 되었다. 하지만 그는 아그레인을 놓을 수 없었다. 그러지 마, 아그레인.

"지금의 너는 너무 아름다워, 리히튼. 내가 바라보기 힘들 정도로 빛나. 나는 네가 숨 쉬는 그 아름다운 세계에서 너를 빼앗고 싶지 않아."

아니야. 그러지 마. 나야말로 너를 억지로 가지고 싶지 않아. 내가 너를 억지로 취하게 하지 마.

"그게 옳아. 그게 분명 널 위해 옳을 거야. 그러니, 그러니까…"

꽉 막힌 숨을 들이키며, 아그레인이 이를 악물었다. 리히튼은 단 한순간도 그녀에게서 눈을 뗄 수 없었다. 수십 가지의 사념이 그의 머릿속을 훑고 지나갔다. 아그레인이 내 손을 놓는다면? 어떤 식으로 이 여자를 빼앗아 와야 하지? 잉고르드 공작저에 가두어야 하나? 그러다가 도망치기라도 하면? 참지 못하고 자해한다면?

"그러니까…"

가녀린 두 손이 그의 팔을 부여잡았다. 아그레인은 금방이라도 쓰러질 것처럼 정처 없이 흔들리는 목소리로 애걸했다.

"내가 당신을 포기하지 않아도 된다고 말해 줘, 리히튼."

눈물은 없었으나 우는 것처럼 들렸다. 아그레인은 더할 나위 없이 처절한 눈으로 리히튼에게 매달렸다.

"당신은 후회하게 될지도 몰라. 아니, 아마 후회할 거야. 나는 당신이 그리 될까 두려워…. 하지만 후회해도 좋으니, 내가 사랑해도 된다고 허락해 줘."

그 순간, 리히튼은 심장이 터져 버려도 이상하지 않을 극도의 안도감을 느꼈다. 어느 순간 시작되었던 긴 이명이 멈추었다. 머릿속이 더는 어지럽지 않았다. 아그레인이 그에게로 왔다. 무엇이 더 필요할까. 리히튼은 주저하지 않고 아그레인의 어깨를 끌어안았다. 그리고 막혀 있던 숨을 내쉬며 말했다.

"죽어도 후회할 일 없어."

힘없이 끌려오는 몸은 깊은 상처를 입은 사슴처럼 위태롭고 약했다. 더 멀리 도망칠 방도가 없어 그에게 패를 맡기고 항복하는 것처럼. 리히튼은 그런 아그레인을 품 안 가득 안았다. 그 어떤 것과도 비교할 수 없는 완벽한 평화가 전신을 덮쳤다.

"그러니까 더는 헤매지 말고 나만을 사랑하도록 해, 아그레인."

그윽하고 몽롱한 체향을 들이켰다. 이제 모두 그의 소유였다. 가느다랗게 떨리는 몸도, 심장을 에이게 했던 시선도, 그녀의 불안까지 모두 다. 전부 그가 기다리고 있던 것이었다…고, 그는 생각했다.

그날 저녁, 리히튼과 아그레인은 밤이 새도록 대화를 나누었다. 아그레인은 그에게 할 말이 많아 보였고, 리히튼은 그런 그녀의 모습이 무척이나 보기 좋았다. 연회의 불이 꺼지지 않는 황성을 바라보며 둘은 후원과 호숫가를 끊임없이 거닐었다.

"나는 당신의 작은 습관까지 다 알아."

때때로 아그레인은 그가 쉬이 부정하지 못할 확언을 했다. 그러고는 어떤 습관인지 되묻길 바라는 표정을 짓는데, 자신만만한 그녀의 얼굴이 그렇게 귀엽게 보일 수 없었다. 당장이라도 아그레인을 안아 들어 장미향이 가득한 꽃밭 사이로 쓰러지고 싶었다.

"내 습관이 어떤지는 나조차 아직 잘 몰라."

"그만큼 몸에 밴 거지. 당신의 습관이 얼마나 철저한지, 또 당신이 어느 부분에 예민한지 궁금하면 날 딱 하루만 당신의 침실이나 집무실에 두면 돼. 하루면 충분히 느끼게 해 줄 수 있으니까."

무슨 느슨한 마음으로 그런 소리를 하는 걸까? 리히튼은 아그레인이 아무렇지 않게 내뱉은 침실이란 단어에 목 아래가 뜨거워짐을 인지했다. 그녀를 안 이래, 그녀와 손을 잡고 코끝을 맞대는 것으로는 이 충동을 억누르는 데에 한없이 부족하다는 걸 시간이 흐를수록 절실히 느끼는 중이었다. 그런 리히튼의 속도 모를 아그레인은 아무렇지 않은 얼굴로 그의 이야기를 입에 담았다.

"당신은 모르겠지만, 우리는 제대로 잠도 잘 수 없는 끔찍한 독에 중독됐었어. 정확히는 네가 나를 중독시켰다는 말이 옳겠네."

독? 웃어넘기기에는 짧은 한 어절의 의미가 작지 않다. 리히튼이 대답하기 전에 아그레인이 그에게로 얼굴을 들이밀었다.

"보여?"

공교롭게도 그의 눈에 보이는 건 살짝 벌어진 얇은 두 입술밖에 없었다. 리히튼은 자신도 모르게 내려가려는 시선을 겨우 끌어 올려 아그레인의 손가락이 가리키는 부위를 바라봤다. 말끔해야 할 눈동자의 흰 부분에, 멍처럼 푸르스름한 흔적이 묻어 있었다.

"이게 그 독의 흔적이야. 네 눈도 자세히 살피면 나와 비슷한 흔적이 남아 있어."

흔적이라니. 그런 걸 남길 정도로 끔찍한 독인 건가. 하지만 아그레인의 얼굴은 조금의 유감도 느껴지지 않았다. 유리알처럼 투명한 눈을 응시하던 리히튼은 팔을 들어 아그레인의 목덜미를 더 가까이 끌어당겼다.

"안 보이는데."

깜짝 놀란 아그레인이 숨을 들이켰다. 둘의 입술이 금방이라도 맞닿을 것처럼 가까운 거리였다. 서로의 온기와 숨이 느껴질 만큼, 몹시. 긴장으로 굳어 있던 아그레인은 빠르게 평정심을 되찾았다. 순식간에 가다듬어진 얼굴을 보며, 리히튼은 가볍게 웃음을 흘렸다.

"마음에 들어. 네가 내 것이라는 표식 같군."

그가 손을 놓기 전에 아그레인의 몸이 순식간에 멀어졌다. 그녀의 곁으로 천천히 다가가며 말했다.

"안타깝지만, 기억나지 않는 일이라 죄책감이 느껴지지는 않아. 네가 원한다면 노력은 해 보지."

"뭐를? 죄책감을 느끼는 일?"

아그레인이 리히튼의 위아래를 훑으며 되물었다. 가까이 다가가자니 파렴치한 그의 행동에 위기감을 느끼는 모양이었다. 리히튼은 그 모습이 귀여워 또 한 번 웃음을 지었다. 아그레인이 말했다.

"그런 건 느낄 필요 없어, 리히튼. 나를 위한 선택이었다는 것을 아니까."

"너를 위해 독을 건넸다고? 내가 네 자살을 도우려 했다는 뜻인가?"

"그 반대에 가깝지 않을까?"

그녀와 자신의 과거가 복잡하리라고는 예상했지만, 설마 이 정도일 줄은 몰랐다. 하지만 언젠가는 모든 것을 알게 될 테니까. 베르크네가 말하기를, 리히튼은 잃어버린 기억을 완전히 되찾을 수밖에 없다고 했다. 그 간극이 이리도 늦춰지는 이유는 알 수 없었으나, 곧 모든 것이 본래의 자리로 돌아올 테니 조급해하지 말라 조언했다.

오늘은 이상하게도 그 말을 부정하고 싶었다. 리히튼은 지금 이 순간이 벅찰 만큼 만족스러웠다. 기억 같은 건 지루할 정도로 느리게 돌아와도 좋다. 아그레인이 들려주는 과거의 이야기를 온몸으로 느끼며 되새기고 싶었다.

"아."

그때였다. 호숫가를 따라 조용히 걷던 아그레인의 몸이 위태롭게 흔들렸다. 황성의 호수는 인공호수라 뭍에 가까워도 머리가 전부 잠길 만큼 깊다. 리히튼은 재빨리 팔을 뻗어 아그레인이 호수 안으로 빠지는 불상사를 막았다. 그녀의 젖은 모습은 혼이 빠질 정도로 매혹적이지만, 황성에서만큼은 보고 싶지 않았다. 모두와 공유할 마음이 추호도 없었기 때문이다. 아그레인은 리히튼에게 허리가 붙들린 채로 어깨를 움츠렸다. 잠깐의 정적 이후, 그녀가 손을 뻗어 리히튼의 눈가를 매만졌다.

"거봐. 여기에 있지? 독의 흔적."

깃털이 내려앉은 것처럼 가볍고 따스한 손길이었다. 리히튼은 느리게 눈을 깜빡이며 아그레인의 손길을 즐겼다.

"네 것은 내 흔적보다 더 짙어. …더 자주 사용했다는 뜻이겠지."

이전과 달리 서글픈 목소리였다. 리히튼은 그런 아그레인과 이마를 맞댔다. 오늘만은 그녀가 자신이 모르는 우울한 기억에서 멀어졌으면 했다.

"네가 하는 말은 전부 나에 대한 이야기로군. 내가 궁금한 건 너야. 지금부터는 내가 아닌 네 이야기를 해 봐."

"내 이야기?"

이마를 맞댄 채로 아그레인이 작게 웃었다.

"네 이야기가 곧 내 이야기야, 리히튼. 나는 아주 긴 시간을 네게 기생해서 살아왔거든."

아그레인은 자조가 습관인 걸까? 아니면 모두 믿기 어려운 진실인 걸까? 어느새 넋을 놓고 바라보고 있었던 것 같다. 아그레인이 웃음기 서린 음성과 함께 리히튼의 어깨를 밀었다.

"아직 본인에 대해 잘 모르는 것 같은데요, 오라버니. 그렇게 노골적으로 제 입술을 바라보면 도망치고 싶은 마음밖에 들지 않아요."

리히튼은 꼼짝 않고 자리를 지켰다. 아그레인의 허리를 감싸고 있던 팔도 놓지 않았다. 고개를 숙여 아그레인의 목덜미에 얼굴을 가까이 했다. 정신이 혼미해질 만큼 황홀한 체취가 풍겼다.

"그런데 도망가지 않는군."

다시 시선을 들어 눈을 마주했다. 아그레인은 더 이상 그를 밀어내지 않았다. 그렇다고 몸을 돌려 도망가지도 않았다. 시간이 멈춘 것만 같았다. 리히튼이 홀린 듯 얼굴을 가까이했다. 서로의 코가 스쳤다. 그 감각을 느끼듯 아그레인이 천천히 눈을 감았다. 그 시점이 질긴 인내의 끈을 끊어낸 최후의 순간이었다.

리히튼은 더 이상 참지 않았다. 아그레인과 입을 맞추고, 그녀의 입술 위에 자신의 흔적을 새겼다. 작은 얼굴, 작은 어깨에 걸맞게 아그레인은 입술조차 작고 아담했다. 하지만 닿은 살결만큼은 불처럼 뜨거웠다. 숨결은 부드럽고 향은 나긋했다. 꿈속에서 느꼈던, 기억 속에 희미하게 남아 있는 그때 그 느낌과는 비교도 안 되게 좋았다. 미칠 것 같았다. 머릿속이 한순간에 몽롱해질 정도였다.

"하….."

한숨이 절로 나왔다. 수십 번 입 안을 탐해도 갈증은 심해져만 갔다. 리히튼의 손길은 본능적으로 아그레인의 몸을 따라 내려갔다. 잘게 어깨를 떤 그녀가 리히튼을 밀어내고 타이르듯 말했다.

"누가 보면 어쩌려고?"

그의 대답은 간결했다.

"그런 새끼가 있다면 내가 직접 눈알을 도려내 주지."

아그레인이 숨을 돌릴 틈도 주지 않고, 다시 그녀의 입술을 점령했다. 입맞춤은 짧으면서도 길었다. 리히튼은 이 순간이 영원했으면 싶었다. 그러나 아그레인은 그의 단호한 선언을 신뢰하지 않는 듯했다. 자신의 입 안쪽을 헤매는 살을 깨물고 그를 저만치 밀어냈다. 그녀는 사과처럼 붉어진 얼굴로 리히튼을 탓했다.

"어쩜 기억을 잃어도 짐승 같은 건 똑같은지!"

아그레인은 빠른 걸음으로 멀어졌다. 달이오른 열기를 힘겹게 가라앉히며, 리히튼이 뒤늦게 그 뒤를 따랐다.

"너는 너무 무정해."

그리고는 보란 듯이 아그레인을 품에 안은 채 걸었다. 반항하는 작은 몸을 안아 들고 그녀의 방으로 향했다. 뭐하는 짓이냐며 작게 속삭이는 소리가 들렸지만, 그가 묵묵히 바라보기만 하자 결국 순순히 제 방의 위치를 밝혔다. 아그레인을 방 앞에 내려다 놓으며, 리히튼은 그녀의 손등을 입가로 가져갔다. 한겨울의 눈처럼 하얀 손등에 입을 맞추었다. 아쉬움이 뚝뚝 묻어나오는 움직임이었다.

"오늘 밤은 네 생각이 많이 날 것 같아."

그 빌어먹을 꿈을 또 꿀 수도. 상상하자 벌써부터 몸이 뻐근했다. 그러나 이어진 아그레인의 말은 그의 몸을 뻐근하다 못해 늪에 빠진 것처럼 무겁고 불편하게 만들었다.

"…가지 않으면 안 돼?"

리히튼의 옷깃을 붙잡은 손은 짧은 바람이 불면 그대로 떨어질 것처럼 약했다. 리히튼은 그런 아그레인의 손끝을 내려다보다가, 고개를 들어 얼굴을 확인했다. 수줍어한다거나, 부끄러워하는 감정은 없었다. 아그레인은 순수하게 그를 원하고 있었다. 그녀의 눈을 통해서, 리히튼은 이제껏 느껴보지 못한, 형용하기 힘든 진득한 지배욕을 느꼈다.

리히튼은 자신의 방으로 돌아가지 않았다. 문이 닫히고, 아그레인은 방

곳곳에 위치한 등불을 밝혔다. 리히튼은 창문을 열고 밀려오는 밤공기를 들이켰다. 희미하게 아카시아 향이 나는 듯했다.

"나로 괜찮겠어?"

그의 옆으로 다가온 아그레인이 물었다. 리히튼이 대답했다.

"너로 괜찮은 게 아니라, 네가 아니면 안 괜찮은 거야."

"우리 사이에 아이를 가질 수 없을 텐데도?"

그는 잠시 마땅한 대답을 찾을 수 없었다. 리히튼은 아이를 가질 수 없는 몸이었다. 베르크네에게 듣기로 태생부터 그런 몸이라 했다. 하지만 그 사실을 아그레인에게 따로 밝히지는 않았다. 그녀야말로 리히튼이 어떤 인물인지에 대해 더 자세히 알고 있을 거라 생각했기 때문이다. 한데 아그레인은 그 모든 게 자신의 탓인 양 이야기했다. 리히튼은 그녀의 자책이 싫었다. 그가 멀쩡한 몸이고 아그레인이 아이를 가질 수 없는 몸이었다 해도, 리히튼의 선택은 변함없을 터였다.

잉고르드처럼 고명한 가문에 후계를 남기는 일은 상당히 중요한 일이다. 리히튼 역시 알고 있었지만, 그러한 문제가 아그레인보다 중요하지는 않았다. 후계를 어찌할지에 대해선 나중에 의논해도 충분했다. 때문에 리히튼은 오히려 아그레인에게 되묻고 싶었다.

"괜찮겠나?"

그녀야말로 아이를 갖지 못해도 괜찮겠느냐고. 아그레인은 대답 대신에 조용히 웃었다.

"우리는 이런 점까지 참 닮았어. 그렇지?"

그녀는 두 팔로 리히튼의 목을 감쌌다. 그리고 더없이 평화로운 얼굴로 그의 가슴에 얼굴을 기댔다. 숨을 내쉬고 들이쉼에 따라 조금씩 오르락내리락하는 모습이 애처로우면서 사랑스러웠다.

"우리를 이해할 수 있는 건 영원히 우리밖에 없을 거야."

네가 그렇다면 그렇겠지.

"내가 들은 말 중 가장 낭만적이군."

리히튼이 아그레인에게 깊게 입맞춤을 했다. 그녀가 더는 아무런 생각도, 말도 못하도록 이전보다 거칠게 숨을 앗아 갔다. 그의 품 안에서 벗어나지 못하도록 허리와 목덜미를 더 강하게 끌어당겼다. 여린 입 안쪽 살과 치아를 괴롭히던 리히튼의 흔적이 귓가를 따라 목 아래로 떨어지기 시작했다. 아그레인이 어깨를 떨며 잘게 몸을 비틀었다.

"아…."

그녀의 두 다리는 힘없이 밀렸다. 어떨 때는 카펫에 닿지도 못하고 붕 떴다. 리히튼은 그런 아그레인의 몸을 안아 들어 침대 위로 조심스럽게 눕혔다. 탐스러운 적발이 새하얀 침구 위로 넓게 흩어졌다. 리히튼의 두 눈 위로 숨길 수 없는 욕망이 들끓었다. 그의 얼굴을 쓰다듬으며, 아그레인이 작은 목소리로 속삭였다.

"꿈속의 나도 이랬어?"

"아니."

리히튼이 천천히 고개를 떨궜다. 그는 이와 혀를 이용해 아그레인의 가슴 앞쪽에 묶인 리본을 천천히 풀었다. 끈이 풀리며 서로의 눈이 마주쳤다. 아그레인의 두 뺨이 불그스름하게 달아올라 있었다. 남은 매듭을 손으로 느릿하게 풀어냈다. 리히튼은 시시때때로 뒤바뀌는 아그레인의 얼굴에서 시선을 떼지 않으며 말했다.

"더 부드럽고… 달콤해. 몸이 녹아 버릴 것처럼."

마침내 그의 손에서 얇은 천이 떨어졌을 때. 아그레인이 더는 참을 수 없다는 듯 몸을 뺐다. 하지만 리히튼은 그녀를 놓아 줄 마음이 일말도 없었다. 선을 지키려던 리히튼을 이곳으로 이끈 건 다름 아닌 그녀였다. 그는 한손에 잡힐 만큼 얇은 허리를 자신 쪽으로 강하게 끌어당겼다.

"자꾸 떨어지려 하지 마. 내가 더 거칠어지지 않길 바란다면."

이상하게 숨이 거칠다. 아그레인이 눈을 감았다. 리히튼은 그녀의 품에 천천히 얼굴을 묻었다. 모든 것이 완벽했다. 이보다 더 완벽할 수 없었다.

다음날 해가 떴을 때. 리히튼은 방 안으로 떨어지는 햇빛에서 평소와 다른 선명한 이질감을 느꼈다. 무언가 다르다. 매일같이 달라지는 하늘의 색이라지만, 오늘 그가 보는 하늘은 이제껏 보아 온 하늘과 너무나도 많은 점이 달랐다. 그의 곁에는 아그레인이 몸을 둥글게 말고 누워 있었다. 하얀 어깨에 지난밤의 흔적이 선명하게 남아 있었다. 리히튼은 헝클어진 그녀의 머리칼을 부드럽게 쓰다듬었다. 얇은 이불을 아그레인의 턱 끝까지 올린 뒤에 침대에서 내려왔다.

잠시 생각에 잠겨 있던 그는 이내 카펫 위로 정신없이 널브러져 있는 의복을 걸치고 침실을 벗어났다. 황성을 나가니, 가까워지는 후원에 황제의 모습이 보였다. 그녀는 붉은 캐노피 아래에 앉아 야외에서 펼쳐지는 현악 사중주를 음미하고 있었다. 그를 발견한 황제가 지나가듯 물었다.

"간밤에 공작을 찾는 여자들이 많더군."

리히튼은 작열하는 햇빛을 즐기듯, 느긋한 걸음으로 황제에게 다가갔다.

"늦은 시간까지 적발의 여자와 후원을 거닐었다던데. 공작의 움직임이 이토록 빠를 줄이야. 모두들 그대와 여자의 염문을 한창 즐기는 듯했다."

리히튼은 가볍게 미소를 지었다.

"본래부터 나만을 위한 나의 여자였는데, 다른 것들의 눈치를 살필 필요가 있나?"

일일이 설명하기도 귀찮다는 투였다. 그에 황제의 눈빛이 달라졌다. 리히튼은 바삐 움직이는 악사들의 현을 바라보며 입술을 떼었다.

"오늘 저녁에 폐하의 시간을 잠시 빌려야 할 것 같습니다만."

황제는 곧장 대답했다.

"적절한 때에 시종을 보내도록 하겠네."

볼일이 끝났다는 듯, 리히튼이 곧장 몸을 돌렸다. 노골적으로 따라붙던 황제의 시선은 그의 등이 신원을 확인하기 어려울 만큼 멀어진 후에야 떨어졌다. 리히튼은 방향을 틀어 사원으로 향했다. 황성에서 가장 고요한 공간으로 향하는 길은 망자가 머무는 땅처럼 적막하고 차분했다.

아주 오래전, 그렌페르크 제국에도 국교가 있었다. 후원에서 한참을 이동해야 나오는 사원은 그 시절에 세워진 건물이었다. 황실은 국교가 사라진 후에도 이 사원을 허물지 않았다. 그들은 자신의 역사와 핏줄을 끔찍이 사랑했기에, 사소한 것 하나하나를 세월의 흐름에서 지키고 싶어 했다. 그들로선 다행인 일이었다. 레그윈의 핏줄은 지키지 못했어도, 그 역사만은 살아남았으니.

"각하."

사원을 지키고 있던 기사가 그를 향해 고개를 숙였다. 리히튼은 기사를 지나쳐 사원 안으로 들어섰다. 거대한 관마다 각기 다른 색의 꽃들이 꽂혀 있었다. 리히튼은 그중에서도 가장 우측에 위치한 관 앞으로 걸어갔다. 머리가 어지러울 만큼 풍성한 꽃과 그 향 앞에, 먼지 한 톨 없이 멀끔한 석판이 놓여 있었다. 리히튼은 석판에 쓰인 이름을 읽었다.

빌힐롬 조나단 레그윈

다나한 2세의 아들. 이제는 죽고 없는 적통 황자. 빈세르크 3세의 유일한 쌍둥이 남매. 그의 시체가 보관된 관을 보는 건 처음이었다. 레그윈 황실 가문의 붉은 휘장이 관을 감싸고 있었다. 마치 닥쳐오는 모든 불운에서 보호하겠다는 듯, 틈 하나 없이 꼼꼼하게. 리히튼은 실소했다.

"내가 보아 온 너의 죽음 중 가장 비참하군."

리히튼은 관 앞에 놓인 화병에서 백합을 꺼내들었다. 이제 막 꺾은 것처럼 싱싱하고 맑았다. 황실의 온실에서 자라는 귀한 백합이었다.

"꽃의 향이 아무리 짙은들, 너희의 멸족을 가릴 순 없지."

그의 손 안에서 백합의 줄기가 힘없이 우그러졌다. 리히튼은 산산조각이나 추락하는 흰 꽃잎을 내려다 봤다. 그의 발치로 떨어진 꽃잎은 허약하고 볼품없었다.

레그윈 황실은 멸문했다. 적통인 빌힐름과 비비안느가 동시에 하늘의 힘을 지니고 태어났으니, 이것은 하늘이 점지한 운명이나 다름없었다. 그가 손을 쓰거나, 비비안느가 가문에 복수하기 위해 이를 갈지 않았어도 자연스레 일어날 멸문이었다는 의미다.

리히튼이 손수 나서 황실의 사생아들을 전부 지워냈으니, 하늘의 힘은 비비안느를 마지막으로 역사 속에 자취를 감출 것이다. 잉고르드와 캐롤드에도 그와 아그레인을 제외하곤 반쪽짜리 핏줄조차 남지 못했다. 기록과 달리 킨 캐롤드는 전 캐롤드 후작의 사생아가 아닌, 완전한 타인이었다. 전 캐롤드 후작은 가문의 비운을 끊어내기 위해 캐롤드 핏줄의 멸족을 자처했다. 킨 캐롤드는 전 후작이 준비한 최후의 패였다.

캐롤드 가문이 반역죄로 멸문한 후, 황실은 수년 간 캐롤드의 마지막 후손인 킨 캐롤드를 수소문했다. 그러나 그를 발견했어도 태양의 힘은 아그레인을 끝으로 사라질 예정이었으니, 이 또한 하늘이 점지한 운명이나 다름없었다.

운명. 그것이 수십, 수백 년을 살아가며 리히튼이 깨달은 진실이었다. 그들의 멸망은 운명이었다. 레그윈은 평생에 걸쳐 힘과 권력을 유지하려 했으나, 『태양이 흐르는 강』서약은 이미 멸망을 향해 빠르게 나아가고 있었다. 아그레인이 미래를 보지 않고, 리히튼이 시간을 돌리지 않았어도 세 가문은 자연스레 멸족했을 것이다. 『태양이 흐르는 강』도 그저 이름만 남기고 땅속에 고요히 묻혔겠지.

"쓰레기들을 담기에는 너무나 사치스러운 관이야."

리히튼은 걸음을 옮겼다. 그는 왔던 길을 되돌아가 후원으로 향했다. 생명의 기운이 만발한 후원에는 가지각색의 꽃이 활짝 피어 있었다. 리히튼은 그중에서 가장 붉은 장미 한 송이를 꺾었다. 영원히 시들지 않을 것처럼 싱그럽고, 완연한 생기를 내뿜는 꽃이었다. 그의 발걸음은 다시 황성으로 향했다. 황제는 여전히 캐노피 아래에 앉아 사중주에 귀를 기울이고 있었다. 일그러진 운명이 있다면 빌힐름이 아닌 비비안느가 황위에 올랐다는 점일 터였다. 그녀는 아그레인이 없었다면 황실의 개로 영원히 썩어갈 존재였으니.

리히튼은 운명을 믿지 않았다. 그러나 수십 번 반복된 삶은 그가 운명을 수긍할 수밖에 없도록 했다. 아그레인은 빌힐름을 이기지 못했다. 열네 번의 삶이 반복돼도 아그레인은 빌힐름에게서 자유로워질 수 없었다. 그건 운명이라는 말로밖에 표현할 수 없는, 잔혹하고 끔찍한 인과였다. 그러므로 리히튼이 맞서야 할 진정한 적은 빌힐름이 아닌 이 운명이란 이름의 신이었다.

다행히 그는 수십 번 회귀하면서 인내라는 것을 배웠다. 기다림을 터득했고, 그 기회를 이용해 아그레인을 파헤쳤다. 잔혹한 운명의 신에게서 아그레인을 빼앗아 올 방법은 단 하나뿐이었다. 그녀가 자신의 패배를 인정하도록 할 것. 그녀 스스로 리히튼 잉고르드를 선택하도록 할 것. 그녀 스스로 리히튼 잉고르드에게서 벗어날 수 없는 족쇄를 채우도록 할 것. 그럼으로써 모든 인과를 받아들여 그의 전부가 될 것. 또는, 그를 전부로 여길 것.

그러기 위해 버텨 온 시간들이었다. 그러기 위해 아그레인을 사지로 내몰고, 그녀가 직접 선택하게 했다. 황성으로 돌아가 진실을 파헤치도록 했으며, 그 속에서 살아남아 자신과 마주보게 했다. 그녀 스스로 삶을 살아가게 했다. 업과 운을 짊어지도록 했다. 빌힐름과 함께 추락하는 그의 모습을, 무력하게 지켜보게 했다. 그래야 그를 잃었을 때 더 처절해질 테니까. 그래야, 아그레인 캐롤드가 모든 운명을 받아들이고 리히튼 잉고르드의 품으로 스스로 걸어올 테니까.

어쩔 수 없는 일이었다. 이 또한 운명이라면 운명이지 않겠는가? 아그레인 캐롤드가 리히튼 잉고르드에게서 벗어날 수 없는 운명. 리히튼은 침실의 문을 열고 안으로 들어갔다. 나체의 여자가 얇은 천만 어깨에 두른 채로 창밖을 바라보고 있었다.

"아그레인."

리히튼의 부름에 아그레인이 고개를 돌렸다. 그가 자신에게 돌아왔음을 확인하고 안도하는 눈이었다. 그녀에게로 다가가, 헝클어진 붉은 머리칼을 귀 뒤로 부드럽게 넘겼다. 아그레인은 그의 가슴에 얼굴을 기댔다. 신뢰와 애정으로 가득한 눈이 리히튼을 향했다. 리히튼은 그런 아그레인의 뺨에 입맞추며 말했다.

"너는 복수가 끝난 후의 시간을 지옥이라 말하곤 했지."

아그레인의 표정이 천천히 굳어갔다. 그녀는 리히튼의 몸을 밀어내고 정면으로 얼굴을 마주했다. 예측할 수 있는 수십, 수백 가지의 감정이 아그레인의 얼굴에 녹아 있었다. 그리움. 반가움. 후회. 걱정. 기대. 공포. 행복. 기쁨….

하지만 괜찮아, 아그레인.

"내가 그 지옥을 함께 걷게 해 줘."

이제 우리는 영원히 함께할 테니까.

아그레인은 아무런 말이 없었다. 그녀는 붉어진 눈으로 리히튼을 올려다보다가, 그가 내민 장미꽃을 느리게 받아 들었다. 알겠다거나, 마땅히 그리하겠다는 긍정은 들리지 않았다. 다만 아그레인의 뺨 위로 눈물 한 줄기가 떨어졌다. 밤하늘을 가로지르는 유성처럼 아름답고, 아름다우며, 아름다운 눈물이었다. 아그레인이 그의 품에 안겼다.

"응, 꼭."

모든 것이 완벽했다.

이보다 더 완벽할 수 없었다.

Side Episode 1.
캐롤드

'아그레인.'

일그러진 목소리가 귓가에 숨을 불어넣었다. 그 목소리는 텅 비어 허무한 듯하기도 했고, 애타는 심정에 달달 끓는 것처럼 들리기도 했다. 이상하게도, 남자의 부름에 심장이 조이는 것 같은 답답함을 느꼈다.

'너는 영원히 내게 복종할 수밖에 없어.'

이윽고 내려오는 입술은 뜨거우면서 차가웠다. 아릿한 자극이 흔적을 남길 때마다 마치 시체가 된 듯 몸이 무겁고 딱딱해졌다. 남자는 나를 가지고 놀고 있었다. 나는 그의 인형이나 다름없었다.

'우리는 운명이고….'

그는 내게 욕망할지언정, 내 몸을 탐하지는 않았다. 씹어 먹고 싶다는 눈으로 전신을 훑다가도 결국 인내했다. 나는 그런 남자가 우스웠다. 고양이가 쥐를 생각하는 격이나 마찬가지라고 생각했다.

'나는 네 영원한 주인이며….'

남자는 오랜 시간 체취를 갈구하던 내 목덜미에서 고개를 들었다. 언제나 그러했듯, 거칠게 쉰 음성으로 내게 명령했다.

'너는 영원히 내 거야.'

끔찍한 손아귀가 나를 삼켰다. 나는 그의 정신적 유린 속에서 끊임없이 고통 받았다.

빌힐름…. 빌힐름! 나는 네가 너무 싫어. 네가 죽었으면 좋겠어. 평생 너를 저주할 거야. 평생, 죽어도 너를….

'아그레인.'

순간, 눈앞이 환해졌다. 서늘하면서도 안온한 봄볕이 폭포수처럼 쏟아져 내렸다. 누군가 걸레 조각처럼 찢겨 흩어진 내 몸을 모아 소중하게 그러쥐었다. 그리고 아이를 돌보듯 두 팔 안에 가득 안았다.

미친 듯이 날뛰던 심장박동이 점차 안정을 되찾기 시작했다. 나는 고개를 들어 목소리의 주인을 확인했다.

아아, 그였다. 그는 내게 밝은 미소를 짓거나, 내 등을 토닥이지는 않았다. 하지만 그의 존재를 인지했다는 사실 자체만으로도 나는 숨을 쉴 수 있었다.

'내가 그 지옥을 함께 걷게 해 줘.'

봄볕이 내게 입을 맞추었다. 목 안이 간지러웠지만, 그를 더 깊이 안고 싶었다. 단단한 손이 내 허리를 잡아당겼다. 그가 내 입 안을 훑고, 내 가슴에 얼굴을 묻었다. 나는 간간히 퍼지는 열기에 안달이 나 그의 몸을 더 가까이 이끌었다.

더, 더 나를 가져 줘.

'아그레인….'

그의 손이 급박하게 내 의복을 풀었다. 매끄럽고 단단한 손가락이 살결에 스쳤지만, 그뿐이었다. 짙은 열망에 이글거리는 청회색 눈동자가 보였다. 손이 없으면 이를 사용해서라도 나를 탐하겠다는 시선이었다.

하지만 끝끝내 그가 내 의복을 벗겨내는 일은 없었다.

"…아."

모두 꿈이었으니까.

"아가씨."

익숙한 목소리와 함께 누군가 침실의 암막을 거두어 갔다. 나는 거침없이 내리쬐는 빛을 피해 베개 위로 얼굴을 파묻었다. 잠기운은 여전했지만, 배 아래가 이상하리만치 뜨겁고 간지러웠다.

'아, 이런.'

내가 그런 꿈을 다 꾸다니. 머릿속에 떠다니는 '그' 얼굴을 힘겹게 털어냈다. 흡사 강제로 발가벗겨진 것 같은 수치심이 들었지만, 지금은 제대로 옷을 걸친 상태였다. 누군가 내 머릿속을 들여다 볼 수 없다는 사실이 이토록 다행스럽게 느껴진 때가 없었다.

"아가씨, 이제 그만 일어나세요. 오늘은 이상하게 일어나기 힘들어하시네. 후작 각하께서 기다리고 계셔요."

날 강제로 일으킨 하녀가 티 트레이에 옮겨온 아침 식사를 차리기 시작했다. 나는 느릿하게 마른세수를 하며 물었다.

"킨이 왜?"

"황성에서 어떤 공문이 도착한 것 같은데…. 저는 잘 모르겠어요. 각하께서는 마뜩지 않으시다는 눈치라네요."

"무슨 일인지 예상되네."

공문은 무슨. 보나마나 혼인을 닦달하는 서신이었겠지. 차를 따른 하녀가 텅 빈 티 트레이를 끌고 나가며 마지막으로 입을 열었다.

"서랍 위에 서신 세 장을 올려놨어요. 하나는 황제 폐하, 하나는 모리타트 잭 공작님, 마지막 하나는 그분께 도착한 서신이어요. 어휴, 요 며칠은 또 그분께 답장하신다고 늦잠 자시겠어요."

"셰즈."

쓸데없는 소리 말라는 눈으로 쏘아봤지만, 하녀는 새침 떼는 낯으로 여유롭게 방을 나갔다.

하녀, 셰즈는 오래전 캐롤드 가문에서 일하던 하녀장의 딸이었다. 내가 캐롤드 후작저에서 사라진 후 극소수를 제외한 대부분의 고용인들이 강제로 저택을 떠나게 됐는데 셰즈 역시 마찬가지였다고 했다. 역설적이게도, 그들은 해고당함으로서 불길에 파묻히는 참사에서 살아남을 수 있었다.

셰즈는 여러 귀족 가문을 돌고 돌다 다시 이곳으로 돌아왔다. 캐롤드 가문의 오명이 벗겨졌다는 소식을 듣고 어머니의 시신을 정리하기 위해서였다. 그동안은 캐롤드 저택 주변으로의 출입 자체가 금지되었었기에 손을 대기 힘들었을 것이다. 그녀가 돌아왔을 때는 목숨을 잃었던 고용인들 모두가 새로운 캐롤드 후작저에 안치된 후였다고 했다. 킨은 셰즈를 바로 알아보고 그녀에게 위로금을 내렸다. 그러나 셰즈는 위로금만 받고 떠나지 않았다.

텅 빈 저택. 인기척이 느껴지지 않는 복도. 겨울의 쓸쓸함이 가시지 않은 황량한 공간. 셰즈는 이런 추운 곳에, 차마 킨을 홀로 둘 수 없었다고 말했다. 그렇게 셰즈를 비롯한 열댓 명의 고용인들이 다시 캐롤드로 돌아왔다. 고택과 함께 과거의 영광을 잃은 캐롤드가 그나마 사람이 살 만한 온기를 가지게 된 건 모두 그들 덕분이었다. 과거의 캐롤드를 아직 잊지 않은 사람들이 있다는 것. 그러한 사실은 킨에게 많은 힘이 된 듯했다. 어쩌면 나에게도.

'모리타트는 또 무슨 일로 서신을 보낸 거지?'

배를 채우면서 가장 먼저 모리타트의 서신을 펼쳤다. 짧지도 않은 종이 안에는 그의 글자로 빼곡했다. 첫 줄만 훑었는데도 무슨 내용인지 충분히 유추할 수 있었다.

아그레인 캐롤드 양에게.
더위가 한창입니다. 캐롤드는 한 여름에도
다른 곳보다 날이 선선하다고 들었는데,
오늘만큼 부럽게 느껴지는 날이 없군요.
그 소식은 들으셨습니까? 맞습니다,
사실 그 소식을 전달하기 위해
글을 쓰고 있는 중입니다.
나의 아즈마리아가 올해 안에
식을 올릴 상대를 찾는다고 합니다.
소문으로는 26세 내 청년을 찾는다고 하는데,
이는 올해 27세인 나를 철저히
배제하겠다는 뜻으로⋯.

이후 내용은 안 봐도 뻔했기에, 대각선으로 대충 훑어 내렸다. 그리고 서신의 마지막 세 문장만 확인했다.

⋯하여 아즈마리아를 직접 만나,
그녀를 설득해 주심이 어떨지?
당신이 진지하게 대화한다면
아즈마리아의 생각이 바뀔거라 확신합니다.
그럼 답을 기다리겠습니다.
당신의 도움이 절실한 모리타트 잭 올림.

쯧, 혀를 차며 서신을 서랍 안에 쑤셔 넣었다.

"날이 더우니 모리타트가 개소리를 하는구나."

다음으로 집어 든 건 제국에서 가장 화려한 인장이 박힌 금빛 서신이었다. 발신인을 확인하지 않아도 비비안느의 서신임이 분명했다. 반짝이는 종이 위에 고아한 필체가 그림처럼 휘갈겨 있었다.

사랑스런 아그레인.
잘 지내고 있니? 캐롤드는 어때?
내가 보낸 선물들이 네 마음에
들었다니 다행이야.
나는 네가 없다는 점 빼고는
평소와 같아.
지루하고, 무료하고,
그저 그렇다는 뜻이지.
황성에는 언제 다시 올 예정이니?
네가 온다면 여름이 다 가도록 내내
함께 셔벗을 즐길 수 있을 텐데….

비비안느의 서신은 늘 그렇듯, 마지막에 곧 선물을 보내겠다는 말로 끝났다. 내 방은 이미 그녀가 보낸 옷과 장식품, 그림, 장난감으로 꽉 차 있었다. 그러고도 자리가 부족해 비비안느의 선물만 전시해 놓은 방을 따로 둘 정도였다.

'이번 여름은 그만 보내라고 해 둬야겠어.'

거처를 별장으로 옮긴 후, 일부러 더 신경 쓰고 있다는 걸 알고 있었다.

하지만 이 정도면 정말 충분하다 못해 넘쳤다. 리히튼 역시 사나흘 걸려 선물을 보내오는 터라 이 이상 신경 쓰고 싶은 마음이 없었다.

'그를 마지막으로 본 지 벌써⋯ 한 달인가?'

그리운 마음으로 마지막 서신을 손에 쥐었다. 잉고르드에서 온 서신은 세 개의 서신들 중에서 가장 깔끔했다. 리히튼의 성격이 한눈에 느껴지는, 유려하고 단정한 필체가 보였다. 한데 서신의 두께가 평소와 조금 달랐다. 두 장, 많으면 세 장까지 오던 편지지가 오늘은 겨우 한 장 들어 있던 것이다. 게다가 적힌 내용이 편지지의 반의반도 채우지 못한 터라 당혹스러웠다. 리히튼이 이럴 리 없는데. 나는 서신을 얼굴 가까이 바짝 끌어당겼다.

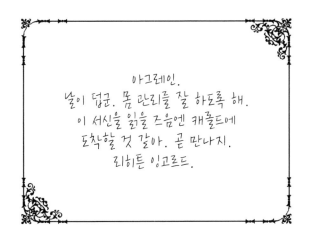

아그레인.
날이 덥군. 몸 관리를 잘 하도록 해.
이 서신을 읽을 즈음엔 캐롤드에
도착할 것 같아. 곧 만나지.
리히튼 잉고르드.

음. 다시 읽어내려도 내용은 똑같았다.

"그가 캐롤드에 온다고?"

그것도 이렇게 갑작스럽게? 이상하게 마음이 급해졌다. 배는 반도 채우지 못했는데, 이 이상 음식이 들어가지 않을 것 같았다. 무려 한 달만의 재회였다. 황성에서의 여름 연회가 끝난 후, 우리는 각자의 영지로 돌아갔다. 마지막 날 내 손을 꽉 쥐던 그의 온기가 아직도 생생했다. 리히튼을 안 이래 그토록 아쉬웠던 날이 없었다.

'나와 함께 잉고르드로 갈 생각은 없는 건가?'

그리 말하며, 리히튼은 어느 때보다 간절한 시선으로 내 손등에 입을 맞추었다. 피부 위로 은근슬쩍 닿아 오는 혀끝이 느껴져, 하마터면 고개를 끄덕일 뻔했다. 나는 두 눈을 꾸욱 감고 가까스로 그의 제안을 거절했다. 어쩔 수 없는 선택이었다. 기억을 되찾은 리히튼이 잉고르드 영지를 안정화하기 위해서는 시간이 필요할 테니까.

더군다나 나는 킨이 후작 부인을 들일 때까지 장기간 캐롤드를 비울 생각이 없었다. 지금의 킨을 도울 수 있는 사람은 나밖에 없다. 이 시간만 지나면 리히튼도, 나도 지금과는 비교도 되지 않게 여유로워질 거라 생각했다. 당장의 만족을 채우기 위해 나의 의무를 저버리고 싶지 않았다.

'가끔 후회스럽기는 하지만…'

그때였다. 누군가 다소 급한 발걸음으로 나를 찾아왔다.

"아그레인!"

방문자는 셰즈가 아닌 솔레르였다. 어제도 밤새 공부에 매진했는지 눈 아래가 어두침침했다. 당혹스러운 낯으로 들어온 그녀는 활짝 열려 있던 문을 닫으며 말했다.

"리히튼 각하께서 오셨어요. 세상에. 이리도 갑작스럽게 방문하실 줄은…"

늘 느끼지만, 리히튼과 관련된 일에는 당사자인 나보다 주위 사람들이 더 호들갑을 떨곤 했다. 내 옆에 달라붙어서 하녀 일을 마다 않는 솔레르를 보고 있자 하니 그런 생각이 더 여실히 들었다. 솔레르는 능숙하게 나의 단장을 돕기 시작했다. 이럴 때의 그녀는 메어리를 떠오르게 했다.

올해 초여름, 잉고르드에서 메어리를 재회했을 때. 그녀는 내 전담 시녀를 자처하며 묻지도 않은 리히튼의 이야기를 시시때때로 줄줄 뱉었다. 기억을 잃은 후의 리히튼이 어떤 음식을 더 찾고, 얼마나 더 유해지고, 사람답게 사는지 등 그때만큼은 캐롤드의 아그레인이 아닌 잉고르드의 수장이 된 기분이었다.

그들의 순수한 호의가 부담스러웠던 적도 있었다. 나는 얼마 전까지만 해도 하나를 얻기 위해 하나를 포기하는 삶을 살아왔으니까. 하지만 이제는 아니었다. 메어리와 솔레르가 시궁창과 같았던 내 인생에 몇 안 되는 천운 중 하나라는 걸 안다. 내가 그들에게 돌려주어야 할 건 의심이 아닌 내가 받은 만큼의, 또는 그보다 더 후한 호의였다.

"페사에서는 이런 시기가 가장 중요했어요. 서로의 마음을 확인하고 연인이 된 후에 말이에요. 반년에서 일 년 정도 흘렀을 때, 이때가 청혼을 받는 시기거든요."

연인. 수백, 아니 수천 번을 되새겨도 낯설면서 어색한 단어였다. 리히튼과 내가 연인이라니. 살갗 위에 작은 거미가 우글거리는 것처럼 간지러웠다.

'작년 이맘때의 내가 무얼 하고 있었더라.'

트리비아체에서 도망칠 적당한 시기를 기다리던 때였나? 아니면 트리비아체도 이미 멸문하고 리히튼의 손에 이끌려 잉고르드에 정착했던 때였나? 그 시기에는 모든 일들이 너무 빠르게 흘러갔었다. 무지한 채 사지에 내몰려, 살아남기에 급급했지. 고작 두어 계절 동안 나를 둘러싼 세상에 얼마나 많은 변화가 있었던가? 태양과 강, 캐롤드와 잉고르드, 과거와 미래, 아그레인과 수장…. 겨울이 오기 전, 낙엽이 쌓인 리히튼의 땅을 떠나던 기억은 아직도 생생했다. 눈앞에 다시 그려낼 수 있을 정도로 선명한 기억이었지만, 동시에 오랜 꿈처럼 느껴지는 시기이기도 했다.

그 시기를 지나쳐 이곳, 캐롤드에서 멀쩡히 숨을 쉬는 내가 믿기지 않았다. 캐롤드 후작이랍시고 영주 노릇을 하고 있는 킨도. 페사에서 이곳까지 따라와 준 솔레르도. 아무렇지 않게 내게 서신을 보내는 비비안느도….

다른 말도 필요 없이, 그저 리히튼이 있었기에 가능한 결말이었다. 나는 그에게 몹시 큰 은혜를 입었으며 그 은혜는 영원이 흘러도 못 갚을 것이다.

"제가 볼 때는 아그레인도 곧이에요. 그러니 당분간은…. 아니, 적어도 청혼을 받게 되기까지는 신경 쓰는 게 좋겠어요."

헛웃음을 뱉을 수밖에 없는 발언이었다. 청혼. 그를 따라 잉고르드에서 평생을 보낸다고? 그래, 솔직한 심정으로 근래에는 그런 상상이 잦기는 했지. 하지만 상상은 상상일 뿐. 내게는 그저 멀게만 느껴지는 미래다. 솔레르가 흥미진진한 눈으로 내게 물었다.

"그분과 함께한 지 얼마나 되셨죠? …아! 제 말은, 서로의 마음을 확인한 날로부터요."

대답하기에 퍽 난감한 질문이라는 걸 깨닫기까진 그리 긴 시간이 걸리지 않았다. 그와 내가 함께한 시간은, 나조차 감히 상상할 수 없을 몹시 길고 지루한 시간이었을 것이다. 과거에도 리히튼과 내가 사랑이란 것을 나누었을까? 나누었다면 몇 번의 생에서 나누었을까? 비단 현재만 고려해도 확실한 선을 긋기가 애매모호했다.

그와 나 사이에 있어, 솔레르가 말한 연애라는 것의 시발점은 언제였을까? 잉고르드에서 그가 날 붙잡았을 때? 황성에서 그의 진심을 알았을 때? 페사에서 그와 재회했을 때? 그것도 아니면, 여름 연회에서 그에게 활짝 핀 장미꽃 한 송이를 선물 받았을 때?

"마음을 확인한다는 기준이 뭐죠?"

솔레르가 내 머리에 열심히 핀을 꽂으며 대답했다.

"아무래도 고백이겠죠? 청혼과 고백은 다르잖아요."

그녀의 말에 지옥까지 함께하자던 리히튼의 목소리가 떠올랐다. 당시를 생각하면 아직도 숨이 벅차는 느낌이었다.

"그렇담 반년이 되려면 아직 한참 남았어요."

"한참 남았다고요? 놀랍네요. 제 눈에는 그리 보이지 않았는데…."

솔레르는 곧 납득한다는 눈으로 고개를 주억였다.

"하기는. 서로의 마음을 확인하기까지 오랜 시간이 걸리는 경우도 있으니까요. 자, 이제 됐어요. 어서 내려가 보세요."

거울 속의 아그레인 캐롤드는 이제 조금 사람다운 느낌이었다. 다 죽어가는 하녀나, 건방진 집시가 아닌 캐롤드 가문의 여식처럼 보였다. 나는 방을 나서서 다이닝 룸으로 향했다.

발걸음을 옮기는 내내 리히튼과 눈이 마주치면 어떤 식으로 반응해야 할지 수십 번을 그렸다. 웃어야 하나? 아니면 일단은 아무렇지 않게 자리에 앉아야 하나? 적어도 인사는 해야 서운해하지 않을 텐데. 그는 보기보다 뒤끝이 길고, 세심한 일 하나하나에 신경 쓰는 사람이었다. 하지만 막상 다이닝 룸에 들어섰을 땐 그 모든 고민이 허사가 되었다.

"좋은 아침입니다, 아그레인 양. 어째 갈수록 신수가 훤해지는군요."

킨과 함께 나를 맞이한 인물은 리히튼이 아닌 모리타트였다. 킨을 흘겨보며 그의 건너편에 자리를 잡았다. 늦장 부릴까 봐 수를 쓴 게 분명했다. 나는 찻잔에 채워지는 커피를 바라보며 입술을 떼었다.

"서신과 그 발신인이 동시에 도착했을 줄은 몰랐는데."

"그야, 내가 직접 들고 왔으니까?"

모리타트가 뻔뻔한 낯으로 싱긋 웃었다. 나는 번거로운 티를 숨기지 않으며 말했다.

"그럼 이 자리에서 용건을 말하면 될 것을. 쓸데없이 눈으로 보고 귀로 듣게 만드네."

"내가 직접 찾아오면 상대하지 않을 게 훤하지 않습니까? 머리를 잘 썼다고 해 주시죠."

모리타트 본인도 자신이 거머리처럼 번거롭게 군다는 것을 자각하고 있는 듯했다. 그를 보면 사랑에 미친 남자가 얼마나 추해질 수 있는가 짐작할 수 있다. 이쯤이면 그의 집요한 집착을 인정하지 않을 수 없었다.

"칭찬이 필요하다면야. 아주 잘했어, 모리타트 공작. 그렇게 구질구질하게 구니 아즈마리아 윌이 불편해 할 만해."

이미 여러 번 들은 악담이라 그건지, 모리타트는 아무렇지 않은 얼굴로 고개를 끄덕였다. 나를 타박한 건 오히려 킨이었다.

"아그레인. 태도 조심해라. 공작 각하께 무슨 말본새야?"

킨의 잔소리는 날이 갈수록 잦아지기만 했다.

"당사자가 상관 않는데 무슨 상관이야? 너나 조심해. 내게 거짓말이나 한 주제에."

신경질적인 대답에 킨이 이해할 수 없다는 표정을 지었다. 어떤 거짓말로 나를 속였는지 벌써 까먹은 건가? 나는 그에게서 고개를 돌렸다.

"좋아. 더는 귀찮으니까 여기서 확실하게 하기로 하지. 공작이 캐롤드를 찾아온 데는 다른 마땅한 이유가 있겠지만, 부가적으로는 그 빌어먹을 아즈마리아의 혼인과 관련된 사항도 있을 거야. 그렇지?"

모리타트가 눈을 빛냈다.

"뭐, 솔직하게 말하자면 그게 더 중요…."

"공작은 아즈마리아가 본인에게 마음이 있다고 확신하는 중이고."

그의 표정이 다소 불편해졌다. 내 표현이 마음에 차지 않는 모양이었다.

"확신하는 중이 아니라, 확실한 겁니다."

그래. 그 정도 정신력이 되니까 한 여자를 포기하지 못하는 거겠지.

"만약 아즈마리아가 진심으로 공작에게 마음이 떴다는 걸 알게 된다면? 다른 남자에게로 보내 줄 거야? 아니, 반드시 보내도록 해. 공작이 이 이야기를 입 밖으로 꺼낼 때마다 지겨워 미치겠으니까."

246

모리타트의 낯이 눈에 띄도록 어두워졌다. 나는 그런 그에게 머리에 떠오르는 아무 조언이나 골라잡아 말했다.

"아즈마리아처럼 결혼할 상대방을 찾아. 이왕이면 혼인 일자까지 정해두는 게 좋겠지. 아즈마리아가 정말 공작에게 마음이 있다면 늦게라도 반응을 보이지 않겠어?"

모리타트의 반응은 비관적이었다.

"그게 어디 쉽나. 그런 장단에 맞춰 줄 여자는 많지 않아요. 누가 본인의 명예에 선을 긋고 싶겠습니까?"

"어울리지 않게 귀여운 소리 하지 마, 공작. 상대가 누구든 당연히, 진심으로 사랑하는 척해야 하는 거 아니겠어? 나중의 일이야 어쩔 수 없는 거지."

네가 나를 도와서 몇 명이나 죽였는데? 비꼬는 어투에도 모리타트의 표정은 여전히 당당했다.

"전 아그레인 양처럼 피도 눈물도 없는 사람이 아니라서."

말을 마친 그는 잠시 생각하는 표정을 짓더니, 두 눈을 가늘게 뜨고 날 쳐다봤다.

"아니지. 생각해 보니 마침 딱 적당한 상대가 눈앞에 있기는 한데."

나는 그 얼굴에 커피를 뱉어 주려다 말았다.

"그 상대가 킨이라면 나쁘지 않은 선택이야."

귀찮은 사안에 끼고 싶지 않은지, 모르는 척 주간 신문을 읽고 있던 킨이 작게 한숨을 내쉬었다. 모리타트는 특유의 뻔뻔한 미소로 내게 헛소리를 지껄였다.

"말이 나온 김에 아그레인 양이 도와주는 건 어떻습니까?"

도와준다, 라.

"뭐를."

이건 나의 대답이 아니었다. 그렇다고 해서 킨의 목소리라고 하기에는 지나치게 무겁고 거친 감이 있었다. 내가 가만히 턱을 괴고 있을 동안, 홀로 신이 난 모리타트가 주저리주저리 제 생각을 읊기 시작했다.

"뭐기는요. 나의 혼인 상대가 되어 주는 일 말입니다. 당신이라면 나 역시 뒤탈도 없고…."

"뒤탈이 없다?"

이 역시 나의 대답이 아니었다. 하지만 이제는 누구의 목소리인지 알 수 있을 듯했다.

곧이어 누군가 내 옆 의자를 당겨 앉았다. 인기척 없이 등장한 인영에게선 옅은 바깥바람의 냄새가 났다. 그의 얼굴을 확인한 모리타트의 목소리가 점차 줄어들었다. 남자, 리히튼의 얼굴에는 조금의 웃음기도 엿보이지 않았다. 그는 한기가 뚝뚝 떨어지는 눈으로 모리타트에게 물음을 던졌다.

"진심으로 없을 거라 생각하는 건가, 공작?"

짧은 적막이 맴돌았다. 모리타트의 시선이 힐긋, 내게로 향했다. 그리고는 곧 아무렇지 않게 어울리지 않는 너털웃음을 뱉었다.

"하하. 아무래도 제 의사가 잘못 전달된 것 같은데, 제가 아그레인 양에게 도와 달라고 청한 건…."

"킨을 혼인 상대로 두고 싶으니, 도와 달라는 부탁이었겠지."

리히튼의 목소리는 더없이 단호했다. 하하. 모리타트의 웃음이 점차 메말라가기 시작했다.

"예에. 뭐… 그렇습니다. 역시 눈치가 빠르십니다."

킨이 불만스러운 눈빛으로 모리타트를 바라보다가 고개를 저었다. 리히튼의 방문은 거짓말이 아니었구나. 나의 타박에 이해할 수 없단 표정을 지었던 데는 마땅한 이유가 있었던 것이다.

한 달 만에 재회하는 리히튼은 머리칼이 조금 자라 더 느긋한 분위기를 풍기게 된 것을 제외하면 이전과 그대로였다. 한데 여전히 잘나고 멀끔한 옆선을 바라보고 있으니 기분이 묘해졌다.

'확실히… 기억을 잃었을 때와 지금은 많이 다르네.'

리히튼은 기억이 돌아왔다는 이유 하나로 범접하기 힘든 분위기를 풍겼다. 기억을 잃은 그가 단순하게 냉철한 인상을 지닌 남자였다면, 지금의 그는 작은 파문조차 없어 거울처럼 보이는 새까만 수면이었다. 물론, 침대 위에서는 바닥까지 훤히 보이는 수면이지만. 같은 껍질이어도 속 알맹이에 따라 천차만별의 색을 풍긴다는 걸 다시금 깨닫게 되었다.

"킨이라면 물심양면으로 공작을 도울 테지."

리히튼의 말에 킨이 눈썹을 씰룩이며 입을 열었다.

"농담이라도 끔찍합니다. 게다가 폐하께서는 제가 후작 부인을 들여 후손을 잇기를 바라십니다만."

그의 대꾸에 리히튼은 표정 하나 변하지 않고 대답했다.

"그렌페르크에 정부를 두지 않은 귀족이 어디 있지? 공작이 가문의 명예에 그다지 관심이 없다면, 똑똑한 여자의 아이를 후계자로 받아들이면 될 일이야."

그리 말하는 리히튼의 눈에는 조금의 웃음기도 없었다. 모르는 이가 지금의 풍경을 본다면 진담으로 여길 수 있을 정도였다. 킨은 입을 떼면 뗄수록 제 손해라는 걸 뒤늦게 깨달은 모양이었다. 어색하게 고개를 돌리고 있던 모리타트가 엉거주춤 몸을 일으켰다.

"그러고 보니 마침 드릴 말씀이 있었습니다. 리히튼 공작, 괜찮다면 저와 새로운 캐롤드 후작저의 후원을 거니시는 게?"

리히튼의 시선이 짧게 킨을 향하다가 내게로 머물렀다. 나는 잠시 말을 잃었다.

'인사를 해야 하나?'

한창 갈등하는 와중에 그가 몸을 일으켜 내게로 몸을 숙였다. 곧 이마에 부드러운 온기가 머물다가 사라진다.

"오랜만이야, 아그레인."

리히튼은 나를 물끄러미 내려다봤다. 그의 시선이 워낙 끈덕진 터라, 나는 뒤늦게라도 대답할 수밖에 없었다.

"응."

그제야 리히튼은 만족스러운 얼굴로 모리타트의 뒤를 따라서 다이닝 룸을 나갔다. 저런 점은 기억의 유무와 상관없이 동일한 건가. 아니, 오히려 기억을 되찾은 후에는 조금 더 능청스러워진 것 같기도 하고.

"이제 둘만 남았군, 동생."

고개를 든 킨이 신문을 접었다. 비장한 말투였기에, 나는 어쩐지 간지럽게 느껴지는 이마를 쓸며 그에게 물었다.

"왜 내게는 저 둘이 온다고 말하지 않았어?"

"공교롭게도 나 역시 오늘 오전에야 알게 된, 예정에 없던 방문이었다고. 둘 모두."

그리 말한 킨은 시가에 불을 붙였다.

"아그레인."

"말해."

"너는 정말 지금으로 만족하는 거냐?"

나는 한숨을 참지 않았다. 그가 어떤 이야기를 하려는 건지 뻔히 보였기 때문이다.

"언제까지 그 이야기를 하려고? 어차피 나는 아이를 가지지 못해. 캐롤드의 명맥을 잇기 위해선 당연한 선택이야."

킨은 자신이 작위를 이음으로서 어긋나게 될 캐롤드의 정통성을 우려하고 있었다. 하지만 이는 크게 문제될 일이 아니었다. 킨의 출신이 비록 사생아라 해도, 아버지는 그를 인정했다. 따라서 킨은 캐롤드의 어엿한 일원이 었다. 적녀인 내가 후계위에서 물러났으니 그가 가문을 잇는 건 당연한 이 치였다. 오히려 캐롤드 가문의 입장에선 킨이라도 남아 한숨 돌린 것이나 마찬가지였다.

"너도 이제는 눈치를 챘으리라 생각하지만…"

잠깐의 간극 후, 킨이 천천히 입을 떼었다. 나는 그가 무슨 말을 할지 알 수 있을 것 같았다.

"너와 나는 조금도 피가 섞이지 않았어. 그러니 네 주장은 역설적일 수밖 에 없지. 아이를 낳을 수 있는 내가 후작 부인을 들인다는 건, 실제론 캐롤드 의 명맥이 끊긴다는 뜻이나 마찬가지니까."

킨 캐롤드의 태생. 이는 아버지가 서약 『태양이 흐르는 강』을 증오하고, 가문 대대로 내려오는 힘을 끊는 데 평생을 바쳤단 사실을 안다면 나중에라 도 알게 될 수밖에 없는 비밀이었다. 킨에게는 캐롤드의 피가 섞이지 않았 다. 아버지가 오래전부터 후계자로 점지해 둔 킨은, 엄밀히 말해서 캐롤드 가문과 완전한 남이었다. 그래야 태양의 힘이 내 대에서 끊길 수 있으니까. 그래야, 캐롤드의 후손이 더는 고통 받지 않을 수 있으니까. 나는 조금도 마 음에 두지 않는단 투로 대답했다.

"그래서 다행이야. 이 저주받은 핏줄이 내 대에서 사라진다는 소리잖 아?"

킨의 표정은 요상했다. 그답지 않게 가라앉은 것 같기도 하고, 평소처럼 시건방져 보이기도 했다. 나는 그런 킨의 얼굴이 마뜩잖았다.

"그런 얼굴 하지 마. 네 그 표정을 보면 기분 더러워지는 기억이 떠올라."

잠시간 미간을 구기고 고민하던 킨이 돌연 씨익 입꼬리를 끌어 올렸다. 간만에 진심으로 즐거워 보이는, 그래서 더 야비해 보이는 미소였다.

"아하. 무슨 소리인가 했더니… 내가 네게 입 맞췄던 기억 말하는 거냐?"

나를 골리려는 생각인 것 같은데, 안타깝게도 나는 이제 리히튼과 관련된 일이 아니면 쉽게 당황하지 않는다. 하지만 킨은 보란 듯이 고개를 쭉 빼고서 멈추지 않고 깐죽댔다.

"왜, 머릿속에 잔상처럼 남아서 죽어도 안 잊히나 보지? 응?"

"말하는 꼬라지를 보니 안 잊히는 건 그쪽 같네."

나는 과일 잼을 바르다 만 나이프를 들며 경고했다.

"원한다면 평생 잊게 해 줄 수도 있어."

그에 킨이 질린 눈으로 고개를 뺐다.

"네가 그렇게 폭력적으로 자란 게 내 평생의 한 중 하나란다, 아그레인."

"알면 다신 입 밖에 꺼내지 마. 특히 리히튼의 앞에선."

리히튼이 언급되자 그는 곧장 입을 닫았다. 옅은 씁쓸함이 눈동자에 머물다 금세 자취를 감추었다. 나는 모르는 척, 쥐고 있던 나이프를 더 강하게 잡고선 말했다.

"그렇지 않으면 네가 아즈마리아 윌을 나로 착각했던 희대의 머저리 같은 짓을…."

"어허!"

킨이 경악하며 손을 내저었다.

"좋아! 알아들었어, 동생. 거기까지 하자고. 이복남매인 우리가 서로를 물어뜯을 필요는 없잖아?"

"알면 적당한 선에서 입 좀 닥쳐."

하지만 킨은 입 닥칠 생각은 조금도 않고 제 할 말만 했다.

"그렇다면 너는 내가 어디의 누구를 캐롤드 부인으로 데려오면 좋겠어?"

이 문제 때문에 날 부른 거였구나.

"정부를 두든 말든 아이에게 제대로 된 외척은 갖게 해. 내가 이런 것까지 일일이 말해야 해? 이미 다 정해 뒀을 거 아니야?"

킨은 내 말을 그다지 귀담아 듣지 않는 듯했다.

"내가 혼인을 하면 너는 캐롤드 저택을 나갈 수밖에 없어, 아그레인. 일단 표면적으로는 그게 국법이니까."

설마 그런 이유에서 계속 혼인을 미뤄 왔던 건가. 킨이라면 충분히 그럴 수 있다고 생각했다. 그는 나에게 생각하는 것 이상의 죄책감과 책임감을 느끼고 있었다. 그런 킨의 마음이 이해되면서도 답답한 건 어쩔 수 없는 일이었다. 고작 그 정도에 헤맬 나였으면 여기까지는 오지도 못했을 텐데.

"쓸데없는 걱정하지 마. 후작 부인이 생기면 나는 비비안느 옆에 눌러 붙을 생각이니까."

그는 한동안 내게서 눈을 떼지 않았다. 내 말이 그다지 믿음직스럽지 않은 눈치였다. 킨은 무언가 고민하듯 길게 턱을 쓸다가 툭, 던지듯 물었다.

"리히튼 각하께서는 너를 언제 데려갈 생각이라시냐?"

그 소리에는 나도 모르게 버럭 화를 내고 말았다.

"그걸 내가 어떻게 알아?"

"네가 모른다면 그 누구도 모를 텐데."

이런 주제가 나올 때마다 목이 탔다. 리히튼과 나는 서로를 사랑한다. 내 주위의 모든 것들을 의심해 마지않아 온 나조차 그 사실만은 확신했다.

"그가 반드시 그러리라고 생각하지 마, 킨."

하지만 결혼과 사랑은 다르다. 더군다나 리히튼이 잉고르드의 공작이라는 점을 감안하면 더더욱.

리히튼은 무슨 일이 있어도 나를 선택할 것이다. 그러나 그 선택에 있어 결혼은 필수 사항이 아니었다. 그가 나와 같은 생각을 가지고 있다면 '잉고르드이지만 잉고르드가 아닌 혈통'에게 후계자를 물려줄 터였다. 아니, 아이를 가질 수 없는 우리의 몸을 생각하면 그럴 수밖에 없었다.

가장 좋은 방법은 부인에게서 외간 남자의 아이를 얻는 것이다. 나는 그조차 힘든 몸이니, 가장 쉽고 빠른 길은 서로가 서로의 정부가 되는 것이었다.

'정부라….'

나와는 평생 먼 단어일 줄 알았는데. 하지만 리히튼을 곁에 두기 위해서라면 못할 것도 없었다. 그러나 킨이 단호한 표정으로 고개를 저었다.

"아니야, 아그레인. 내가 각하라면 말이지…. 너를 절대로 내 곁에 둘 수 없을 거다. 하루라도 빨리 곁에 데려오고 싶어 안달이 난다면 모를까."

"왜?"

그는 나의 반문에 당연하다는 듯 웃었다.

"너와 나는 피가 섞이지 않았으니까."

리히튼도 그 사실을 안다는 뜻이구나. 당연한 일이기는 했다. 모든 걸 아는 그가, 이 정도 수준의 비화쯤은 당연히 알고 있겠지. 킨은 쓴 음식을 삼킨 것처럼 미약하게 굳은 얼굴이었다. 그의 음성과 함께 시가 향이 퍼졌다.

"남자의 마음은 그럴 수밖에 없어. 그러니 네가 각하께 내 진심을 잘 전달해 달라고. 내게 있어 너는 여동생 그 이상도, 이하도 아니라는 걸."

그 말을 끝으로 우리의 대화는 멈추었다. 킨이 오전의 여유를 느끼며 신문에서 눈을 떼지 않을 동안, 나는 앉은 자리 정면의 창 너머로 펼쳐진 정원을 구경했다. 문득 궁금해졌다. 킨의 말처럼 리히튼도 우리가 친남매가 아니란 사실을 신경 쓸까? 마냥 아닐 거라 여기지는 않지만, 리히튼이 보내 온 시간은 우리와 많이 다르지 않은가. 긴 시간 동안 진창을 구른 그가 고작 그런 사실을 못마땅하게 여길 것 같지는 않았다. 그에 더해서 솔직하게 말하자면.

'리히튼이 무슨 생각을 하는지 모르겠어.'

나름대로 나 자신도 사람의 속을 읽는 데는 타고났다고 생각하는데, 리히튼만은 어렵다. 그가 나를 사랑한단 사실은 분명하다. 하지만 종종 리히튼이 어떤 식으로 생각하고 어떤 판단을 내릴지, 추측조차 버거울 때가 있었다.

'나이로 따지자면 리히튼은 이백 년쯤 살았으려나. 그러니 어렵지.'

열네 번의 삶. 리히튼은 열네 번의 삶 동안 너무 많은 것들을 잃었다. 변명할 여지없이, 모두 나 때문이었다. 나는 그런 그가 가엽고 사랑스러웠으며 되도록 내가 줄 수 있는 모든 시간을 바치고 싶었다. 리히튼이 원한다면 그 어떠한 희생이라도 감수하면서.

하지만 리히튼의 생각이 읽히지 않으니, 도통 어떻게 해야 할지 모르겠다. 이제껏 내가 간절히 바라온 것들은 복수나 생존처럼 오로지 나 자신에 초점이 맞춰져 있었다.

그래서일까? 지금처럼 내가 아닌 타인을 위해 머리를 싸매고 고민하는 건 익숙하지 않았다. 그렇다고 속 시원하게 털어놓자니, 무얼 어디서부터 어떻게 털어놓아야 할지 알 수 없었다. 혼인, 후계, 배려, 가문….

'파고들면 파고들수록 머리가 더 아파지는 느낌이야.'

새삼 예전의 나는 가진 것이 아무것도 없었단 사실을, 다시금 깨닫게 된다. 나의 바람과 복수를 위해서라면 거리낄 것 없었던 작년의 겨울. 가문과 리히튼을 지키기 위해 더 나은 선택을 고민해야 하는 올해 여름.

"…어찌된 게 평화로운 시간이 더 피곤하네."

킨이 힐끔 고개를 들어 나를 바라봤다.

"피곤하다면 방으로 돌아가 쉬어라. 아니면 너의 그분 때문에 차마 올라가지 못하는 거냐?"

킨과 함께 살면서 알게 됐는데, 그는 평상시 아무렇지 않게 뱉는 말도 마치 비꼬는 것처럼 들리게 하는 놀라운 재주를 가지고 있었다. 그런 킨을 흘겨보며 의자에서 일어섰다.

"매일같이 말하는 것 같지만, 너는 어릴 때가 더 좋았어."

킨이 코웃음을 쳤다.

"누가 해야 할 말인지 모르겠군."

곧장 방으로 돌아와 소파에 눕듯이 쓰러졌다. 리히튼의 서신을 읽었을 때만 해도 이렇지 않았는데 이상하게 기분이 바닥을 치고 있었다. 그간 간절히 바라왔던 재회인데 기대했던 것만큼 가슴이 뛰지 않았다. 그와 같은 땅에 있음에도, 왜 이전만큼 마음이 설레지….

"아그레인. 몸이 좋지 않다고?"

그때였다. 닫혀 있던 문이 열리고 리히튼이 들어왔다. 나는 반사적으로 몸을 일으켜 그를 바라봤다. 리히튼의 움직임은 마치 외출하고 제 방에 돌아온 것처럼 물 흐르듯 자연스러웠다. 벗은 외투를 내 맞은편 의자에 걸치고, 방구석에 마련된 테이블 위의 티 포트를 기울여서 목을 축였다. 그리고 늘 그래왔듯 단단하게 매어 둔 타이를 습관처럼 풀어헤치며 내 옆자리에 자리를 잡았다. 몇 번이고 내 방을 찾아왔던 것처럼 행동해서 나는 넋을 놓고 그 모습을 바라볼 수밖에 없었다.

"여름 감기라도 든 건가?"

차가운 손바닥이 내 이마를 뒤덮었다. 아, 시원해. 깊게 숨을 들이쉬며 눈을 감았다. 그런 내 행동을 긍정으로 여긴 모양인지, 리히튼의 목소리가 다소 가라앉았다.

"낯빛이 안 좋기는 해. 조금만 눈을 떼면 그새 병이 나 버리는 건가? 까다로운 애완 고양이 한 마리를 기르는 기분인데."

그럴 리가. 불사의 육체를 지닌 내가 감기에 걸릴 일은 만무했다. 눈앞이 어두우니 그의 목소리가 훨씬 더 듣기 좋았다. 리히튼의 손끝이 닿는 피부 위에 미세한 소름이 돋을 정도였다.

'이전만큼 설레지 않기는.'

잠깐이나마 그런 생각을 한 나 자신이 끔찍한 머저리로 느껴졌다. 그와 접촉한 것만으로도 은근하게 뛰는 심장박동이 내 귀까지 들릴 정도인데. 잠깐 눈에 보이지 않았다고 크게 착각했던 것 같다. 조용해지는 분위기에 천천히 눈을 뜨며 물었다.

"이야기는? 모리타트와 할 말이 있다며?"

비비안느든 모리타트든, 이제껏 내가 곁에 있다는 이유로 목소리를 낮추려 한 적이 없었다. 리히튼 그리고 비비안느와 함께하는 이상, 그렌페르크 제국에 내가 몰라야 하는 일은 없다. 때문에 굳이 내가 없는 자리에서 대화를 나누고 온 이유가 궁금했다. 나를 물끄러미 응시하던 리히튼이 느릿하게 입을 열었다.

"모리타트."

무슨 뜻인가 싶어 가만히 그를 바라봤다. 리히튼의 눈은 무언가 단단히 마음에 들지 않는단 기색으로 나를 타박하고 있었다.

"그와 이름을 부를 정도로 친근한 사이였을 줄은 몰랐는데."

나는 당황스러운 기분으로 고개를 내저었다.

"친근하다고? 전혀 아니야."

"앞으로는 그런 식으로 부르지 마. 누가 들으면 사랑하는 연인인 줄 알겠군."

거절은 절대 허용하지 않겠다는 투였다. 곧이어 이마를 식히던 그의 손도 내 허벅지 위로 툭, 떨어졌다. 서운해하는 건가.

'애처럼.'

순간 목 안쪽이 간지러워서 재채기가 나올 뻔했다. 다른 누구도 아닌, 리히튼 잉고르드가 애 같다고? 킨도, 모리타트도 아닌 그가? 살아생전 리히튼에게 이런 생각을 갖게 될 줄이야. 다리 위에 떨어진 그의 손을 살짝 건드리며 대답했다.

"이제 와서 그건··· 불편해. 나보고 모리타트를 모리타트 각하라고 부르라는 거잖아? 차라리 얼굴을 평생 안 보고 말지."

물론 리히튼의 부탁은 무엇이든 들어줄 용의가 있었기 때문에, 반쯤 장난이었다. 리히튼이 한쪽 눈썹을 들썩이며 대답했다.

"안 보면 더 좋고."

"아예 안 보고 살기는 힘들다는 걸 알면서. 모리타트도 딱히 신경 쓰지 않고."

리히튼의 시선이 스르륵 아래로 향했다. 그는 나의 양쪽 손 안에서 인형처럼 뭉개지고 있는 자신의 손을 바라보며 말했다.

"너는 지금 무엇이 문제인지 잘 모르는 듯해, 아그레인."

"···내가?"

잠시 굳어 있던 그의 표정이 햇빛에 눈이 녹아내리듯 풀렸다. 리히튼은 연회장에서 자주 보이던 예의 그 신사다운 미소를 지었다.

"하지만 괜찮아. 그런 것쯤이야 천천히 배워 가면 될 일이니. 오히려 날이 갈수록 개선될 우리의 관계가 몹시 기대되는군. 몸이든 마음이든."

어느새 그의 눈길은 우리의 손보다 더 위를 맴돌아, 어깨와 배꼽 그 사이의···.

"어딜 자꾸 봐!"

번개를 맞은 양 화들짝 놀란 건 아니었지만, 본능적으로 손을 들어 리히튼의 시야를 막았다.

"갈수록 음흉해지는 거 알아? 아니, 원래 음흉했던 건가? 어이가 없어서."

"내가 내 것을 보는 게 문제는 아니지."

내 손을 잡아 내린 그가 소리 내어 웃었다. 그림처럼 그려낸 미소와는 확연히 다른, 눈, 코, 입 모두가 편안하게 풀어진 웃음이었다. 그에게 잡힌 손바닥 위로 따스한 입맞춤이 남겨진다. 물컹한 살이 가볍게 맞닿는 동안, 선명한 청회색 눈동자가 나를 올려다봤다. 그의 입술이 벌어졌다. 뜨거운 숨이 금방이라도 피부 위에 떨어질 것 같아, 숨기듯 손을 빼냈다. 피식 웃은 리히튼이 가볍게 어깨를 으쓱였다.

"내가 하려는 말은, 무엇이든 반대로 생각하면 이해하기 쉽다는 거야. 내가 윌 백작을 사랑스러운 여동생을 대하듯 아즈마리아… 라고 부른다든가. 비슷한 경우로 나타샤 밀레오나를 나타샤 부를 수 있겠지."

그 빌어먹을 나타샤 어쩌고. 사람이 사람을 좋아하는 마음에 토를 달 수는 없다지만, 그 상대가 내 남자라면 이야기가 달라진다. 아즈마리아 윌은 제 일로 바쁘다는 걸 알고 있기 때문인지 별 생각이 들지 않지만, 나타샤는 아니었다. 여름 연회에서 리히튼을 훔쳐보던 그 여자의 눈이 아직 잊히지 않았다. 한데 친근한 척 이름을 부르겠다고? 상상만으로도 끔찍했다.

"좋아, 리히튼. 내가 노력할게. 노력할 수 있어. 아마도."

마땅한 반응이라는 듯 고개를 끄덕인 리히튼이 가슴 앞에 그러쥔 내 한쪽 손을 가져가 입을 맞추었다.

"자비로운 판단에 감사드립니다, 캐롤드 영애."

날 향한 눈이 어쩐지 '장난도 상대를 봐 가면서 해'라고 말하는 기분이 든다. 몸을 일으킨 리히튼이 덥다며 창문을 열었다. 그리고는 곧장 하녀를 불러 차와 다과를 준비시켰다. 차와 우유, 다과가 차려지자 리히튼의 복장은 더욱 간소해졌다. 타이를 완전히 풀어 내 침대 위로 내던졌다. 그에 더해 베스트까지 풀어헤친 탓에 손님은 그가 아닌 나로 느껴질 정도였다. 리히튼은 셔츠의 소매를 접으며 방 안쪽에 마련된 책장을 둘러보곤 짧은 감상을 남겼다.

"죄다 삼십 년쯤 된 책들이야."

그러고는 그중의 하나를 집어 읽기 시작했다.

'황당해라.'

솔레르가 말한 연인이란 게 이런 건가? 생에 처음으로 들르는 여자의 방에서 대수롭지 않게 옷을 벗고 차를 마시며 책을 읽는?

'…처음이 아닐 수도 있지.'

리히튼은 누가 봐도 매력적인 남자다. 그만큼의 권력과 부, 더불어 미모를 지닌 남자는 그렌페르크에 리히튼 잉고르드가 유일했다. 잉고르드의 혼처를 구한다는 소식에 온 제국이 떠들썩해질 정도였으니 말 다 했다. 이토록 다 갖춘 남자를 마음에 둔 여자가 과연 나뿐이었을까? 여자의 침실에서 이렇게나 자연스러울 수 있는 건, 그만큼 많은 여자와 함께 해 왔기 때문일 수 있지 않을까? 그의 어깨에 기대어 눈에 들어오지도 않는 글자를 훑다가 말했다.

"익숙해 보이네."

"어느 부분이?"

"그냥, 전부."

리히튼의 시간이 열네 번 반복될 동안, 그가 다른 여자에게 마음을 품지 않았으리란 보장은 없었다.

'오히려 그게 더 나을 수도.'

이상한 일이다. 내가 사랑하는 남자가, 과거에 다른 여자를 사랑했을 수도 있다는 가정에 마음이 놓이다니. 리히튼의 평생이 나만을 위해 소모되지 않았기를 바라기 때문일까? 그렇다고 해서 그의 입으로 직접 확인받고 싶지는 않았다. 알면 더 비참하고 죄책감이 들 것 같았다. 이 역설적이면서도 이중적인 사고를 지속하다 보면 내가 얼마나 이기적인 사람인지 속속들이 알게 된다. 하기는. 그 정도로 이기적이니까 리히튼을 이용해서 여기까지 올 수 있었던 거겠지. 느리게 종이를 넘기며 리히튼이 속삭였다.

"이 방에 여러 번 오기는 했었지. 정확히 언제였는지도 기억나. 캐롤드 가문이 재건된 건 이번이 네 번째니까. 그러니 적어도 네 번 이상은 왔겠어."

아.

'그래서 익숙했던 건가.'

나도 모르게 안도의 한숨을 내쉴 뻔했다. 리히튼은 그런 내 속이 훤하다는 듯 말했다.

"네 생각을 맞춰 볼까? 뻔해. 내가 다른 여자들의 방을 제집 드나들 듯 나돌아 다녔을 거라 여겼겠지."

부정하지 않았다. 리히튼이 그런 내 속앓이를 알아주었으면 하는 마음도 있었다.

"이해해, 아그레인. 기억하는 건 나고, 너는…. 어쩌면 그런 나의 욕심으로…."

그는 말을 말았다. 대신 책장을 넘기던 손을 뻗어 자신의 어깨에 기댄 내 턱과 귓바퀴를 매만졌다.

"내가 너였다면, 내가 모르는 너의 과거를 절대 참을 수 없었을 거다."

마치 내가 잘 참고 있다는 듯 말하기에, 조심스레 지분거리는 손을 쳐내고 물었다.

"그래서 그런 적이 있었다는 거야, 아니라는 거야?"

"머리 좋잖아? 네가 직접 맞춰 봐."

"나는 똑똑하지 않아. 누구보다 네가 제일 잘 알 거야."

페사에서의 일이 있은 직후 나는 리히튼의 말이 옳았다는 걸 인정할 수밖에 없었다. 리히튼의 손에 모든 걸 맡기는 것이 가장 깔끔하고 완전한 복수가 되었으리란 사실을. 그렇다고 지나온 과거를 후회하지는 않았다. 아마 나는 여기서 또 한 번 시간이 돌려지더라도 지금과 똑같은 선택을 할 것이다. 확실했다. 나 스스로를 던져서 죽이든 죽임을 당하든 결국 끝을 보고야 마는…. 리히튼 역시 그 사실을 알면서도 질기도록 반복해 왔을 거란 생각이 들었다. 오직 나를 위해서.

"쯧. 그런 어울리지 않는 자책을⋯."

그가 책을 덮었다.

"자책이 아니야, 리히튼. 인정하는 거지. 네가 없었으면 여기까지 오지 못했을 거야. 어떻게 생각하면 나는 결국 너를 이기지 못한 거네."

나는 내 손으로 모든 걸 끝낼 수 있는 줄 알았는데, 결국 아니었으니까.

"네가 나를 이길 수 없다고?"

등받이에 기대고 있던 상체를 일으킨 그가 얼토당토않다는 표정으로 나를 바라봤다. 할 말이 많은 눈이었으나, 이내 그는 눈꺼풀을 지그시 닫고 등받이에 몸을 기댔다.

"아니야, 그래⋯ 좋아. 내게는 네가 네 스스로를 무지하다 여기는 것만큼 좋은 일이 없지. 앞으로도 계속 그렇게 상냥한 심성을 지니도록 해."

리히튼이 내 이마에 입을 맞추었다.

"⋯상냥한 심성? 혹시 한바탕 뒤엎어 버리라는 의미?"

똑똑하지 않다고는 했지만, 그렇다고 나는 나를 무지하다고 표현한 적이 없는데. 별 의미 없이 넘기기에는 머릿속 한구석이 찝찝해지는 말이었다.

"진정해. 널 비꼬려는 의도는 아니니까. 물론 나는 네가 뭘 해도 좋지만."

그는 진심의 진심이라는 표정과 함께 내 이마에 다시 입을 맞추었다. 어쩐지 리히튼에게 유린당하는 기분이다.

"과거에 내 방에는 뭐하느라 왔었던 거야?"

"병문안."

리히튼은 아예 내 옆에 거머리처럼 달라붙어 앉았다. 여름 햇빛에 투명하게 빛나는 그의 눈동자색은 호우가 몰아치는 하늘의 흐릿한 청색이었다.

"또 네가 죽지는 않았을까 확인하러 온 적도 있고. 내가 이 방에 너를 감금했었으니까.”

감금?

“미쳤어?”

“미쳤느냐고? 그때의 네가 빌힐름에 미쳐 있기는 했지. 늘 눈이 벌게져 있어서, 그 눈을 볼 때마다 돌아 버릴 것 같던 기억이 아직도 생생해. 그 외에는⋯.”

내 몸이 그의 체중에 눌려 소파 위로 쓰러졌다. 쏟아지는 역광에 은빛에 가까운 그의 백금발이 찬란하게 흔들렸다. 리히튼은 가벼운 손짓으로 내 턱을 건드렸다. 장난기가 여실한 웃음이 순식간에 가까워졌다.

“보통 그 짓거리를 하러 왔던 것 같군. 그래, 그런 날이 대부분이었지.”

그는 내 입술이 아닌 목 근처에 얼굴을 묻었다.

“웃, 아파!”

이어지는 따끔한 고통에 몸을 떨며 밀어내려 했지만, 리히튼의 단단한 상체가 내게 밀려날 리 없었다. 옅은 웃음이 귓가에서 흩어졌다.

“나는 네가 아픈 게 좋아. 아프면 내게 매달려 오니까⋯.”

“소름 끼치는 소리하지 마.”

“소름 끼쳐? 그래도 앞으로는 익숙해져야 해. 이게 내 진심이니까.”

어처구니없다는 눈으로 바라봤지만, 그는 웃기만 했다. 나는 목 아래의 얼얼한 통증을 느끼며 그에게 물었다.

“제대로 된 기억은 없는 거야? 적어도 내가 미치지는 않았던⋯.”

없었다고 대답할까 봐 무서웠다. 하지만 그는 편안한 호흡을 내쉬며 내 어깨에 이마를 기대곤 말했다.

“너와 내가 늘 파국이었던 건 아니야, 아그레인. 때로는 심장이 저릴 정도로 낭만적이기도 했거든.”

나른한 목소리가 여름의 황금빛으로 물든 천장화 아래에서 울린다. 나는 가만히 눈을 감고 그의 목소리에 귀를 기울였다.

"하얀 보름달이 뜬 밤, 네 방 창문을 통해서 여기로 들어왔던 날이 떠오르는군. 늦은 봄의 따스한 바람이 불 때마다 저 커튼이 흔들렸지."

기다란 손가락이 목 아래를 더듬더듬 타고 올라와 입술 위에 머물렀다.

"우리는 밤새 입을 맞추고."

그리고 그대로 뺨을 쓸어내리다 눈가를 더듬었다.

"서로를 위로한 후에…."

부드러운 손끝이 눈썹 뼈를 훑고, 콧등을 타고 내려와 다시 입술 위로 떨어졌다.

"영원한 사랑을 맹세했었어. 그리고 나는 밤새 네 곁을 지키다가 해가 뜨기 전에 캐롤드를 나갔지. 전부 빌힐름에게 빼앗기기는 했지만."

잠시 침묵이 머물렀다. 내려앉은 고요함에 눈을 떴을 땐, 리히튼이 내 머리 양옆을 짚고 나를 내려다보고 있었다.

리히튼은 한참 만에 다시 입을 열었다.

"옛 이야기를 할 때마다 너는 꼭 그런 표정을 지어."

"어떤 표정?"

"죄를 지은 것 같은 표정."

목이 막혀 여러 번 침을 삼킨 후에야 대답할 수 있었다.

"아마 잘 본 게 맞을 거야."

굳은 표정과 함께 리히튼이 내 몸을 일으켰다. 나는 힘겹게 그와 눈을 마주했다. 속내를 털어놨기 때문일까? 그의 앞에서 발가벗겨진 것 같은 착각이 들었다.

과거의 이야기는 나의 흥미와 죄책감을 동시에 자극했다. 그를 향한 사랑을 인정하니, 그만큼 나약해져가는 마음 또한 여실히 느껴졌다. 나는 이런 내가 낯설었다. 약해지기 위해 나를 걸고 복수한 게 아니었다. 예전과 다른 내가 된 것 같아 때때로 그에게 마음을 내준 것이 후회됐다. 그렇다고 지나온 시간을 없던 일로 하고 싶은 건 아니라, 마음이 깊어지면 깊어질수록 바닥 없는 물가에서 힘이 빠져 가는 기분이 든다. 가만히 나를 응시하던 리히튼이 내 목덜미를 천천히 끌어당겼다.

"이런 말을 하는 건 모두 너를 믿기 때문이야. 네가 남은 평생을 나와 함께할 거라 여기기 때문이라고."

그의 숨이 콧등 위로 떨어지는 게 느껴졌다. 그는 나긋한 목소리로 대답을 재촉했다.

"그럴 거잖아, 아그레인."

"응."

서서히 눈꺼풀을 감자, 리히튼이 기다렸다는 듯 입을 맞추었다. 그 순간만큼은 머릿속을 복잡하게 수놓던 번거로운 사념들이 흔적도 없이 사라졌다. 정신없이 숨을 나누다 보니 내 몸은 어느새 소파가 아닌 침대에 누워 있었다. 리히튼은 부드러운 입맞춤과 정반대되는, 거칠고 사나운 움직임으로 셔츠 단추를 풀어헤쳤다.

"나는 네가…."

단단한 그의 맨몸이 나의 허리를 더 가까이 끌어당겼다.

"사실은, 더 깊은 죄책감을 느꼈으면 해."

정신이 혼미했다. 나는 그저 리히튼이 이끄는 대로 몸을 움직였다. 그것만으로도 세상이 뒤집힌 것처럼 발끝이 뜨겁고 호흡이 가빠졌다.

"그 죄책감이 너의 족쇄가 되었으면 좋겠어."

"아…."

"그럴 수만 있다면 이번 생에도 기꺼이 나를 바칠 텐데."

사랑해, 리히튼. 나의 고백에 그가 웃었다. 눈을 뗄 수 없을 정도로 진득하고 내 심장을 조이는 현혹적인 웃음.

"그러니 아그레인, 너는 내게 평생을 미안해하도록 해. 평생, 영원히."

어쩌면 조소처럼 느껴지기도 하는 그 미소가, 나에게 깊은 안도감을 선사했다.

어렴풋이 눈을 떴을 땐 하늘이 이미 어두워질 만큼 어두워진 후였다. 시침은 자정에 가까운 시각을 가리키고 있었으나, 깊은 잠에 들었다가 깨어난 것처럼 정신이 맑았다.

"늦게도 일어났군."

리히튼은 밝은 등불을 곁에 둔 채 책을 읽고 있었다. 나는 어기적거리며 일어나 그의 어깨에 머리를 기대고 앉았다. 리히튼은 그런 내 앞으로 물이 든 잔을 밀었다. 하지만 나에게는 고작 잔 하나도 들 기력이 없었다.

"먹여 줘."

리히튼은 망설임 없이 물을 들이켜고 내게 입을 맞추었다. 엉겁결에 입술을 벌리자 미지근한 물이 마른 입 안을 적시며 들어왔다. 이런 식으로 먹여 달라는 게 아니라, 잔을 입가에 대 달라는 뜻이었는데. 뻔뻔한 얼굴을 보니 따지기도 귀찮아졌다. 몸을 일으킨 리히튼이 침구를 끌어와 내 몸을 감쌌다. 목까지 꼼꼼하게 덮으며 타박하는 음성이 다소 느긋했다.

"아그레인. 아무리 침실이라도 벌거벗고 돌아다니지 마."

"몸이 피곤해."

"그렇게 자 놓고 피곤하다니. 애가 다 됐군."

다시 자리에 앉은 그가 읽다 만 책을 펼쳤다. 이번에는 어깨가 아닌 허벅지에 머리를 눕히며 물었다.

"안 잤어?"

리히튼은 대수롭지 않다는 듯 대답했다.

"너와 달리 나는 하고 난 후에 더 활기가 도는 편이라서."

"그래 보이네."

억울했다. 누구는 여섯 시간을 넘게 자도 죽을 만큼 노곤하고, 누구는 자정까지 두 눈이 말똥하고.

"그래서, 어제 모리타트와는 무슨 이야기를 하던 거였어?"

리히튼은 무언가 단단히 불편하다는 듯 미간을 좁혔다.

"모리타트?"

…아, 그렇지. 나는 뒤늦게 모리타트의 호칭을 정정했다.

"아니, 모리타트 공작과."

그의 기다란 손가락이 책의 모서리를 툭툭, 건드렸다.

"안 그래도 네게 말하려 했는데 잘됐어. 황성의 별채는 곧 폐쇄할 거다. 머리의 주인을 식별해서 각 가문에 돌려보낼 예정이야. 대개 잉고르드 아니면 캐롤드의 것이겠지만."

황실 별채 지하에 마련된 그 끔찍한 실험실. 그간 까맣게 잊고 있던 이야기였다. 나는 페사에 묻고 온 발레리아의 머리를 떠올렸다. 제정신이라 하기엔 한창 넋 놓고 있던 시기라, 마지막으로 확인한 발레리아가 어떤 얼굴이었는지 또렷하게 기억나지 않았다. 지금쯤 무덤 위로 수풀이 무성하게 자라 있겠지. 텅 빈 유리병을 버리고 왔던 기억을 되새기니 감정이 가라앉았다.

"그거 아나? 잉고르드와 캐롤드 가문에 안치된 관은 그 수가 턱없이 부족해. 유서 깊은 집안의 기록이라 여기기에는 한참 적지."

리히튼의 말이 맞았다. 캐롤드는 자손이 워낙 귀해, 가계도에 적힌 이름이 많은 편은 아니었으나 저택에 안치된 관의 수는 더더욱 적었다. 이유는 명료했다.

"모두 그 성 아래 묻혔으니까."

"때문에 장례에 발생하는 비용은 모두 황성에서 책임질 거다. 킨도 대강의 진행 사항은 알고 있을 테니, 곧 적당한 자리를 비워 두겠지."

"누가 누구인지 구분할 수 있을까?"

리히튼은 고개를 주억였다.

"레그윈 황실은 멍청하지 않아. 별채에는 당시 희생된 모든 이의 이름과 외양이 빼곡하게 정리되어 있지. 모르고 싶어도 모를 수 없을 정도로."

리히튼은 정말 모르는 게 없구나. 그렇다면 그 살생부에 수잔의 이름도 적혀 있을까?

'나보다 조금 더 갈색에 가까운 머리칼이라고 했지.'

만약 구분할 수 있다면, 그 애의 머리는 내 관 바로 옆에 두고 싶었다.

"그게 정리되면 정말 모든 게 끝나는 거야."

리히튼의 눈은 오로지 책에만 고정되어 있었으나, 나는 그의 목소리에서 희미한 무상함을 느꼈다. 언제나 그러했듯, 리히튼이 정확하게 어떤 생각을 하고 있는지는 알 수 없다. 하지만 나는 그런 그를 안아 주고 싶었다. 긴 고난을 끝낸 뒤, 불현듯 찾아오는 허무함을 느끼지 않도록.

"응. 그렇네."

몸을 둘둘 감싼 침구를 힘겹게 풀고, 그의 등을 껴안았다. 리히튼은 그런 내 얼굴을 힐끔 바라보다가 코끝을 깨물었다. 이번에는 몸을 빼지 않고 조용히 얼굴만 구겼다. 살풋 웃은 그가 코끝을 비볐다.

"가끔 궁금해, 리히튼."

"내 몸이?"

침구 안쪽으로 팔을 두른 그가 내 허리를 당겨 밀착했다. 그러고는 능숙한 눈짓으로 몸을 훑는데, 이제 익숙해졌는지 뭐라 할 마음도 들지 않았다.

"그건 이미 알 만큼 알지 않을까?"

리히튼이 한 손에 쥐고 있던 책을 다시 테이블 위에 덮었다. 내가 곁에 앉은 뒤로 계속 육십일 페이지에 고정되어 있던 책은 이제 그의 머릿속에서 완벽하게 잊힌 듯했다.

"아니, 한참 남았어. 평생을 보여 줘도 부족하니 지금부터라도 분발해야 해."

작게 웃자, 가슴 위로 얼굴을 묻으려던 그가 진중한 눈으로 고개를 들었다.

"못 믿어? 믿게 해 주지."

"아니야, 믿…."

그의 입술이 내 호흡을 틀어막았다. 리히튼이 곱게 걸쳐 입었던 셔츠를 다시 벗기 시작하면서 우리는 또다시 몸을 겹쳤다. 지친 내가 반쯤 앓는 소리를 내서야 아쉬움 가득한 버드키스를 남기고 떨어졌다.

"너는 너무 약해. 네 몸도 네 정신만큼 강하면 좋을 텐데."

그게 아니야. 너의 그… 건강함은 어떤 여자라도 버틸 수 없을걸. 나는 그리 말할 기운도 없어 침구 안으로 몸을 웅크렸다. 짧게 혀를 찬 리히튼은 내 몸을 다시 눕혔다. 그가 내 옆에 나란히 눕자, 익숙했던 침실의 풍경은 전혀 다른 분위기를 풍겼다. 리히튼이 곁에 있다는 것만으로도 고요한 방에 생기가 도는 기분이었다. 평소에는 잘 들지 못했던 잠도 이상하게 별똥별처럼 우수수 쏟아졌다. 머릿속이 몽롱하니 어쩐지 꿈을 꾸는 것 같기도 했다. 그러다 문득 그런 의문이 들었다. 과거의 '나'는 과연 어떤 용기로 죽을 수 있던 걸까? 대체 어떤 미래를 봤기에, 스스로 목숨을 포기할 수 있던 걸까?

"내가 본 미래 말이야, 리히튼."

나는 녹진한 몸을 끌어 리히튼의 몸 위로 올라탔다. 함께 천장을 올려다보던 리히튼이 내 허리에 팔을 둘러 쓰러지지 않도록 지탱했다.

"지금의 내가 아니라…."

지금의 내가 아닌, 리히튼 너를 이곳까지 이끈 아그레인 캐롤드.

"너와 처음으로 만났던 나. 누구를 말하는지 알겠어?"

"알아. 너잖아."

그렇기는 하지.

"그래, 맞아. 내가 본 미래."

너를 내게 데려온 아그레인 캐롤드. 그녀가 보았던, 우리의 미래. 너를 그 끔찍한 지옥 속으로 내몰도록 한 그 미래.

"어떤 장면을 봤던 걸까?"

짧은 정적의 끝에서, 리히튼은 대수롭지 않은 음성으로 말했다.

"지금 이 순간일지도."

리히튼은 쭉 뻗은 팔로 내 등허리를 부드럽게 쓸어내렸다.

"혹시 몰라. 내 위에 올라타, 나를 정복하는 너를 보며 모든 복수로부터의 자유를 직감했을지."

진득한 웃음 한 점 없이 뱉은 말에는 미묘한 진중함이 녹아들어 있었다. 농담이 아닐 수도 있다고 생각하니 웃음이 나왔다.

"정말 아무 말이나 막 하네."

리히튼의 표정은 여전히 무덤덤했다. 왜인지 조금은 가라앉은 것처럼 느껴질 정도였다. 그는 곧 자신의 얼굴을 주무르고 있던 내 손을 잡아당겼다. 그리고 경고하듯 속삭였다.

"네 선택을 막지는 않겠어. 하지만 확인하려면 내가 보는 앞에서 행동해."

…역시 내 속을 훤히 읽는다니까. 리히튼의 손에 잡힌 나의 손등을 내려다봤다. 작은 생채기 하나 보이지 않지만, 지금껏 미래를 확인해야 한다는 이유로 칼날에 서너 번 뚫려 온 살갗이었다. 아마, 지금도 그때와 똑같이 행동한다면 미래와 더불어 과거도 확인할 수 있겠지. 나는 곧 고개를 저었다.

"아니야. 그 정도로 궁금하지는 않아."

"네 의문은 자연스러운 거야, 아그레인. 억지로 막을 필요는 없어."

하지만 네 표정이 좋지 않잖아. 다시 고개를 젓고 리히튼의 품으로 쓰러졌다. 그가 나를 걱정하지 않았으면 했다. 누군가의 상태를 염려한다는 게 얼마나 고통스러운 일인지 잘 아니까.

'예전 같았으면 마음먹은 즉시 찔렀을 텐데.'

역시 마음을 내준다는 건 사람을 약하게 만드는 행위다. 하지만 나는 이제야 인정하게 된 이 약점을 포기하고 싶지 않았다.

나는 너른 풀밭 위에 서 있었다. 내겐 너무나 익숙한 풍경이었다. 지금은 캐롤드 후작저가 된 별장의 후원을 지나서, 언덕으로 올라가면 보이는 세상이었으니까. 하늘은 불길이 타오르듯 붉기도 했고 가을 하늘처럼 푸르스름하기도 했다. 나는 그 너른 하늘을 멍하니 올려다봤다. 어쩐지 가슴 안쪽이 참기 힘들 정도로 벅찼다. 숨을 참지 않으면 눈물이 나올 것 같기도 했다.

[아그레인.]

나를 부르는 사랑스러운 목소리에 몸을 돌렸다. 아름다운 캐롤드의 별장과 장미꽃이 만발한 후원을 배경으로 리히튼이 서 있었다. 다가온 그는 조심스럽게 내 손을 잡아끌었다.

[나는….]

그리고 무어라 입을 열었지만, 내 귀에는 들리지 않았다. 바람 소리가 멀어지면서 시야가 어두워졌다. 나는 이 느낌을 아주 잘 알고 있었다. 깊은 꿈에서 깨어나는 감각이었다.

"윽."

숨이 가빴다. 얼어 있던 혈관에 뜨거운 피가 돌았다. 머릿속이 맑아지자, 잊고 있던 손등의 통증이 선명하게 되살아나기 시작했다. 나는 이를 악물며 몸을 일으켰다. 천으로 다소 헐렁하게 묶인 손등이 굳은 피로 붉다 못해 새까맸다.

'아파.'

잠에 들기 직전의 새벽. 나는 리히튼이 잠든 틈을 타, 결국 손등에 상처를 남겼다. '그날' 본 미래에 대한 궁금증으로 도저히 잠들 수가 없었던 것이다. 손등에 상처를 입힌 후 쓰러지기 직전에 급히 지혈을 해 두긴 했으나, 상태가 영 좋지 않았다. 피와 함께 굳은 천을 떼어 내려면 고생을 조금 해야 할 듯했다. 그래도 그 덕분에 몇 시간 내리 내 머릿속을 괴롭혔던 의문에서 해방될 수 있었다.

'그 장면이 내가 처음으로 봤던 미래.'

여명이 떠오르는 하늘과 푸른 언덕. 그리고 나를 불러 세우던 리히튼까지.

'생각했던 것보다 훨씬….'

별거 아니었다. 그 미래 하나로 리히튼에게 모든 걸 걸었었다고? 어째서? 과거의 나는 그 꿈의 어느 부분에서 『태양이 흐르는 강』의 고리를 끊어낼 수 있다고 생각한 걸까?

속이 답답했다. 나는 던져두었던 의복을 대충 걸치고 방을 나왔다. 시각은 아직 스산함이 옅게 감도는 이른 오전이었다. 들리는 것이라곤 맑게 우는 새소리가 전부였다. 내 두 다리는 후원을 지나 꿈에서 마주했던 그 언덕 위를 오르고 있었다. 종일 늘어져 있던 몸으로 오르려니 두 다리가 후들거렸지만, 어쩐지 저 너머의 풍경을 눈에 담고 싶었다.

"하아, 하아."

그렇게 도달한 언덕 끝에서, 시야에 넘치듯 들어온 하늘은 장미꽃처럼 붉으면서 수레국화처럼 푸르렀다.

이거였구나.

"아그레인."

그때였다. 마치 이 순간만을 기다렸다는 듯, 누군가 내 이름을 불렀다. 고개를 돌리니 어느새 뒤따라온 리히튼이 걸음을 멈춰 서 있었다. 그래, 이거였어. 아아… 이거였던 거야. 다가온 그는 조심스럽게 내 손을 잡았다. 굳은 피로 엉망이 된 오른손이었다.

나는 깊게 숨을 들이켜고 입술을 깨물었다. 그리하지 않으면 눈가가 붉어질 것 같았다. 이윽고 리히튼이 조용히 입을 열었다.

"나는…."

그의 고요한 목소리는 기어코 내 심장을 건드렸다. 흘러나오는 언어 하나하나가 내 귀에 또렷하게 틀어 박혔다. 기쁘기도 했고, 슬프기도 했다. 이제야 이 순간이 온 것에 대한 아쉬움과 마침내 이 순간이 도래했다는 벅참이 공존했다. 코끝이 시큰해짐을 느끼며 울음을 참기 위해 입술을 깨물어야 했다. 그가 말을 마친 후에야 나는 힘겹게 대답할 수 있었다.

"응."

동시에 참지 못한 눈물이 뺨 위를 타고 흘렀다. 리히튼은 그런 내 얼굴을 한참 동안 바라보다, 고개를 내려 입을 맞추었다. 그와 나누는 숨결은 입술이 떨릴 만큼 황홀했다. 이대로 죽어도 좋을 만큼.

얼마나 지났을까? 예고도 없이 소나기가 쏟아졌다. 리히튼의 손을 꽈악 잡은 채 멍청히 서 있던 나는 비에 홀딱 젖은 채 돌아와야 했다. 언덕에서 바라본 하늘은 푸르렀다 해도, 등 뒤의 흐릿했던 회색 구름을 인지하지 못했던 탓이다.

"세상에. 아가씨, 괜찮으세요?"

저택에 들어온 즉시 계단 위쪽에 있던 하녀, 셰즈가 허겁지겁 뛰어왔다.

"잠시만 기다리세요!"

리히튼을 힐끔 살핀 그녀는 당부의 말과 함께 주방 쪽으로 사라졌다. 젖은 머리의 물기를 짜며, 마찬가지로 짧게 머리를 털고 있는 리히튼을 바라봤다.

'…아아.'

셰즈가 왜 그를 두어 번 훔쳐봤는지 알 수 있을 것 같았다. 그의 얇은 여름 셔츠가 홀딱 젖어, 안쪽 상체가 훤했던 것이다. 굴곡진 가슴과 그 아래의 경계, 두터운 어깨가 흐릿한 경계 하나를 두고 선명하게 드러나 있었다. 나는 다급한 마음에 그의 등을 계단 쪽으로 밀어냈다.

"왜?"

하지만 리히튼은 무슨 일이 있냐는 듯, 의문 서린 눈으로 내 허리를 잡아끌 뿐이다. 물기가 느릿하게 흐르는 얼굴을 보니 평소의 그보다 조금은 노곤하면서 나른해 보였다. 누가 보지는 않을까, 조바심이 나 다시 밀어냈지만 여전히 꼼짝도 하지 않는다. 그 사이에 셰즈가 도착했다. 그녀의 품에는 막 세탁된 하얀 침구가 안겨 있었다.

"여름 감기는 독해요, 아가씨. 아가씨는 몸이 약하시니까 이런 날에 조심하셔야 한다고요. 이걸 몸에 두르고 방에서 기다리고 계세요. 저희가 곧 데운 물을 가지고 올라갈…."

키 작은 셰즈가 두 발로 힘껏 까치발을 서 내 어깨에 이불을 둘러 주려 할 때였다.

"내가 하지."

다가온 리히튼이 그녀의 손에서 이불을 가져갔다. 부드러운 움직임이었지만 어쩐지 거부할 수 없는 압박감이 느껴졌다.

"아, 네."

셰즈는 그의 눈치를 살피다가 허리를 숙이고 사라졌다. 그녀의 등에 고정된 내 시선을 리히튼이 가로막았다. 그는 방에서 그러했듯, 마른 침구로 내 몸을 감싸고 안아 들었다. 아무리 보는 눈이 없다고 해도 민망했다.

"걸을 수 있으니까 내려 줘, 리히튼."

"그걸 모르는 사람은 여기 없어. 됐으니 얌전히 있어."

그러고는 날 안은 손에 더 강한 힘을 주는데, 도저히 그 힘을 떨쳐내고 발버둥 칠 수가 없었다. 그는 내 말에 껌뻑 죽을 것처럼 굴다가도 가끔씩 이렇게 제멋대로 굴었다.

리히튼은 그리 낮지도 않은 계단을 두 개씩 성큼성큼 올라갔다. 걸음이 워낙 빨라 그의 목에 팔을 두르고 바짝 붙어 있어야 했다. 그는 한쪽 팔로 아무렇지 않게 문을 열고 나를 의자에 앉혔다. 이러다가 벽난로에 불까지 켜는 건 아닐까 싶었는데, 다행히 그런 일은 없었다. 다만 손등이 욱신거렸다.

'하아.'

아무렇지 않은 척, 이불 아래에 손을 숨기고 리히튼의 행동을 눈으로 좇았다. 아까까지만 해도 괜찮았던 것 같은데 손등에 빗물이 닿아서 그런지 그을린 듯 화끈했다. 욕실 쪽을 확인하던 리히튼이 그런 내 얼굴을 보고 지나가듯 말했다.

"내게 한 소리 들을까 봐 겁먹은 눈인데. 그런 주제에 잘도 제멋대로 행동하기로 마음먹었군."

나는 불에 덴 것처럼 급히 시선을 돌렸다. 사람의 마음을 어떻게 저리도 쉬이 알아채는 건지 모르겠다. 다른 사람들 앞에서는 곧장 표정을 잘 숨기곤 했는데 그의 눈에만 어리숙해 보이는 걸까?

"미안, 일부러 그런 건 아니야. 머릿속 한구석에 계속 떠올라서…."

"변명하는 건가? 나쁘지는 않으나 그럴 필요 없어, 아그레인. 이미 예상한 일이니까."

벽에 기대고 있던 리히튼이 셔츠의 단추를 천천히 풀었다. 손이 미끄러운지 아주 느릿한 행동이었다.

"하지만 다음은 안 돼. 내가 보는 앞에서 미래를 보는 게 아니라면 허락하지 않아."

그 말에 기분이 살짝 욱했다. 내가 마치 애라도 된 양 구는 그가 조금 답답했다.

"과보호하지 마, 리히튼. 어차피 금방 나을 몸이니 과도하게 신경 쓸 필요 없어. 이 짓거리가 한두 번도 아니고."

젖은 셔츠의 마지막 단추를 풀던 그의 손이 딱딱하게 굳는다. 리히튼은 다소 황망한 표정으로 입을 열었다.

"너는…."

그의 반응이 어둡고 무거웠기 때문일까? 나는 무엇이 문제인지도 모른 채 입을 다물어야 했다. 그는 나를 탓하는 목소리로 말했다.

"너는, 내 생각은 전혀 하지 않는 건가?"

그럴 리가. 무언가 오해가 생긴 것 같았다. 하지만 그 오해를 풀기 전에 노크 소리가 들렸다. 데운 물을 가지고 올라온 셰즈임이 분명했다. 나는 리히튼의 눈치를 살피며 대답했다.

"들어와."

덜컥, 열린 문과 함께 대여섯 명의 하녀가 커다란 나무통 두 개를 들고 들어왔다. 흘러넘칠 듯 일렁이는 수면에서 하얀 김이 올라왔다.

"데운 물을 가져왔어요, 아가씨. 제가 아가씨의 목욕을 도울 테니…."

방 안쪽으로 들어오려던 셰즈가 말을 멈추었다. 리히튼의 존재를 알아챈 셰즈는 멍하니 서 있다가 황급히 고개를 돌렸다. 그리고 미약하게 흔들리는 음성으로 말했다.

"아, 고, 공작 각하께서 계시는군요. 목욕은 나중에 하실 건가요?"

"아니. 내가 목욕 시중을 들 테니 놓고 가도록."

대답은 내가 아닌 리히튼에게서 나왔다. 깜짝 놀란 셰즈가 두 눈을 질끈 감는 동안, 나는 당혹감을 숨기지 못하고 되물었다.

"뭐?"

리히튼의 표정은 확고했다. 그와 반대로, 셰즈는 듣지 말아야 할 말을 들은 것처럼 낯이 창백해져 있었다. 미혼의 귀족 여식이 혼인 상대가 아닌 연인을 두는 것은 만연한 일이다. 다만 거기에는 두 가지 명제가 필요했다. 외동딸이 아닐 것. 공공연한 비밀의 연애일 것.

첫 번째의 경우는 이후 탄생할 후계자의 출신을 확실히 하기 위해서였다. 가주의 혼전 임신은 가문의 명예를 추락시키기 때문에, 외동딸을 둔 부모가 가장 신경 쓰는 부분이기도 했다. 두 번째의 경우는 단순히 체면을 위해서였다. 이는 가주가 남자든 여자든 동일하게 적용되는, 사교계의 암묵적인 규칙과 다름없었다.

하지만 상대가 미혼의 잉고르드 공작이라면 이야기는 달라진다. 나는 이미 혼기가 넘어갔다. 가문의 후계자가 아닌 귀족 여식은 혼기가 넘어가면 많은 것들을 포기해야 했다. 졸부 혹은 한참 부족한 가문에 시집가거나 황성으로 들어가 황족의 시중을 드는 이들이 대개였다. 그중에서 그나마 나은 건 변변찮은 가문의 안주인이 되는 것이었다. 변변찮아도 귀족 가문이기는 하니까.

그러나 내가 리히튼과 연인 관계임이 소문난다면 그조차 불가능해질 것이다. 셰즈는 아마 그런 점을 걱정하는 듯했다. 내가 정말로 노처녀가 될까 봐. 사교계에서는 노총각 노처녀만큼 폄하되는 이들이 없었다.

"아가씨. 물은 다시 가져… 갈까요?"

셰즈는 내게서 긍정의 답을 바라는 눈치였다. 그러나 그녀의 그러한 반응은 리히튼의 반감을 산 듯했다.

"캐롤드의 하녀들은 말을 두 번 해야 알아듣나?"

단추를 다 풀어낸 리히튼이 문손잡이를 잡고 섰다.

"놓고 나가."

셰즈와 다른 하녀들은 리히튼을 차마 바라보지 못하고 바닥만 내려다봤다. 그의 다소 억압적인 어투가 두려웠는지, 셰즈가 걱정스러운 눈으로 말을 더듬었다.

"아, 아가씨."

무엇이 리히튼의 심기를 건드린 걸까? 과보호하지 말라는 말? 신경 쓰지 말라는 말? 아니면, 이 짓거리도 한두 번이 아니라는 자조 섞인 말? 무엇이든, 그의 마음을 불편하게 했다면 내 탓이 맞았다. 리히튼은 이제껏 단 한 번도 나를 실망시킨 적이 없지 않은가. 나는 리히튼의 옆에 서서 셰즈의 어깨를 쓸었다.

"괜찮아. 그와 나는 연인 사이야. 물만 놓고 돌아가도 좋아. 괜히 킨에게 알려서 소란스럽게 하지 말고."

불안해하던 셰즈는 결국 내 명에 따라 데운 물만 옮기고 방을 나갔다. 문이 닫히고, 리히튼의 등은 곧장 욕실로 향했다. 다소 신경질적으로 벗겨진 셔츠가 의자 위로 던져졌다. 나는 그 뒤를 따르며 한숨을 삼켰다.

'그래. 나 같아도 그에게 신경 쓰지 말란 소리를 들으면…'

빈말로도 좋다고 말하지 못할 것이다. 걱정 말라는 의미였는데, 아무래도 표현이 잘못됐던 것 같다.

"아그레인."

주춤하는 사이 리히튼이 내 이름을 불렀다. 나는 조심스러운 걸음으로 욕실에 들어갔다. 욕조에는 이미 따뜻한 물이 채워져 있었다.

"벗어."

"…정말 시중을 들 생각이야?"

"그럼 거짓말일까?"

팔짱을 낀 리히튼이 내게 턱짓했다. 나는 차마 그에게 됐으니 어서 나가라고 소리칠 수 없었다.

"설마 내가 네게 나쁜 짓이라도 할까 걱정하는 건가? 다른 사람도 아닌 내가 너에게?"

"그건… 아니야."

머뭇거리며 두르고 있던 이불을 내렸다. 막 저택에 들어 왔을 때만 해도 인지하지 못했는데, 막상 리히튼 앞에서 젖은 채 서 있으려니 목이 뜨거워 졌다. 나이트가운만 걸친 채 나갔던 터라 물에 젖으니 속까지 적나라하게 비쳤다. 벌거벗은 것과 다름없는 상태였다.

'리히튼과 잠자리를 안 가져 본 것도 아닌데.'

심지어는 횟수만으로 열 손가락을 다 채울 수 있을 정도였다. 하지만 열 손가락을 다 채우는 게 무슨 소용이겠는가. 아직도 그와 한 공간에 있는 게 떨리고 긴장되는데. 민망한 건 어쩔 수 없다. 가슴께의 끈을 더듬더듬 풀면 서 그에게 요구했다.

"잠깐만 뒤돌아 있을래?"

"나는 네가 실오라기 하나 걸치지 않은 모습도 봤어. 심지어는 어제도."

"그래도 돌아서 있으면 안 돼? 네가 보고 있으니 도저히 못 벗겠어."

고개를 저은 리히튼은 결국 몸을 돌리고 섰다. 난 그의 맨 등을 바라보며 빠르게 옷을 벗었다. 그리고 급히 욕실 안으로 들어가 두 다리를 모으고 앉 았다.

"이제 됐어."

리히튼은 욕조 뒤쪽에 낮은 의자를 두고 앉았다. 시중을 든다는 말을 무 를 생각이 없는지, 내 머리를 부드럽게 끌어 욕조 위에 기대도록 했다. 리히 튼의 단정한 얼굴이 시야 너머에 자리 잡았다. 그는 비에 구불구불해진 내 머리칼에 물을 적셨다. 기다란 백금색 속눈썹이 여러 번 깜빡이는 동안 우 리 사이에는 아무런 대화도 없었다. 놀랍게도, 리히튼은 내 머리를 감기는 일에 진지하게 몰입한 듯했다. 대체로 평온하게 풀려 있던 미간이 미세하게 일그러져 있었다. 정말 시중만 들 생각이었구나. 그 모습에 괜히 더 죄책감이 일었다.

"미안해, 리히튼."

그의 시선이 짧게나마 내 눈을 향했다. 욕조에 누워 올려다보는 자세로 사과하려니 다소 면구스럽긴 했지만, 그렇다고 더 미루고 싶진 않았다.

"생각해 봤는데… 내가 너에게 하면 안 될 말을 했던 것 같아."

"무슨 말."

"신경 쓰지 말라고 했던 말."

따스한 물이 이마를 적시고 머리칼을 따라 떨어지는 게 느껴졌다.

"앉아."

괜히 애완견이 된 느낌이지만, 그의 말에 착실히 따르기로 했다. 잘못한 건 이쪽이었으니 최대한 비위를 맞춰 주는 게 옳았다. 한 번쯤 내 몸을 훑으며 능글맞은 장난도 칠 법한데, 리히튼의 눈은 오로지 내 얼굴에만 고정되어 있었다. 그 모습을 보고 있자니 내가 그에게 진정으로 상처를 줬구나 싶었다.

"그래서, 어쩔 거지? 사과한다는 건 내 말에 따르겠다는 뜻인가?"

리히튼의 목소리는 진흙 아래에 박힌 것처럼 무겁고 녹진했다. 욕조에 두 팔을 기대며 내 의중을 묻는데, 나만 알몸이어서 그런 걸까? 어쩐지 맹수 앞에 놓인 먹잇감이 된 기분이었다. 여기서 긍정하면 앞으로 미래나 과거를 볼 때마다 리히튼의 허락을 받아야 할 것이다. 때문에 나는 쉬이 고개를 끄덕일 수 없었다. 그건 내게 있어 족쇄가 채워지는 거나 마찬가지였으니까.

"대답이 늦어, 아그레인."

"…왜인지는 너도 알 거라고 생각해."

"그럼, 잘 알지. 세상의 그 누구보다 아주 잘 알아."

리히튼은 두 팔 위로 턱을 기댔다. 가만히 나를 응시하는 낯에 딱딱하게 굳은 분위기가 점차 수그러졌다. 은근하게 풍기던 압박감은 사라지고 다소 지친 눈의 리히튼만이 남았다.

"너는 모르겠지만… 나는 매일같이 악몽을 꿔."

"악몽?"

"그래. 너와 함께하는 이 모든 순간이 꿈이고, 나는 여전히 시간을 되돌릴 수밖에 없는 악몽. 그렇게 백 번을 넘게 되돌려도 널 구할 수 없더군."

나는 리히튼의 손을 잡았다. 기다란 손가락을 쥐자, 그의 팔이 욕조에 미끄러져 물 아래로 빠졌다. 마음이 찢어질 것처럼 아팠다. 리히튼의 고통을 알게 될 때마다, 그를 위해 해 줄 수 있는 게 아무것도 없다는 걸 다시금 깨닫곤 했다.

"그런 생각하지 마. 너는 나를 구했잖아? 걱정할 필요 없어. 우리는 죽을 때까지 함께할 거야."

그가 천천히 상체를 일으켰다. 나는 리히튼의 어깨를 끌어안았다. 맨몸 위로 그의 매끄러운 피부와 단단한 가슴이 느껴졌지만, 지금은 리히튼을 안지 않고 배길 수 없었다. 그 역시 젖은 팔을 들어 내 등을 마주 안았다. 나른하고도 우울한 목소리가 내 귓가에 각인되듯 심어졌다.

"또다시 너를 잃을까 봐 두려워. 세상이 무너지는 것 정도는 비교도 안 될 만큼, 훨씬 더."

어떻게 해야 리히튼이 그 악몽에서 벗어날 수 있을까? 나른 등을 두드리며 그의 안도를 바랐다. 리히튼은 잠시간 조용했다. 그러나 아주 잠시였을 뿐이다. 곧 바라는 답은 이미 정해져 있다는 듯, 내 허리를 바짝 당기며 명령했다.

"그러니 내 말대로 해."

거절은 용납할 수 없다는 양 낮고 단호한 목소리였다. 그의 품에서 벗어나려 했으나, 리히튼은 밀어내려는 나를 더 강하게 끌어안았다. 빗물에 차가워졌던 그의 몸이 점차 뜨거워지고 있었다.

"리히튼."

"내가 하라는 대로 해, 아그레인. 모두 널 위한 거잖아. 내게 죄책감을 가지고 있는 게 맞다면, 너는 반드시 그래야 해. 나는 다른 게 아니라 오직 너를 위해서 이곳에 있는 거야."

그의 축축한 입술이 귓가에 닿았다. 날카로운 이가 여린 살을 깨물고 끊임없이 지분거렸다. 얕은 통증에 앓는 소리를 내자, 그의 움직임은 더 노골적으로 변해갔다.

"내가 터무니없는 부탁을 하는 건가? 응? 너는 그렇게 생각해?"

"아, 알았…."

말을 채 마치기 전에, 그의 입술이 내 입술을 삼켰다. 나를 끌어안았던 그의 팔이 수면 아래의 더 깊은 곳으로 빠졌다. 눌린 가슴이 쓸릴 때마다 소름이 돋을 만큼 강렬한 감각이 느껴졌다. 그 사실을 안다는 듯, 리히튼이 짓궂게 내 몸을 건드렸다.

"너에 대해선 전부 다 알아, 아그레인. 무슨 생각을 하는지도 알고, 어떤 몸을 가지고 있는지도 속속들이 알지. 그런 내 말에 따르는 게 널 위한 일이야."

네가 어디를 어떻게 해야 좋아하는지도 훤해. 그의 속삭임에 살갗이 배는 더 예민해지는 기분이었다. 리히튼은 평소보다 더 거칠게 내 입 안을 휘저었다. 그의 바람을 거절하면 지금 당장 내 몸을 씹어 넘길 수 있을 것 같다는 착각이 들 정도였다. 나는 입술이 떼어진 찰나의 틈을 타 급히 말했다.

"네 말대로 할게. 그러니까…."

그가 다시 입을 맞추었다. 이전과 다르게 두 눈이 기분 좋게 휘어져 있었다. 리히튼은 내 입 안에 숨을 불어 넣으며 작게 읊조리듯이 칭찬했다.

"착해."

정신을 차렸을 땐 욕조에 거품이 흥건했다. 내 머릿속과 입 안을 이리 저리 휘저으면서 입욕제까지 푼 것이다. 농락당했다는 생각이 들 정도로 재빠른 행동이었다.

"물이 식기 전에 씻고 나가자."

나를 욕조 안으로 밀어 넣은 리히튼이 내 몸을 구석구석 닦기 시작했다. 나는 놀라고 황당해서 아무런 말도 할 수 없었다. 리히튼은 너무나 능숙했다. 그의 손이 닿을 때마다 형용할 수 없는 기분에 빠져 입술을 깨물어야 했다.

"너는 살이 너무 여려. 늘 느끼지만 자국이 너무 쉽게 나고. 아니면 여자들의 피부는 다들 이런 건가?"

기다란 손가락이 내 목과 어깨를 쓸었다. 새벽 내내 그에게 괴롭혀졌던 부위였다. 고개를 돌리지 않아도 꽃처럼 피어 있을 붉은 자취들이 눈에 선했다.

"불쌍하면 그만 깨물어."

"그래도 확실한 내 것이라는 표식 같아서 기분 좋은데."

그는 아무렇지 않게 내 손가락 사이사이를 닦았다. 어깨를 지나 가슴 근처를 닦을 때는 뜨겁게 익은 내 낯을 뚫어져라 응시하며 놀렸다.

"좋아?"

"아니."

단호한 부정에도 그의 미소는 짙어져만 갔다. 이제껏 날 탓하며 타박했던 모양새는 전부 거짓이었던 양, 놀랍도록 여유로운 행태였다.

"좋으면 좋다고 말해. 평생 네 목욕 시중을 들어줄 테니까."

"아니야, 안 그래도 돼."

"지금 그 얼굴 귀여워."

그 말과 함께 한껏 풀어진 표정을 짓기에, 나 또한 내심 안도했다. 화가 풀린 것 같아 다행이었다. 그런데 마음을 놓기 무섭게 허리와 복부를 맴돌던 그의 손이 무릎 사이로 내려갔다. 깜짝 놀란 나는 말을 더듬고 말았다.

"그, 그만, 리히튼. 이제부터는 내가 할게."

쉬이. 리히튼은 걱정 말라는 듯 오므려진 두 무릎을 천천히 벌렸다.

"괜찮아. 긴장 풀어. 나는 네 목욕을 돕고 있는 거야. 물이 식기 전에 어서 나가야지?"

"아니야, 그만 나가. 네가 하는 건 시중도 아니야. 목욕하는 느낌이 아니라고!"

"왜 목욕하는 게 아니야? 내 손길이 닿을수록 이렇게 깨끗해지고 있는데."

그의 음성에는 숨길 수 없는 웃음기까지 서려 있었다. 변태라고 소리치고 싶었으나 차마 그럴 수 없었다. 그런 말을 하면 더 징글맞게 괴롭힐 게 뻔했기 때문이다. 그런 와중에도 리히튼은 태연히 하던 짓을 계속했다. 그렇게 더 안쪽을 건들려던 순간, 나는 결국 참지 못하고 몸을 일으켰다.

"나가, 리히튼."

위에서 내려다보니 그가 지금 이 장난을 얼마나 즐기고 있는지 뚜렷하게 보였다. 느릿하게 일어난 그는 거품이 가득한 손으로 내 턱을 툭, 건드렸다.

"너는 몸뿐만이 아니라 성격도 예민해."

죽어도 싫다며 욕조 옆에 머물 줄 알았는데, 그의 반응은 의외로 순종적이었다. 비누가 풀리지 않은 물에 순순히 손을 씻고 문 쪽으로 다가간 것이다.

'그래. 리히튼이 아무리 짓궂어도 내가 싫다는 짓을 고수할 정도는 아니니까.'

하지만 이어진 그의 행동은 내 생각과 정반대였다. 그대로 침실로 나가기는커녕, 열린 문을 굳게 닫고선….

"아그레인. 네가 자꾸 목욕하기를 거부하면 나로선 이럴 수밖에 없어."

"무슨 소릴…."

"힘이 빠지면 발버둥 칠 기운도 없겠지."

리히튼은 내 앞에서 아무렇지 않게 벨트를 풀었다. 그의 뻔뻔한 낯 위로 진한 웃음이 걸렸다.

"물이 식기 전에 전부 끝내 줄게. 그 짓도, 목욕도…."

결과적으로 그의 호언장담은 이루어지지 못했다. 물이 다 식은 후에야 욕실을 나갈 수 있었기 때문이다.

리히튼이 캐롤드를 방문한 지 나흘째가 되었다. 나는 모리타트가 잭 영지로 돌아갔을 거라 생각했는데, 예상과 달리 그는 캐롤드에 도착한 지 나흘째 점심 식사 자리에 나타났다. 그에게 아직까지 여기에 남아 있는지 몰랐다고 말하자 황당하단 투의 대답이 돌아왔다.

"그야 그럴 수밖에 없었겠지요. 당신은 나흘 내내 리히튼 각하와 방에서 나오지 않으셨으니까."

나는 힐끔 킨을 바라봤다. 킨은 아무렇지 않은 얼굴로 네 번째 신문을 정독하고 있었다.

"아그레인 양을 탓하진 않겠습니다. 원래 그 시기의 연인들은 다 그런 법 아니겠습니까? 오히려 제 존재가 방해되지는 않을까 걱정이군요."

킨과 마찬가지로 리히튼 또한 소리 없이 눈을 깜빡이며 점심 식사에 집중하고 있었다. 이 넓은 식탁에서 말하는 사람이라고는 모리타트와 내가 전부다. 그마저도 열에 여덟은 모리타트의 목소리였지만.

"그래도 방에서 나오셨으니, 아그레인 양에게 받던 조언을 계속 받고 싶은데요. 그래도 됩니까?"

그 지겨운 아즈마리아와 관련된 하소연 말인가. 둘의 관계를 돕든 망가뜨리든, 하루라도 빨리 끝내는 게 나을 것 같아 고개를 끄덕였다.

"식사가 끝난 후에 따로 보면 될 듯해."

나는 보란 듯이 뒷말을 덧붙였다.

"모리타트 각하와 내가 말이지."

모리타트가 아닌, 모리타트 각하에 힘을 주면서. 리히튼에게서 별다른 반응이 없는 것을 봐선 새로운 호칭이 그의 마음에 찬 모양이었다. 정작 모리타트는 못 들을 걸 들었다는 얼굴로 귀를 후볐다.

모리타트는 비비안느가 황위에 오른 직후 다시 미혼으로 돌아왔다. 대업이 이루어졌다고 해서 잭 부인과 바로 이혼 서류에 사인을 남길 줄은 몰랐는데, 그들의 별거는 주위 사람들이 놀랄 정도로 빠르게 이루어졌다.

'한 줌의 정도 느끼지 않은 정치적 결합이었던 거지.'

후에 전해 듣기로, 그 시기 사교계에서의 가장 큰 화제는 모리타트 공작의 이혼과 힐마르티노 후작의 혼인이었다고 했다. 특히 모리타트의 경우에는 유서 깊은 잭 가문의 젊은 공작인데다 전 공작 부인 사이에서 후계를 갖지 않았기 때문에 결혼 적령기의 여식을 둔 귀부인들이 호시탐탐 노리고 있었다.

"전 공작 부인은 잘 지내요?"

여름의 끝물이라 그런지, 내리쬐는 햇빛에 비해 날이 퍽 선선하다. 나는 바닥 위에 그려지는 양산의 그림자를 내려다보며 천천히 걸음을 옮겼다. 대답하는 모리타트의 음성에는 미약한 흥미도 묻어 있지 않았다.

"모릅니다. 딱히 연락을 주고받지는 않아서. 한데 그쪽은 갑자기 왜 말을 높이고 그럽니까? 사람 소름 끼치게."

"공작 각하와 나는 서로 내외하는 사이인데 앞으로 적당히 선을 그어야죠."

"킨 후작의 잔소리는 귓등으로도 듣지 않았잖습니까. 보나마나 연인으로부터 한 소리 들었나 보군요."

"알아들었으면 앞으로는 우리, 서로에게 예의를 차리도록 해요."

모리타트는 별것 아니라는 듯 고개를 주억였다. 자질구레한 뒷말이 이어지지 않아서 다행이라고 생각했다. 모리타트가 연인 운운하며 떠들 때마다 골리는 느낌이 들었으니까. 그는 내게 맞췄던 보폭을 조금 더 느리게 이으며 본론을 꺼냈다.

"내가 며칠간 고민해 봤는데, 아그레인 양익 제안이 꽤 쓸 만한 것 같아서 말입니다."

제안. 그런 걸 했었나.

"내가 뭐라고 말했었죠?"

"벌써 잊었습니까? 혼인을 발표하고 아즈마리아의 반응을 살피라 조언했잖습니까?"

아아. 진담이기는 했으나 혈기왕성한 시기에나 벌일 법한 사건이지 않은가. 모리타트가 진중하게 받아들였다는 사실에 기분이 묘했다.

"기억났어요."

"작위 없는 집안의 여자를 한 명 데려올까 생각 중입니다. 혼인 후에 적당히 대가를 쥐여 주고 떠나보낼 수 있는 쪽으로요."

고민해서 나온 결과가 그 정도라면 할 말이 없었다. 똑똑하다고 해서 모두 연애 쪽에 머리를 쓸 수 있는 건 아닌가 보다.

"두 번의 이혼을 거쳤다는 명예로운 별칭이 붙겠네요."

"그 정도는 감수할 수 있습니다."

그래, 그 징글맞은 아즈마리아를 향한 순정을 위해서라면 말이지. 이 바보 같은 순정남이 이따위 일로 다시는 나를 찾아오지 못하게 하기 위해선 확실한 계책이 필요해 보였다.

"머리를 좀 더 굴리는 게 좋을 것 같아요, 각하. 제가 윌 백작이라면 평민 여자를 상대로 질투를 느끼려 하지 않을 테니까요."

모리타트는 이해할 수 없다는 얼굴이었다. 나는 그를 위해서 뒷받침할 설명을 친절히 덧붙였다.

"쪽팔리잖아요? 게다가 마음만 먹으면 언제든 치워 버릴 수도 있고."

"차라리 후자면 낫겠군요."

그의 취향은 조금 거친 쪽인가 보다. 그다지 궁금하지 않은 정보였다.

"각하의 혼인 상대는 최소한 귀족 가문의 여자여야 해요. 무시할 수 없는 핏줄이지만, 작위를 갖지 못하는. 그래서 윌 백작의 위기감을 자극할…."

이를테면, 나 같은 여자.

'…모리타트 잭 정도면 나쁘지 않지.'

그래. 꽤 나쁘지 않았다. 지위가 너무 높다는 게 흠이기는 했으나, 서로를 확실히 이해하고 있지 않은가. 어떤 성정에 어떠한 욕구를 가지고, 어떤 과거를 지녔는지. 나는 모리타트에게 제안했다.

"나와 혼인할래요?"

하지만 그의 거절은 민망할 정도로 단호했다.

"아니요."

모리타트의 얼굴에는 일말의 표정 변화도 없었다. 내 제안을 농으로 받아들였나 싶을 정도였다.

"왜요? 각하에게도 윌 백작에게도 그게 가장 상책이에요. 윌 백작은 작위를 포기하지 않을 거예요. 그건 공작 역시 마찬가지 아닌가? 각자 부인과 남편을 두고 연애하는 편이 훨씬 편할 텐데."

"그게 괜찮았다면 전 부인과 이혼하지도 않았을 겁니다."

귀족이 아닌 여자와는 위장 결혼하겠다며? 몇 분 안에 말이 바뀌는 것들 보니 나와의 결혼은 싫다는 의사가 확고한 듯했다. 곧 짧게 한숨을 내쉰 모리타트가 내게 당부했다.

"다시는 그런 소리 하지 말았으면 좋겠군요, 아그레인 양. 리히튼 공작의 귀에 들어갈까 두려워서.”

입 안이 썼다. 그런 뜻이었구나. 나는 대충 어깨를 으쓱이며 긍정을 나타냈다. 한데 그 다음 질문에는 쉬이 반응할 수 없었다.

“후계를 갖지 못한다는 게 마음에 걸리는 겁니까?”

후계라.

“캐롤드 전 후작이 황성에 어떤 식으로 당신의 대역을 바친 건지 잊었습니까? 아이는 구하기 쉬워요. 계획을 잘 세워 두기만 한다면 그 누구도 의심하지 않을 겁니다.”

물론 그렇겠지. 하지만 리히튼이 과연 달가워할까? 후계 문제는 쉽지 않다. 명예로운 가문일수록 더욱 그러했다. 가문의 재산과 직위를 지키기 위해 정당성을 따지고, 그러한 이유로 손이 적기 때문이다. 따라서 모든 귀족이 이 정당성에 목숨을 건다. 불행의 연쇄를 끊기 위해 킨을 데려온 아버지와 같은 선택은 절대 흔한 것이 아니었다. 리히튼의 경우 역시 마찬가지일 터였다. 그가 나를 부인으로 맞이한다면 바깥에서 아이를 데려올 수밖에 없고, 잉고르드의 정당성은 땅에 곤두박질칠 것이다.

하지만 유서 깊은 가문의 여식을 부인으로 맞이할 때는 이야기가 달라진다. 리히튼의 핏줄이 아닐지언정, 귀족들이 혐오하는 평민처럼 ‘완벽하게 비천한 태생’은 아니게 될 테니까. 친부가 누구든, 적어도 유서 깊은 부인 가문의 핏줄은 반 정도는 잇게 되지 않겠는가? 이는 외부에 가문의 비화를 꽁꽁 숨길 수 있느냐, 마느냐와 무관한 일이었다. 리히튼이 과연 ‘완벽하게 비천한 태생의 후계자’를 인정할 수 있을까? 나는 강요하고 싶지 않았다.

“각하의 말도 옳아요. 그게 더 쉬운 방법이기는 하죠.”

“아그레인 양은 혼인이 두렵습니까?”

갑작스러운 질문에 모리타트의 얼굴을 힐긋 돌아봤다.

“전 부인이 내게 그런 말을 했었죠. 결혼식장에서 내게 영혼을 바쳐 사랑하겠다고 맹세하려니 겁이 난다고."

"왜요?"

"시간이 흘러 그 맹세가 의미 없어질까 봐 두려웠다더군요."

"그녀가 당신을 사랑했었나요?"

"당시에는 그랬죠. 지금은 아니지만. 서로에게 그다지 도움 되지 않는 감정이지 않습니까?"

전 공작 부인도 끊어 냈던 사랑이라는 감정을 모리타트는 왜 버리지 못하는 걸까? 이야기를 들을수록 잭 전 공작 부인이 퍽 대단하게 느껴졌다.

"당신도 평범한 여자 같은 고민을 하기는 하나 봅니다."

번드레한 얼굴을 가만히 흘겨봤다. 그는 나를 대체 어떻게 보고 있는 건지.

"뭐, 누군가를 마음에 둔다는 게 무서운 일이기는 하죠."

그 말에는 어느 정도 동의했다. 그래, 마음에 두는 게 두려우니 혼인도 무서운 거겠지. 나는 리히튼과의 혼인이 무섭다. 내 욕심으로 그의 남은 것들까지 빼앗게 될까 봐.

"어쩐지 경험에서 우러나오는 소리 같은데요."

"물론 저도 무섭습니다. 아즈마리아가 백작위를 포기해야만 그녀와 내가 혼인할 수 있으니까. 아즈마리아 입장에서는 얼마나 억울하겠습니까? 그래도 어쩔 수 없지요. 내가 죽어도 데려오고 싶다는데."

마치 아이와도 같은 집착에 헛웃음이 나왔다.

"아무 거나 갖다 붙이지 마요."

"함께한다는 게 다 그런 거 아니겠어요? 누군가는 항상 손해를 보고, 참아야 하죠. 참아 온 건 나니까 아즈마리아는 손해를 봐서라도 나한테 와야 해요."

대단한 논리가 납셨군. 이쯤 되니 그의 애절함이 안타깝게 느껴지기까지 했다.

"혼인 말이에요. 일단 진행하지 말아 봐요. 내가 말을 흘려 볼 테니까."

비비안느에게 말하면 어떻게 해서든 아즈마리아의 귀에 들어갈 것이다. 모리타트의 낯이 대번 밝아졌다. 우리는 그대로 후원을 반 바퀴 더 걸어 본관으로 돌아왔다. 양산을 들고 방으로 돌아왔을 때, 익숙한 뒤통수가 나를 기다리고 있었다.

"시이 좋아 보이더군."

종이가 팔랑이며 넘어가는 소리 끝에, 리히튼의 음성이 나지막하게 걸렸다. 아직도 모리타트를 신경 쓰는 건가. 나는 조심스럽게 그의 뒤로 다가가 뺨에 입을 맞추었다. 마음을 풀라는 의미였다. 한데 몸을 빼기 직전에 그의 손이 내 목덜미를 다시 끌었다. 숨이 막힐 정도로 깊은 입맞춤이 이어졌다. 거친 호흡과 함께 입술이 떨어졌다. 리히튼이 엄지로 내 아랫입술을 쓸며 말했다.

"내일모레 잉고르드로 돌아갈 거야."

"벌써?"

"너도 나와 같이 가."

당장 고개를 끄덕이고 싶은 제의였다. 그리하지 못하기에 더 아쉬운, 그런 제의. 그에게서 몸을 돌리고 천천히 장갑을 벗으며 대답했다.

"아쉽지만 나는 같이 못 가. 킨의 일도 도와야 하고, 그러려면 황성을 자주 오고 가야 해. 적어도 올해까지는 이곳을 나가기 힘들 것 같아."

"킨 캐롤드야, 나야?"

짧은 질문이었으나, 다소 놀란 마음으로 리히튼을 돌아봤다. 그의 입에서 그런 소리가 나올 줄은 몰랐는데. 리히튼의 표정은 확실히 아니꼬워 보였다.

"그게 무슨 유치한 소리야, 리히튼? 킨은 가족이고 너는 내 연인이야. 비교할 게 못 된다는 걸 알잖아."

"그가 왜 네 가족이지?"

왜냐니.

"너와 킨 캐롤드는 남이야, 아그레인. 성은 같아도 피는 통하지 않은 남."

벗은 장갑을 쥔 손이 살짝 떨렸다. 아니야, 킨과 나는 가족이다. 우리는 유일하게 남은 캐롤드의 후손이야. 그러니 그와 내가 피 한 방울 섞이지 않은 남매라는 사실은 중요하지 않았다. 중요한 건 그가 나의 유일한 가족이란 점이었다.

"알아. 그래도 그와 나는 가족이야. 어릴 때부터 남매로 자랐으니까."

"…하."

겨우 참아 내는 듯한 헛웃음이었다. 나는 장갑을 쥔 채 다시 그에게로 다가갔다. 그러나 리히튼은 손을 들어 얼굴 전부를 가려 버렸다.

"가족, 가족… 아주 빌어먹을 단어로 환상적이게 포장하는군."

문득, 며칠 전 식사 자리에서 킨과 나누었던 대화가 떠올랐다.

'내가 각하라면 말이지…. 너를 절대로 내 곁에 둘 수 없을 거다.'

'남자는 그럴 수밖에 없어. 그러니 네가 각하께 내 진심을 잘 전달해 달라고. 내게 있어 너는 여동생 그 이상도, 이하도 아니라는 걸.'

킨의 말대로 내가 너무 쉽게 생각했던 걸까?

"아그레인. 내가 이딴 부분에서까지 성인군자처럼 굴어야 하나?"

나의 인기척을 느꼈을 텐데도 불구하고, 리히튼은 여전히 두 손으로 얼굴을 가리고 있었다. 그가 이 정도로 불편하게 여길 줄은 조금도 예상하지 못했다. 별것도 아닌 일에 왜 이리 열을 내는지 의문을 가졌던 것도 잠시. 일전에 리히튼이 조언했던 대로 반대의 상황을 상상하니 생각이 바뀌었다. 나역시 그가 피를 나누지 않은 여자와 가족이랍시고 살아간다면 절대 납득하지 못했을 것이다. 그리 여기자 조금씩 죄책감이 들기 시작했다.

'유치한 소리 말라고 타박하지 말걸.'

그는 뚝뚝 끊어지는 목소리로 말을 이었다.

"내가 언제까지 너와 킨 캐롤드가 한 공간에서 살아가는 걸 참아야 하냐고."

묻지 않아도, 리히튼은 진심으로 화가 난 듯했다. 내 앞에서 이토록 날것의 신경질을 보이는 건 처음 있는 일이었다. 장갑을 테이블 위에 놓고, 그런 리히튼의 어깨에 턱을 올렸다. 하지만 그는 여전히 얼굴을 가리고 있었다. 나와 눈을 마주치려 하지 않는 이유야 알고 있다. 내게 화내고 싶지 않아서. 리히튼이라면 그럴 인물이었다.

"미안해, 리히튼."

그의 부탁이라면 뭐든 들어주겠다고 스스로 다짐한 게 고작 며칠 전의 일이었다. 그날로부터 시간이 얼마나 흘렀다고 이런 잘못을 저지른 건지. 나는 리히튼의 허리에 팔을 두르며 타이르듯 말했다.

"내가 경솔했어. 아무리 그래도 문제될 게 하나도 없다는 식으로 말하면 안 됐는데…"

네 마음 이해해. 앞으로는 이런 일 없을 거야. 여러 번 속삭인 끝에, 리히튼이 두 팔을 천천히 내렸다. 눈이 마주쳤다. 한창 들들 끓었을 때의 목소리처럼 무자비하게 냉랭한 낯은 아니었다.

"내게 미안해?"

"응."

"그러면 잉고르드로 와."

언제 성을 냈냐는 듯, 리히튼의 시선과 음성은 놀랍도록 차분해져 있었다.

"나는 네 마음만으로는 만족 못해. 네 전부를 가져야 마음이 놓이겠어."

그건 제안이라기보단 명령에 가까웠다. 차가운 손이 나의 손등을 덮었다. 나는 가지런한 그의 손톱을 내려다보다가 다시, 리히튼의 얼굴을 바라봤다.

그의 서늘한 청회색 눈동자에는 애정이 담겨 있었다. 아주 깊고 어두워 그 바닥이 보이지 않는, 분명한 애정이.

한데 그 애정은 나를 타이르기는커녕, 이전에 느끼지 못했던 억울한 감정을 불러일으켰다. 리히튼이 있는 잉고르드는 좋을 수밖에 없다. 그와 함께한다는 것만으로도 내게 천국이나 다름없을 테니까. 하지만 내가 그곳에 가면? 잉고르드 공작 부인이 들어와 자리를 차지할 때까지만 머무는 것과 다름없지 않은가? 나는 화풀이하듯 그에게 쏟아냈다.

"지금 프러포즈하는 거야?"

내 입으로 말하고서도 놀랐다. 마치 그의 고백을 구걸하는 것 같아서. 그렇다고 해서 뱉은 말을 주워 담고 싶은 마음은 없었다. 리히튼은 꿀 먹은 벙어리처럼 말이 없어졌다. 넋을 놓은 눈동자가 내 얼굴에서 떨어질 줄을 몰랐다.

"왜 대답이 없어? 아니면 아니라고 해. 그런 식으로 애매하게 굴지 말고."

그리 말하고 나니 또 화가 났다. 나와 잉고르드는 가고 싶은데, 프러포즈할 마음은 없다니.

"그런데 어떻게 프러포즈가 아닐 수 있어? 아니, 프러포즈도 없으면서 어떻게 날 데려갈 생각을 해?"

여전히 리히튼에게선 말이 없었다. 덜컥 겁이 났다. 그가 정말 나와의 혼인은 일절 염두에 두지 않았던 거라면? 그저 함께하는 것으로 충분히 만족했던 거라면?

'…괜찮아, 이미 예상했던 일이야. 또 그게 옳아. 리히튼은 한 가문의 수장이니까. 그 정도도 이해하지 못할 거였으면 붙잡지도 않았어.'

울렁이는 가슴을 느리게나마 누그러뜨렸다. 리히튼은 나를 사랑한다. 그 진실 하나면, 이쯤이야 대수롭지 않게 버틸 수 있었다.

"내가 조금 흥분했던 것 같은데…. 좋아. 안 그래도 근래 고민했던 사안이 있으니, 지금 말해 두는 게 편하겠네."

용기를 내는 데 생각보다 긴 시간이 걸리지는 않았다. 바짝 말라가는 침을 삼키며 리히튼에게 물었다.

"혼인은 어떤 여자와 할 거야?"

무거운 정적이 내려앉았다. 꽉 다물려 있던 리히튼의 입술이 뒤늦게 열렸다.

"뭐?"

"네 혼인. 아이를 가질 수 있는 여자와 해야 할 거 아니야. 연고도 모르는 아이를 데려올 순 없으니까."

흐릿했던 그의 눈에 새까만 그림자가 졌다.

"계속 이야기해 봐."

"무슨 이야기?"

"날 다른 여자에게 보내고, 넌 어쩌려는 생각이었는지 말하라고."

리히튼은 지금 당장 내 뒷목을 잡아 씹어 먹을 것 같은 얼굴이었다. 저 얼굴을 또 언제 봤었더라. 목 안쪽이 메마른 우물처럼 퍽퍽했다. 리히튼은 분노하고 있었다. 어쩌면 아까의 일보다 훨씬 더. 얼마 지나지 않아, 그가 거뭇해진 눈을 감고 고개를 내저었다.

"아니, 아니야. 역시 거기서 멈추는 게 좋겠군. 그런 되도 않는 헛소리를 더 들을 필요는 없지."

한데, 어째서인지 이전에 비해서 리히튼의 낯이 눈에 띄게 파리했다.

"리히튼? 어디 안 좋아?"

이렇다 할 반응이 없다. 아니, 돌연 호흡을 깊게 들이키기는 했다. 그런 리히튼의 모습은 보는 이를 더 걱정스럽게 할 뿐이었다.

"안 되겠어. 솔레르에게 약이라도…."

"내가."

단호하게 입술을 뗀 리히튼이 천천히 눈을 떴다.

"감히 변명하자면… 캐롤드가 아닌 잉고르드에서 하려고 했었어."

"뭐를?"

리히튼은 자신의 허리를 감고 있던 내 팔을 밀어내고 몸을 일으켰다. 기다란 손가락이 벽에 걸린 외투의 안쪽 주머니를 뒤적였다. 다시 돌아온 그의 손에는 푸른색 벨벳으로 마감된, 사각형의 낯선 상자가 쥐여 있었다. 리히튼은 그 상자 안에서 물건을 꺼내어 입에 물었다. 가지런한 치아 사이에서 은빛으로 반짝이는 물건은 기이하게도 반지의 형상을 띠고 있었다. 상자를 내려놓은 손이 내 왼쪽 손을 부드럽게 잡아끌었다. 약간의 힘도 느껴지지 않는 움직임이었는데, 오늘따라 유독 무겁게 느껴졌다.

리히튼이 천천히 고개를 숙였다. 나는 그 자태를 조용히 응시하기만 했다. 그의 입술이 내 약지를 삼켰다. 빨려 들어가듯 사라졌던 손가락 위에 차가운 금속의 감촉이 닿아 왔다. 리히튼은 그 모든 순간 동안 내게서 시선을 떼지 않았다. 뜨거우면서도 부드러운 혀가 내 손가락 사이를 훑었다. 목 안쪽을 건드는 뜨거운 열기에 몸이 떨렸다. 익숙하면서 낯선 그 감각은 아주 느릿하게 멀어졌다. 이윽고 정면으로 눈을 마주한 그가 고백했다.

"사랑해, 아그레인."

이제껏 본 적 없는, 속이 미치도록 울렁일 만큼 선명한 설렘과, 그보다 더한 두려움이 담긴 눈으로. 나는 숨을 쉴 수 없었다. 생각조차 할 수 없었던 것 같다. 그저 멍청한 얼굴로 리히튼을 바라보는 데 그쳤다.

"나와 결혼해 줘."

찰나의 시간이 얼마나 길게 느껴졌던가. 이윽고 리히튼은 나를 바라보는 것 자체만으로도 고통스럽다는 듯, 거칠게 눈을 감아 버렸다.

"제길. 드디어 말했군."

리히튼 잉고르드가 내게 고백했다. 결혼하자고. 영원히 함께하는 것으로 모자라, 서로에게 서로의 영혼을 바치는 맹세를 하자고.

"나는⋯."

코끝이 맵고 눈가가 뜨거웠다. 울컥 올라오려는 무언가를 삼키며, 나는 힘겹게 말을 뱉었다.

"나는 모리타트와 결혼할 생각을 하고 있었는데."

번쩍 눈을 뜬 리히튼이 내게 소리쳤다.

"제정신이야?"

"하지만 너도 알잖아. 우리는 둘 다 아이를 갖지 못해. 그렇다고 해서 잉고르드에 방계가 남아 있는 것도 아니지. 서로의 정부가 되는 게 최선이잖아."

변명처럼 늘어지는 말에, 리히튼의 표정이 싸늘하게 굳었다.

"그래서 지금 나를 거절하겠다는 건가?"

씹어 내는 듯한 목소리가 이어졌다.

"잘 생각하는 게 좋아, 아그레인. 나는 너를 다른 새끼랑 나눌 생각 없어. 도망치기에는 늦었다는 소리야. 네가 원하든 말든 나는 언제든 너를⋯."

"조용히 해, 리히튼."

너야말로 헛소리는 거기서 그만두라고. 나는 팔을 들어 그의 목을 끌어안았다. 믿기지 않아. 그가 나를 선택했다고? 후계를 포기하고? 왼쪽 약지가 불에 덴 것처럼 활활 타오르는 느낌이었다. 그 황홀한 감각에 온 정신을 집중하며 리히튼의 어깨에 뺨을 비볐다.

"지금 이 감정을 뭐라고 표현해야 할시 모르겠으니까 그 입 좀 다물어 줘."

그동안 혼자서 너무 많은 생각을 해 왔다. 대화가 필요하다는 건 진작 알고 있었다. 알고 있었지만, 두려워서 피해 왔다. 그래서 끝까지 나 스스로를 납득시키려 했다. 결혼은 필수가 아니야. 리히튼에게는 후계가 필요해. 나는 이해할 수 있어. 그가 잃어 온 것에 비하면 그 정도야 아무것도 아니야.

결론적으로 시간만 아까운 고민이었다. 필수가 아닌 게 무슨 상관이야? 이렇게 기분 좋은데. 리히튼의 땅에서 한 방에 들어가 죽을 때까지 사랑을 나누고 싶은데. 결혼이 그 모든 것을 가능케 하는데.

"아이는 어떻게 해?"

"네가 원한다면 데려오도록 하지."

"내가 원하지 않는다면?"

"잉고르드는 내 대에서 끝나는 거다. 차후 황실에 재산과 작위를 반환하겠다는 유서를 남기면 될 일이야."

"아쉽거나 아깝지 않아? 전부 네가 이룬 것들이야."

"그래. 너 하나만을 위해서."

리히튼이 내 등을 끌어안았다. 나는 그의 가슴에 머리를 기대어, 빠르게 뛰는 심장 소리에 귀를 기울였다.

"내게 있어 잉고르드는 아무런 의미 없어. 내 선조 또한 너와 나를 지옥으로 이끈 원수에 불과하지."

평화로운 속삭임이 내 머리 위에 떨어졌다.

"네가 나를 받아들이면… 그때가 되어서야 내게 첫 가족이 생기는 거야."

나의 대답은 이미 오래전부터 정해져 있었다. 아마, 기억나지 않는 머나먼 과거에서부터.

"절대 거절하지 않을 거야. 죽어도 이 반지를 낀 채 죽을래."

리히튼의 몸이 기분 좋게 흔들렸다.

"그 약속 잊지 마, 아그레인."

은은하게 빛나는 백금 반지. 중앙에 자리한 연녹색 에메랄드와 그 주위에 가지런히 박힌 다이아들.

'예쁘네.'

정말 예쁘다는 말밖에는 표현할 길이 없다. 종일 쳐다본 덕에 다이아의 개수가 일곱 개인 것도 외웠다. 그렇게 한참을 침대에 누워서 구경하다가, 팔이 아프면 잠시 내린 채 휴식했다. 그러다가 다시 생각나면 손을 들어 구경했고, 저리면 멍하니 천장만 바라보길 수십 번째였다.

불현듯 시선이 느껴져 고개를 돌리니 리히튼의 눈이 나를 향해 있었다. 그의 손에는 어제와 마찬가지로 읽다 만 낡은 서적이 들려 있었다. 리히튼은 대부분의 시간을 내 방에서 지냈는데, 나와 침대 위를 구르는 일과 외엔 늘 독서를 했다. 그는 나와 함께하는 시간을 제외하고는 단 일 초도 헛되이 보내려 하지 않았다. 무의미한 시간이 마치 죄악으로 느껴지는 것처럼.

잉고르드에서도 마찬가지였었다. 리히튼은 수면에 드는 대여섯 시간을 제외하고는 항상 무언가로 바빴다. 독서는 오히려 그에게 휴식이나 다름없었다. 적어도 내 눈에는 그렇게 보였다. 이토록 치열한 삶이 지금의 리히튼을 만들어낸 것이겠지. 그렇게 생각하면 마음이 무거웠다.

"이게 잉고르드 가문의 반지야?"

가문 대대로 내려오는 인장 반지는 일종의 혈통서와도 마찬가지다. 반지는 가주의 혼인식 때 그 결실을 나타내는 용도로 사용되며, 이후 안주인의 보석함에 고이 모셔졌다가 후계자의 혼인식 때 물려준다. 잉고르드나 캐롤드 가문처럼 유서 깊은 집안의 인장 반지는 오랜 역사만큼 투박한 외형을 지니고 있었다. 기억하기로 캐롤드의 인장 반지 또한 무식한 크기의 루비 반지였다.

'이걸 보니 캐롤드의 반지가 더 못나 보이는 것 같기도 하고.'

한데 리히튼이 선물한 반지는 구식이라고 표현하기에 훨씬 더 세련된 감이 있었다. 무엇보다 인장 반지 특유의 엄지에 끼워야 할 정도로 헐렁한 크기가 아닌, 내 손가락에 딱 맞는 크기라는 게 신기했다. 마치 나만을 위해 세공된 것 같았다.

"아니. 네 손에 그런 더러운 물건을 끼울 순 없지. 그건 새로 제작한 거다."

…착각이 아니라 정말이었구나.

"고마워."

그 말에 내려놨던 손을 다시 들어 반지를 확인했다. 오직 나만을 위한 선물. 그 말을 들으니 이전처럼 쉬이 만질 수 없었다.

'그런데 잉고르드의 인장 반지를 더러운 물건이라고 표현할 줄이야.'

잉고르드를 향한 리히튼의 증오가 그만큼 컸을 줄은 몰랐다. 생각해 보면 나는 리히튼에 대해 잘 알지 못했다. 내가 기억하는 그의 과거는 다 무너져 가던 힐 성과 예일 성에서 마주한 게 전부라고 해도 무방했다.

"리히튼."

조용히 책을 훑던 그의 시선이 다시 내게로 향했다.

"황성에서는 어떻게 나올 수 있었던 거야?"

오랫동안 참아 온 질문인 만큼, 그의 반응을 살피지 않을 수가 없었다. 혹시 내가 모르는 리히튼의 트라우마를 건드린 건 아닐까 걱정됐다. 우려와 달리, 리히튼의 대답에는 일말의 주저도 없었다.

"다나한 2세의 사냥개가 된 것부터 시작이었지."

"암부를 말하는 거야?"

"황실을 대신해 더러운 짓거리를 한다는 면에서는 비슷해. 대외적으로는 황실 소속의 기사가 되어 황성을 지켰고, 해가 지면 황제의 은밀한 명을 수행했지."

어떻게? 혀끝에 맴도는 의문을 힘겹게 참았지만, 당사자인 리히튼은 다시 고개를 돌리곤 무덤덤하게 과거를 밝혔다.

"평생 할 역겨운 짓거리를 그때 다 했을 거다. 덕분에 황금 같은 정보를 모을 수 있었지. 거대한 백금 광산, 트리비아체를 비롯한 온갖 가문들의 더러운 비화, 피할 수 없는 천재지변이 일어나는 미래…."

책장이 팔랑거리며 넘어가는 소리가 방을 울렸다.

"그 짓거리를 반복할수록 다나한 2세의 신뢰를 얻기도 손쉬웠지. 뜨거운 물에 우유를 섞는 것보다 훨씬 더. 그 당시에 모은 쓸 만한 것들로 아버지와 거래를 한 거야."

"어떤 거래?"

"나를 데려가면 그렌페르크의 왕좌를 바치겠다고 했다. 잉고르드가 황실의 새로운 주인이 될 수 있도록."

리히튼의 입에서 나온 소리라 그런 것일까? 터무니없는 만용처럼 들리지 않았다.

"쉽지 않았어. 그 와중에도 너는 계속해서 내 손을 벗어났고…. 그럴 때마다 새로 다시 시작해야 했으니까."

그의 목소리는 까마득한 과거를 헤집 듯 무겁고 느렸다.

"그 끝에 도달할 수 있었던 것으로 충분해. 가치 있는 고난이었어. 적어도 내게는."

가볍게 웃은 리히튼이 책에서 시선을 떼고 나를 바라봤다.

"아그레인, 네게 이런 말을 하는 날이 다 올 줄이야. 감격적이군."

진심 어린 그의 미소는 언제나 나의 마음을 설레게 했다. 나는 그런 리히튼의 얼굴에 대고 반지를 흔들었다.

"오늘처럼 내게 반지를 준 적도 있었겠네?"

"아니, 맹세코 처음이야. 처음이자 마지막이겠지. 예전에는 머릿속으로만 그렸던 게 전부였는데…."

흐려지는 음성에는 미약한 그리움이 배어 있었다. 리히튼은 어떤 기억을 떠올리고 있을까? 고통스럽지 않은 회상이라면 방해하고 싶지 않았다.

다시 눈을 떴을 때, 창밖은 이미 늦은 밤이 내려앉은 후였다. 활짝 열린 창문 너머로 부엉이 우는 소리가 났다. 방 안은 고요했다. 리히튼이 앉아 있던 자리에는 어떤 흔적도 남아 있지 않았다. 시계의 시침이 가리키는 숫자는 저녁 열 시. 리히튼은 침실로 돌아간 듯했다. 그는 답지 않게 꼬박꼬박 자신의 방으로 돌아가서 잠을 청했다.

'그와 나의 관계를 다들 알고 있는데.'

고작 그런 걸로 내 체면이 서는 것도 아니고. 역시 리히튼은 이상한 부분에서 꽉 막힌 감이 있다.

'아, 그래. 킨에게도 말해 두어야지.'

방을 나서 킨의 집무실로 걸음을 옮겼다. 아버지의 온기로 가득했던 집무실은 이제 킨의 침실이나 다름없었다. 그는 종일 그곳에서 서류를 검토하고, 손님을 만났으며, 잠을 청했다. 시간이 모자라니 좋아하는 검을 휘두르지도 못했다. 종종 스트레스를 못 이겨 악을 지르곤 했는데, 그때만큼은 진심으로 안쓰러웠다.

킨은 나의 방문을 새삼스레 여기지 않았다. 아마 또 왔나 싶었겠지. 잠이 오지 않는 밤마다 이곳에서 함께 시답잖은 대화를 나눴으니까. 집무실은 늦은 밤에도 밝다. 킨의 곁에 놓인 등불의 수만 다섯 개가 훌쩍 넘어서, 그의 표정 하나하나가 세심하게 보였다.

"할 말이라도 있는 거냐?"

너무 노골적으로 바라보고 있었던 탓일까? 킨이 내가 앉은 소파 쪽을 힐끔 바라봤다.

"뜸 들이지 말고 해. 너답지 않으니까. 아니면 뭐, 지천이 흔들릴 만큼 대단한 선언이라도 할 생각인가?"

그런 건 아니지만, 이상하게 입이 떨어지지 않았다.

"내일 모레 리히튼을 따라서 잉고르드로 가려고 해."

예상과 달리 킨의 반응은 담담했다. 그의 시선이 흘긋, 내 손가락을 향했다.

"날짜는?"

"내일 모레."

"네가 떠나는 날 말고, 결혼식 날짜."

아. 봤구나. 괜히 민망해진 기분으로 반지를 매만졌다.

"각하께선 가을을 염두에 두셨던데."

"가을? 올해?"

"당연한 걸 물어."

"나는 그런 말 들은 적 없어."

더불어 리히튼이 킨과 그런 대화를 나누었을 줄은 상상도 못했다.

'정작 내게는 말 못하고 계속 뒤로 미뤘으면서.'

망설이는 리히튼이라니. 전혀 어울리지 않는다.

"그럼 못 들은 걸로 해. 젠장, 내가 입방정을 떨었군."

긴 한숨과 함께 킨이 마른세수를 했다. 그는 쥐고 있던 펜을 던지고 몸을 일으켰다. 그리고 활짝 열린 창문 앞에 서서 양쪽 어깨를 번갈아 돌리며 말했다.

"필요한 건 따로 적어서 떠나기 전에 남겨 두고 가라. 당장 챙겨야 할 건 내일 전달해 두고."

"누가 들으면 나가서 안 돌아오는 줄 알겠네."

"곧 그렇게 되겠지."

그는 차갑게 식은 게 분명해 보이는 차를 입 안에 털어 넣었다. 이어서 믿기지 않는단 투로 입을 떼었다.

"네가 혼인한다니, 덕분에 이 오라비는 한시름 놨다."

"네가 혼인을 못해서 나는 한시름 못 놓고 있어."

킨은 푸석푸석해진 얼굴로 고개를 저었다.

"눈코 뜰 새 없이 바쁜 시기에 어떻게 하라는 거냐? 오래전에 공중 분해 된 백합 기사난노 성비해야 하고…. 네 결혼식이 캐롤드 가문의 부활을 만 천하에 알리는 첫날이란 걸 잊지 마."

"비비안느가 알면 징글맞게 화려해질 거야. 괜히 뭘 더 얹으려고 하지 마."

"황실이 준비하는 것과 캐롤드가 준비하는 게 같을 순 없지."

어느 날부턴가 킨의 고집이 단단히 세졌다. 특히 나와 관련된 사안에는 더더욱. 어릴 때 하지 못한 오라버니 노릇을 하려는 게 눈에 훤히 보였다. 그 만두라고 비꼬기는 해도, 실제 그런 행세가 아니꼬운 건 아니었다. 다만 킨 이 죄책감에서 벗어났으면 했다. 나 역시 그게 어려울 거란 걸 알고 있지만.

"내 도움이 필요하면 서신이나 사람을 보내. 비비안느와는 계속 연락할 것 같으니까."

킨은 단칼에 거절했다.

"그럴 일 없을 테니까 떠나면 이곳 일에는 일체 관심 꺼라. 황성도 내가 직접 가고 폐하도 내가 직접 찾아뵈면 돼."

이제는 혼자서도 할 만하다고 나를 내치는 건가. 마음 같아선 그딴 식으 로 말하지 말라는 위협과 함께 킨의 멱살을 흔들고 싶었다. 하지만, 곧 나가 니까. 끓어오르는 울화를 참고 차분하게 대답했다.

"너 혼자 일으킨 가문 아니야, 킨. 가주로서 압박감도 심하고, 힘든 거 알 지만…."

"아, 그것 참 말 많네. 그걸 내가 몰라? 알 만큼 아니까 이제 나 혼자서도 다 무너진 캐롤드 좀 일으켜 보자고."

킨이 성큼성큼 내 옆으로 걸어 왔다. 그는 내 어깨를 쥐며 말했다.

"의무에서 벗어나도 괜찮아. 내가 있잖아."

"의무? 그게 왜 의무야? 캐롤드에는 너와 나만 남았어. 그러니 내가 할 수 있는 건 무엇이든…."

"하지 마."

왜, 라는 물음이 입 밖으로 나오지 못하고 목에 걸렸다. 나를 응시하는 킨의 눈빛이 어떤 반문도 허락하지 않겠다는 듯, 차갑고 단호했기 때문이다.

"무엇이든 하지 마. 너를 힘들게 하고, 네 발목을 붙잡으려 한다면 아무리 캐롤드라고 해도 잊어. 앞으로는 너를 위해 네 인생을 살아, 아그레인."

그는 내 몸을 당겨 안았다. 그리고 굳은살이 박인 커다란 손으로 두어 번 등을 두들겼다. 밀린 위로라도 하는 양 서툴고 어색한 몸짓으로. 많은 업무에 시달려 왔음에도, 그의 손은 한겨울처럼 차갑고 시렸다. 마치 황성을 떠나던 그날처럼.

"네게는 그럴 자격이 있어."

그리고 그 차가움은 내가 아는 한기 중 가장 따뜻한 온도였다.

사흘은 빠르게 흘렀다. 또한 그 사흘은 내가 캐롤드에서 지낸 시간 중 가장 바빴다. 먼저 성질 급한 모리타트의 닦달을 못 이기고 비비안느에게 서신을 보내야 했다. 옆에서 계속 끈덕지게 관여한 탓에 수신하기까지 반나절이 걸렸다. 솔레르는 나를 따라 캐롤드를 떠나기로 했다. 이제 막 정착했는데 힘들지 않겠느냐고 묻자, 조금도 괘념치 않아 했다.

"나는 아그레인을 믿고 여기까지 온 거니까요. 이때가 아니면 언제 잉고르드 공작저에 의탁해 보겠어요? 이것저것 정리하고 일주일 후에 뒤따라갈게요. 큰 영지니 배울 것도 많을 거예요. 아, 그러고 보니 오늘 아침에 페사 아가씨로부터 연락이 왔는데…."

그리고 잉고르드로 떠나는 전날에는 킨과 함께 전 캐롤드 후작저에 방문했다.

이제는 옛 터만 남은, 새까만 재로 뒤덮인 땅. 우리는 돌무더기 사이로 천천히 걸음을 옮겼다. 곳곳에 희미하게 형체만 남은 가구들이 보였다. 가만히 들여다보면 언뜻 낯익은 것 같은 양탄자와 장식품들이 땅을 구르고 있었나. 킨은 ㄱ 한가운데서 걸음을 멈추었다. 허리를 숙여 무언가를 집더니, 반이상이 까맣게 탄 분홍색 봉제 인형을 툭툭 털곤 내게 건넸다.

"네가 안고 자던 인형."

…아. 그에게서 인형을 받아 들었다. 인형은 이곳저곳이 터지고 찢기고 타서 도통 무슨 형상인지 알아볼 수 없었다. 하지만 손끝에 닿는 촉감만은 이상하게 익숙했다.

"어렴풋이 기억나는 것 같아. 동물 인형이었나?"

"네가 하도 침을 흘려서 이틀마다 세탁했었지."

"웃기는 소리 하네. 내가 속을 줄 알아?"

킨은 그 후로도 한참 동안 주변을 훑었다.

"이건 아버지가 아끼셨던 크리스털 잔. 캐롤드의 오래된 가보 중 하나였지만 네가 공부하기 싫다면서 역정을 부리다가 두 동강 냈었어."

때때로 기억도 안 나는 물건을 들이대며 이상한 소릴 해 댔는데, 기억하지 못한다는 이유로 듣고만 있어야 했다. 다시 마차에 오르기 직전. 킨이 지나가듯 입을 열었다.

"영지가 안정되면 이곳에 다시 후작저를 지을 거다."

그 말을 하고 싶었던 건가.

"좋네."

언제쯤 멀쩡해진 저택으로 다시 돌아올 수 있을지 궁금했다.

그렇게 하루가 더 흘러 잉고르드로 떠나는 날의 아침이 밝았다. 하늘은 구름 하나 없이 높고 푸르렀다. 새벽부터 본관이 분주했다. 가을이 되어서 다시 돌아올 텐데, 고용인들은 모두 평생 못 볼 것처럼 굴었다. 특히 셰즈는 딸을 혼인시키는 어미라도 되는 양 그렁그렁한 눈으로 내 손을 잡고 놓지 못했다.

"아가씨가 건강하게 살아 계신 것만으로도 너무나 기뻤는데… 좋은 분과 평생을 함께하신다니 이보다 더 행복할 수가 없습니다. 저는 저와 어머니를 거두어 주신 캐롤드에 뼈를 묻을 거예요. 그러니 언제라도 다시 돌아와 주세요."

"호들갑 떨지 마. 보름 후에 또 볼 거야."

"아가씨는 이런 면에서는 정말 눈치가 없다니까요! 제 말 명심하시라구요…."

훌쩍이며 배웅하는 하녀들과 달리, 킨은 가볍게 내 어깨를 안고 토닥이는 것에 그쳤다. 하지만 나는 이 포옹이 우리 사이의 최고의 인사라는 것을 알고 있었다. 이어서 그는 리히튼을 향해 허리를 숙였다.

"아그레인을 잘 부탁드립니다, 각하."

리히튼의 대답은 간결했다.

"건방진 부탁이로군."

이윽고 우리를 실은 마차가 캐롤드를 떠났다. 창밖으로 고개를 빼니, 화창한 여름 하늘 아래의 아담한 저택이 빠르게 멀어져 갔다. 캐롤드. 내게도 돌아갈 수 있는 곳이 생겼다. 그런 곳에서 멀어지는 기분은 말로 표현하기 어려울 만큼 복잡했다. 하지만 혼자가 아니기에 괜찮았다.

"나중에는 더 먼 곳으로 떠나자."

리히튼은 그 연유에 대해서도 묻지 않고 고개를 주억였다.

"그래, 어디든."

캐롤드에서 잉고르드는 가깝지 않았다. 쉬지 않고 계속 달려도 열흘이 꼬박 걸리는 거리였다. 잉고르드는 공기부터 다르다. 연안에서 가깝기 때문에 피부로 닿아 오는 공기가 캐롤드에서보다 더 습하고 상쾌했다. 그러나 순조로웠던 여행도 잉고르드 공작저를 코앞에 두고 문제가 생겼다. 마차의 바퀴가 빠신 것이나. 이음새에 긴 흠십이 나 고칠 수노 없었고, 무엇보다 눈앞을 분간하기 힘들 정도로 거세게 비가 떨어져 걸어갈 수도 없었다. 리히튼의 판단은 빨랐다.

"비가 거세니 나와 아그레인은 근처에서 하루 묵는 게 낫겠군. 저택으로 달려가 새벽까지 마차를 보내라. 가장 가까운 여관에서 기다릴 테니까."

"예, 각하."

그의 명령에 마차를 호위하던 기사 두 명이 말을 타고 멀어졌다. 나는 희미해지는 그림자를 응시하며 리히튼에게 물었다.

"함께 가지 않고?"

"너는 네가 생각하는 것보다 훨씬 더 몸이 약해. 게다가 슬슬 날이 서늘해지고 있으니, 빗속을 달리다가 지독한 감기에 걸리면 고통스러울 거다."

"이틀이면 멀쩡해질 텐데."

하아. 짧은 한숨 소리가 들려왔다. 리히튼은 내 머리를 외투로 가리며 말했다.

"다시 한번 당부하지만, 아그레인…. 네 몸을 쉽게 다루지 마. 나를 위해서라도."

우리는 마차에서 내렸다. 리히튼은 나를 아이처럼 끌어안고 말을 몰았다. 시내에서 많이 멀지 않은 곳이라 금방 여관을 찾을 수 있었다.

"리히튼. 답답해."

"조금만 참아."

말에서 내린 후, 리히튼은 여관으로 들어가 계단을 오르고 방문을 닫는 일련의 과정 동안 나를 품에서 놓지 않았다. 심지어는 내가 바깥으로 얼굴을 빼는 것조차 허락하지 않았다. 마치 그 누구에게도 나를 보이기 싫은 것처럼. 하지만 방문을 잠근 후에는 기다렸다는 듯 내 몸을 덮쳤다. 젖은 의복이 벽난로의 열기에 마를 동안, 우리는 한 몸처럼 붙어 있었다. 나중에는 그의 괴롭힘을 참지 못한 내가 한 소리 할 정도였다.

다음날, 태양도 제대로 뜨지 않은 푸르스름한 새벽. 우리는 마중 나온 마차에 올라 잉고르드 저택에 도착했다. 수십 명에 달하는 고용인들이 우리를 기다리고 있었다. 베르크네, 메어리, 하녀장 같은 익숙한 얼굴들이 우리를 맞이했다. 머뭇머뭇 내 곁을 맴돌던 메어리는 목욕 시중을 도우면서 말했다.

"아가씨께서 돌아오셔서 기뻐요. 앞으로는 저를 꼭 옆에 두셔야 해요! 아직 제대로 말씀 드리지 못한 이야기가 너무 많단 말이에요."

나 역시 잉고르드의 시녀들 중 그녀가 가장 편했기에, 합방 전까지 침실 시녀로 두기로 했다. 베르크네는 그날부터 바로 나를 공작 부인으로 대하기 시작했다. 킨과 함께 잉고르드에서 잠시 머물 때도 느꼈지만, 상황에 따른 대처가 놀랍도록 재빠른 남자였다.

"각하께 전부 전해 들었습니다. 내일부터 당장 결혼식 준비를 시작할 예정입니다. 지시하실 사안이 있으시다면 언제든지 불러 주십시오."

잉고르드에서의 시간은 몹시 평화로웠다. 낙엽이 지는 계절은 빠르게 찾아왔다. 코앞으로 다가온 결혼식에 하나둘 하객이 도착하기 시작했다.

시간이 더 흘러, 마침내 떠오른 그날 아침의 태양. 잉고르드의 결혼식은 그해 열린 결혼식 중 가장 성대하게 열렸다. 우리는 그렌페르크의 모든 귀족이 보는 앞에서 영원을 맹세했다. 서로에게 영혼을 바치고, 서로의 반지에 입을 맞추었다. 축하 갈채가 사그라질 동안 리히튼과 나는 서로의 눈에서 시선을 떼지 않았다. 맹세가 끝나고, 하객들로부터 축언을 받는 순

서가 되었다. 그전에 만인지상인 황제의 앞에 무릎을 꿇고 축언을 듣는 것이 옳았다. 그러나 비비안느는 황제의 체면도 잊고 친히 다가와 나를 안았다.

"네가 어디서 무얼 하든 우리는 계속 함께할 거야, 아그레인. 그렇지?"

나 역시 그런 그녀를 마주 끌어안았다.

"응."

힐마르티노는 냉소적인 웃음과 함께 고개를 숙였다.

"승자의 권위란 참으로 높아 보이는군요, 부인."

모리타트는 뻔뻔한 낯으로 내 손등에 입을 맞추었으며.

"결혼식이 끝나면 저한테 시간 좀 내주십시오. 급합니다."

아즈마리아는 옅은 미소와 함께 축하 인사를 남겼다.

"그런 표정도 지을 줄 아시네요. 빚은 차차 갚겠습니다. 건강하시길."

그리고 킨은….

"행복해라."

늘 그랬듯, 짧은 말로 진심을 보였다. 식은 끝났지만 연회는 이제 시작이었다. 맹세가 끝난 후 열리는 성대한 연회야말로 어쩌면 진정한 결혼식이라 할 수 있었다.

해가 뜨고 시작된 연회는 자정이 지나고도 끝나지 않았다. 잉고르드 공작 저의 새벽은 마치 낮과 같아서, 손님과 술, 음악으로 넘실댔다. 이 사치스럽고 호화로운 연회를 즐기기 위해 밤낮 없이 달려온 하객들이었다. 그들은 쉬이 잠에 들 생각이 없는 듯 너른 연회장에서 웃고 떠들었다.

"아…."

하지만 리히튼과 나는 아니었다. 우리는 발 댈 틈도 없이 빽빽한 연회장을 벗어나 그림자 아래로 향했다. 함께 계단을 오르며 입을 맞추었다.

흥분을 참지 못한 리히튼이 벽 뒤로 몸을 숨기고 깊은 입맞춤을 남기기도 했다. 그의 뜨거운 숨에 숨통을 조이는 웨딩드레스가 그대로 녹아내릴 것만 같았다.

거칠게 열린 침실의 문은 열릴 때보다 더 거칠게 닫혔다. 침대 위에서 그의 몸에 올라탔다. 청회색 눈동자가 열기로 일렁였다. 금방이라도 내 목덜미를 뜯어먹을 기세의 사나운 시선이 몸을 옭아맸다. 나는 리히튼에게 물었다.

"아카시아 숲의 호수, 기억나?"

헐렁해진 그의 타이를 천천히 잡아당겼다. 다시 오지 않을 이 순간을 머릿속에 각인하고 싶었다. 서두르지 않고 천천히 손을 놀려 구겨진 타이를 풀어냈다. 정갈하지 못한 숨을 내쉬며, 리히튼이 내 하얀 웨딩드레스 안으로 손을 집어넣었다. 대답 없는 그를 상대로 말을 이었다.

"그 호수로 가기 전에 말이야. 살기 위해 죽어야 한다는 사실이 너무 무서워서 울었었어."

아닌가. 울지 않았었나. 정확하게 기억나지는 않지만, 울고 싶을 만큼 두려웠던 건 확실했다. 타이를 바닥으로 던지고, 리히튼의 턱 아래까지 꼼꼼하게 채운 셔츠 단추를 풀었다. 내 몸을 가까이 끌어당긴 그가 등 뒤의 드레스 매듭을 풀기 시작했다. 아니, 그건 푸는 게 아니라 찢는 행위에 가까웠다. 난폭한 손길에 천이 너덜너덜해지는 소리가 귓가에 선명했다.

"나는 살고 싶었어. 그런 나를 살린 게 바로 너였지."

거울 너머로 비치던 창백한 낯을 회상했다. 꿈처럼 흐릿했지만 더할 나위 없이 뚜렷했던 그때 그 감정이 머릿속에 잔상처럼 남아 있었다.

"그러니까, 내가 영혼을 바칠 수 있는 사람은 처음부터 너밖에 없었던 거야."

그때, 순순히 내 몸 아래에 누워 있던 리히튼이 돌연 상체를 일으켰다. 그의 얼굴이 느리게 가까워지고, 우리는 진득한 입맞춤을 나누었다. 가빠진 호흡 끝에서 그가 말했다.

"미안해, 아그레인. 네 다리에 족쇄를 채운 게 나라서."

무슨 소리인지 알 수 없었다. 중심이 천천히 기울어지기 시작했다. 어느새 나는 리히튼의 아래에서, 그의 목에 매달리고 있었다. 황홀한 감각에 정신이 몽롱했다. 그의 입술은 한참 만에야 떨어졌다. 내 얼굴을 뚫어져라 내려 보던 시선이 곧 부드럽게 미소 지었다. 리히튼은 내 두 눈을 감겼다. 그리고 꿀처럼 달콤한 목소리로 속삭였다.

"내게 영혼을 주었으니, 너는 절대 돌려받지 못할 거다."

우리는 더더욱 깊은 나락으로 함께 떨어졌다.

Side Episode 2.
제네바

[리히튼.]

가녀린 목소리가 그에게 애원했다.

[힘들어. 이제 그만 나를 놔줘.]

리히튼은 깊게 숨을 삼켰다. 그녀의 말에 귀 기울일 필요 없었다. 전부 꿈이었으므로.

[그때의 그 말은 잊었으면 해. 무지했던 시절의 치기였던 거야. 나는 이만 쉬고 싶어.]

아쉬움이라고는 일말도 느껴지지 않는 음성에, 리히튼은 미친 듯이 뛰던 심장이 서서히 얼어 가는 것을 느꼈다.

[나를 놓고 네 시간을 살아.]

그래, 전부 꿈이라는 것을 알고 있다. 이 개 같은 순간을 이제껏 지겹도록 겪어 왔으니까. 끔찍한 사실은 이 모든 것을 알아도, 겪어 와도 달라지는 점이 없다는 사실이다. 수년이 흘러도 그는 여전히 악몽 속을 헤맸다.

[이제 그만 가.]

아니야.

[나를 이 시간에 두고 가.]

헛소리하지 마, 나는….

[나를 위한다면 그렇게 해.]

나는 너를 위해….

[고마웠어, 리히튼.]

너를 위해 모든 것을 바쳤는데.

숨이 완전히 멈추었다고 자각했을 때 눈이 떠졌다. 타는 목마름에 목을 움켜쥐었다. 눈밭 아래에 쓰러진 시체의 냉기처럼 싸늘한 피부가 이곳이 현실이라고 말하고 있었다. 손끝에 닿아 오는 심장박동 소리가 유독 커 귓등을 울릴 정도였다. 리히튼은 습관적으로 옆자리를 더듬었다. 이상하리만치 텅 비어 있었다.

"아그레인."

그의 옆자리는, 아무리 이성적으로 생각해도 비어 있을 수가 없는 공간이었다. 손가락 사이사이로 뭉개지는 여름용 침구가 불안한 감정을 몰고 왔다. 아그레인의 아침은 리히튼보다 늘 늦게 시작되곤 했다. 아그레인은 그가 어스름한 새벽에 일어나 하루 일정을 정리하며 가볍게 배를 채울 즈음에야 눈을 떴다. 종종 시녀가 들어오기 전에 잠을 깨웠으면 한다는 타박을 받기는 했지만, 가볍게 웃어넘기기만 하자 관련된 언급도 현저히 줄었다.

사실을 고하자면 세상모르고 잠든 하얀 얼굴을 구경하는 게 그의 낙 중 하나라 방해받고 싶지 않았다. 파르르 떨리는 아그레인의 속눈썹을 부드럽게 매만져 주면 불안정했던 호흡이 안정을 되찾는 시간을 혼자만 누리고 싶었다. 세상의 모든 것이 정적에 휩싸인 새벽. 그 새벽은 리히튼에게는 가장 평화로운 시간이었으니까. 한마디로 어스름조차 뜨지 않은 이 시각이라면 아그레인은 그의 옆자리에서 깊은 잠에 빠져 있어야 한다는 의미였다.

"아그레인."

재차 불러도 대답이 들려오지 않는다. 손바닥이 축축해지는 게 비단 착각만은 아닌 듯했다. 몸을 일으킨 리히튼은 암막을 거두고 카펫 위로 떨어진 달빛을 따라 걸음을 옮겼다. 한 줌에 불과했던 불안의 소용돌이가 점차 거대해지고 있었다. 만약, 그간의 일들이 전부 꿈이었다면? 그녀가 존재하지 않는 이곳이 진정한 현실이라면? 극렬한 두려움에 머릿속이 핑 돌았다.

"아그…."

"리히튼?"

그러한 리히튼의 고통을 순식간에 잠재운 목소리가 있었다. 그는 멈춘 자리에서 죽은 듯 서 있다가 천천히 고개를 돌렸다. 달빛이 어렴풋하게 내려앉은 테이블 아래에 작고 하얀 발이 보였다. 발의 주인이 의문 섞인 음성으로 그에게 물었다.

"왜 이렇게 일찍 일어났어? 오늘 잉고르드로 돌아가는 것 때문에 그래?"

리히튼 본인이 해야 할 질문이었다. 아니, 그전에 바짝 긴장했던 목덜미를 주무르며 숨을 들이켰다. 젖은 손바닥에 살이 미끄러졌다. 한숨 돌리기는 했어도 심장박동은 여전히 요란했다. 그의 낌새가 이상하게 느껴졌는지 숨죽이고 있던 목소리의 주인, 아그레인이 조심스럽게 모습을 드러냈다.

"몸이 안 좋기라도 해?"

"아니."

작은 몸이 용케도 테이블 아래에 우그러져 있었다. 리히튼은 도통 무슨 짓거리를 하는 건지 모를 아그레인의 곁으로 다가갔다. 벽 옆에 그녀가 새벽 내내 줄곧 바라봤을, 리히튼으로부터 그녀를 빼앗은 존재가 작게 몸을 웅크리고 있었다. 거칠게 자란 회색 털이 다소 길면서도 볼품없었다. 덩치는 기껏해야 그의 주먹 두 개를 이어 붙인 정도였다. 작은 동물은 콧소리까지 내며 잠들어 있었다.

"별일은 아니고…."

바닥에 주저앉은 리히튼이 아그레인의 어깨를 당겨 안았다. 향긋한 살결과 부드러운 온기가 품에 안기자 기분이 훨씬 나아졌다. 목덜미에 코를 박고 깊게 숨을 들이켰다. 그러다가 얇은 살갗을 작게 깨물어도 아그레인은 크게 상관 않고 테이블 아래에 널브러진 새끼 여우에게서 눈을 떼지 못했다.

"배고프다고 우는 것 같아서 일단 뭐라도 챙겨 주기는 했는데, 먹자마자 금방 잠들었어."

이 불청객은 아그레인이 사냥한 붉은 여우의 새끼로 의심됐다. 숲에서 황성으로 돌아오는 길에 발견한 이 작은 여우는 느릿하게 귀향하던 무리의 뒤꽁무니를 겁도 없이 따라왔다. 사람에게도 정을 잘 주지 않는 아그레인이 웬일로 새끼 여우를 가엽게 여겨 거두었는데, 설마 새벽에 끼니까지 챙겨 줄 줄은 몰랐다.

"울었다고?"

"작은 소리로."

"그럴 리가. 울었다면 내가 곧장 깨어났을…."

"그런 낌새는 없었어. 나의 각하께서는 인기척도 없이 아주 잘 주무셨으니까."

고개를 든 아그레인이 그의 턱에 짧은 입맞춤을 남겼다. 동시에 가슴 안쪽이 미약하게 서늘해졌다. 어떤 연유에서든 기적을 알아차리지 못했단 사실 자체가 마음에 들지 않았다. 그는 수십, 수백 년을 온 신경에 불을 켠 채 살아왔다. 너무 길고 고통스러워 이제는 흐릿해진 기억에 의하면 숙면을 취한 시간이 손에 꼽힐 정도였다. 그런 자신이 고작 새끼 여우 한 마리의 기적도 못 알아챌 만큼 깊게 잠들었었다니.

'정말 풀어질 대로 풀어졌군.'

마음이 놓일 거라면 제대로 놓여야지. 늘어지게 잠든 주제에 악몽을 꾼다는 건 너무 역설적이지 않은가.

"한숨은 왜? 또 악몽이라도 꾼 거야? 표정도 안 좋아 보이고."

리히튼은 긍정의 의미로 아그레인의 귓가에 뺨을 비볐다. 살가운 손길이 그의 얼굴을 쓸어내렸다.

"아직도 종종 그러네. 잉고르드에서는 괜찮은데 꼭 나오기만 하면…."

"당신은?"

"괜찮아."

"그럼 됐어."

아그레인에게 문제가 없다면 그것으로 족하다. 품에 가두고 있던 작은 몸을 안아 들어 침대로 향했다.

"오늘부터 일정이 고돼. 조금 더 자 두는 게 좋아."

"가는 길에 비만 오지 않으면 좋을 텐데."

"그럴 일은 없을 것 같군."

황성의 여름 연회가 끝난 지 열흘이 다 되어갔다. 그간 빈세르크 3세의 요구로 귀향 날짜를 미뤄 왔으나, 이틀 전 베르크네로부터 좋지 않은 소식이 도착했다. 며칠 내내 내린 장마로 인해 강둑에 금이 갔다는 소식이었다. 아그레인에게 달라붙는 궁정인들의 아부가 짜증스러웠던 참에 적당한 일거리였다. 빈세르크 3세는 그까짓 강둑 수리 일에 그가 나설 일이 무엇이 있겠느냐 불만을 표했으나, 리히튼은 부득불 귀향을 주장했다. 길어지는 실랑이를 보다 못한 아그레인이 그의 손을 들어 주고 나서야 둘 사이의 언쟁이 끊겼다. 황제는 요 근래 겁이 없어졌다. 목을 베고 새로운 황제를 앉혀야 하나 싶었으나 마땅한 인물이 없었다. 그렇다고 리히튼 본인이 가지기에는 잃는 게 더 많은 자리라 조금도 욕심이 나지 않았다.

317

'아그레인 덕분에 이어지는 명줄인 것을.'

잘 알고 있으니 아그레인이 곁에 있을 때만 혀가 길어지는 거겠지. 리히튼은 침구 아래에서 뒤척이는 두 팔을 강하게 껴안으며 눈을 감았다. 아그레인이 거둔 여우 새끼는 잉고르드로 돌아가 검은매 기사단에 던지든지 해야겠다.

빈세르크 3세가 꼭두각시 황제라는 사실은 그렌페르크 제국의 귀족, 더 나아가 정치에 귀가 밝은 상인이라면 누구라도 아는 사실이다. 그렌페르크 제국의 실세는 빈세르크 3세가 아닌 리히튼 잉고르드였다. 하지만 그 누구도 빈세르크 3세를 업신여기거나 조롱하지 못했다. 그녀와 리히튼이 오래된 정치적 동맹 관계임을 알기 때문이다. 또한 둘은 이상하리만큼 서로를 신뢰했다. 남녀 관계에 있어 신뢰란 오직 통정뿐이라 여기는 이들은 둘을 내연 관계로 여겼다. 그나마 아그레인의 존재가 그 징글맞은 착각의 대부분을 뜯어고쳐 주기는 했지만.

"공작, 부인을 잘 부탁하네. 천성이 허약해 귀향길에 비라도 내리면 지독한 감기에 걸리지 않을까 걱정이야. 부인의 성격이라면 그리 내색하지도 않을 텐데."

신경을 돋우는 걱정에 리히튼은 고개조차 끄덕이지 않았다. 빈세르크 3세는 그럴 줄 알았다는 듯 미련 없이 몸을 돌려 아그레인의 손을 잡아끌었다. 금방이라도 눈물이 떨어질 듯 그렁그렁한 눈동자였다.

"벌써 떠나다니 이렇게 아쉬울 수가 없어. 연회가 끝난 지 이제 열흘인데. 가을이 오기 전에 한 번 더 와야 해. 그럴 수 있지?"

뻔하다는 말은 황제를 보고 하는 말이다. 아그레인에게 동정표를 사려는 꼴이 그렇게 뻔할 수가 없었다. 수선화 자수가 놓인 손수건으로 쥐똥만큼 나온 눈물을 콕 찍으며 우는 척을 하는 꼴이 가증스러웠다.

"생각해 볼게."

아그레인은 적당한 대꾸만 남기고 마차 안으로 사라졌다. 빈세르크 3세의 낯에는 아쉬움이 여실했으나 그것으로 끝이었다.

자신이 아그레인에게 '어느 정도는' 특별한 존재임을 황제는 충분히 알고 있을 터였다. 아그레인이 배려하고 생각해 주는 존재는 손에 꼽을 만큼 적었는데, 공교롭게도 그중 하나가 황제였다. 그런 면을 상기했을 때 마땅한 황실 후계자가 존재했다 하더라도, 리히튼은 그녀의 목을 벨 수 없었을 것이다. 목줄을 달아 개로 키우라고 선물한다면 모를까.

모리타트 잭도, 킨 캐롤드도 마찬가지였다. 아무리 못마땅하더라도 아그레인의 세상에 의미 있는 존재라면 그것으로 쓸모를 다하는 것이나 마찬가지였다. 적어도 리히튼에게는 그랬다.

"이제 또 지겨운 마차 여행의 시작이네. 일 년 치 카드 게임을 며칠 내에 전부 몰아서 하는…."

아그레인이 창밖으로 스쳐 지나가는 관목들을 응시하며 작게 한숨을 내쉬었다. 황성을 떠나는 게 아쉽다기보다는 길어질 이동에 벌써부터 지친 눈치였다.

"나의 부인은 한곳에 오래 앉아 있으면 좀이 쑤시는 분이시기는 하지."

"천박하게 살아온 티라고 하던데. 귀부인은 자고로 앉은 자리에서 열 시간은 버틸 줄 알아야 한댔나."

"누가?"

"몰라. 얼굴에 차를 부어 버리니까 울면서 사라졌어."

"찾는 일은 쉬워."

"찾아서 뭐 해? 시건방지다며 입술을 꿰맬 수도 없고. 발가벗겨서 춤을 추게 할 수도 없고."

그리 말하는 아그레인의 눈에는 아무런 감흥도 느껴지지 않았다. 귀부인

319

이 발악하며 그녀의 머리칼을 휘어잡았더라면 더 흥미진진한 얼굴로 이야기하지 않았을까?

"진실로 불가능할 거라 여기는 건 아니겠지, 부인."

"그러지 말라는 뜻에서 한 말이지. 당신은 이런 데서 참 눈치가 없어."

리히튼의 무릎을 베고 누운 아그레인이 느릿하게 눈을 감았다. 곧고 작은 콧등을 감상하며 리히튼이 입술을 떼었다.

"지루해 보였어."

"황성에서?"

"응."

"맞아. 지루하고 재미없었지. 아부하는 자들을 보면 골려 주고 싶더라."

아그레인은 기본적으로 작은 사교 모임이나 연회를 즐기는 성정이 못됐다. 처음에는 나름대로 잉고르드 공작 부인이라는 직위에 걸맞게 이런저런 살롱에 참여하곤 했지만, 이제는 아니었다. 그나마 꾸준히 교류하고 있는 귀부인들은 함께 사냥하다가 마음이 맞은 소수가 전부였다. 하지만 리히튼은 갈수록 폐쇄적으로 변해 가는 그녀의 성정에 대해선 일언반구도 하지 않았다. 늘 곁에 둘 수 있으니까. 아그레인의 그러한 성정은 리히튼에게 있어 행운이나 마찬가지였다.

"다음 연회 때는 병이 걸렸다는 핑계로 별장에 요양이라도 가야겠어. 그곳에서 당신과 별이나 구경하는 게 더 즐거울 거야."

리히튼은 작은 웃음과 함께 아그레인의 가슴께에 매인 끈을 은근슬쩍 건드렸다.

"별구경 따위와는 비교도 안 될 만큼 즐거운 건 따로 있지 않나."

아그레인이 눈을 흘겨 떴다. 그렇다고 불온한 손을 쳐내거나 몸을 일으켜 멀찍이 떨어지지는 않았다. 둘은 장난치듯 서로를 살피다가 깊게 입을 맞추었다. 그리고 약속한 듯이 지겨운 카드 게임을 시작했다. 마차가 제도를 벗어나는 데는 그리 긴 시간이 소요되지 않았다.

삼 년. 몹시 짧은 시간이었다. 친부, 장로, 형제, 할 것 없이 전부 내쫓은 후 처음이자 마지막으로 함께하기를 맹세한 여자였다. 고용인, 귀족 모두가 아그레인을 잉고르드 부인이라 불렀다. 그들의 부름에 아그레인은 아무렇지 않게 고개를 돌리고 인사했다. 리히튼에게는 종종, 아니, 항상 그 모습이 낯설다. 서서 꿈을 꾸는 건가 싶어 어금니 안쪽을 씹다가 피를 삼킨 일도 부지기수였다.

그 짓거리를 삼 년 동안 하고 있었다니. 이런 식으로 스스로의 행동을 상기할 때마다 자신이 얼마나 겁쟁이에 머저리인지 다시금 깨닫곤 한다. 아마 나는 죽는 그 순간에도 네 시신을 안고 죽지 않을까? 그런 날이 온다면.

제도를 나설 때의 날은 썩 괜찮았지만, 일주일이 조금 안 되게 흐르자 해가 잘 보이지 않게 되었다. 결국 늦은 밤부터 호우가 쏟아졌다. 귀향까지 며칠 남지 않은 터라 늦은 밤에도 이동을 늦추지 않았는데 기어코 탈이 나고 말았다. 바퀴의 이음새가 빠져 버린 것이다. 리히튼의 외투로 몸을 가린 채 멍하니 서 있던 아그레인이 김빠지는 웃음을 지었다.

"이런 일, 저번에도 있었지 않아?"

그 역시 또렷하게 기억하고 있었다. 사 년 전 결혼식을 위해 아그레인을 데리고 잉고르드로 귀향하던 여름에도 이와 비슷한 일이 일어났었다. 오늘과 마찬가지로 바퀴의 이음새가 빠져 고생했었는데 길이 다르다는 점을 제외하곤 똑같은 문제가 또 발생한 것이다. 리히튼은 비에 젖은 아그레인의 콧등을 응시하며 저택 내의 빌어먹을 마차 전부를 다시 들여와야겠다고 다짐했다.

"오 분 정도 되는 거리에 제네바 영지의 저택이 있습니다."

정차 직후 주변을 둘러보기 위해 떠났던 기사가 돌아왔다. 멀지 않은 곳에 작은 마을과 별장이 있다는 소식이었다.

"성내는 불이 켜져 있었고 사람이 오가는 모습을 봤습니다."

잉고르드 영지는 여기서 코앞이었으나 저택까지의 거리는 마냥 가깝지 않았다. 가만히 듣고 있던 아그레인이 그에게 속삭였다.

"하루 동안 말을 타고 달리면 잉고르드에 도착한다며?"

"비바람이 잦아질 기미가 안 보여. 당신을 데리고 가는 건 위험해. 잉고르드에 도착한다고 해도 몸이 성하지 않을 거야."

단련된 기사라면 모를까, 몸 약한 귀부인은 필히 독감이나 폐렴에 걸릴 것이다.

"그 소리도 예전 그대로야."

무언가를 더 말하려 입을 열던 아그레인은 이내 입술을 오므리고 고개를 끄덕였다. 무슨 말을 하려 했는지는 뻔했다. 목숨만 붙어 있다면 성한 몸일 필요가 없다는 소리를 하려 했겠지. 그 장담에 리히튼이 무슨 반응을 보일지 훤했기에 입을 다문 것이다. 그 정도는 제 눈치를 봐서 다행이었다.

"제네바에 잠시 몸을 의탁해야겠군."

기사가 고개를 주억였다.

"저희는 이대로 달려서 잉고르드로 가 바로 마차를 보내도록 하겠습니다."

"그때 만나지."

"예."

그렇게 서너 명의 기사가 진흙으로 질척이는 길을 따라 사라졌다. 리히튼은 만일을 대비해 항시 구비되어 있는 우비를 아그레인에게 꼼꼼히 입혔다.

"제네바는 괜한 벼락을 맞게 됐네. 우리처럼 불편한 손님을 모시게 되다니."

"글쎄. 당신과 나 정도면 보상도 꽤 큰 편이라."

마차를 버리고 아그레인과 함께 안장 위에 올랐다. 며칠 내내 축 처져 있던 아그레인의 음성에서 활기가 느껴졌다.

"제네바 자작은 어떤 사람이야?"

"말해 줄 구석도 생각나지 않을 만큼 평범한 남자. 영지는 비옥하고 넓은 편이지. 사과를 주로 재배하고 사 년 전 사고로 부인을 잃어 새로운 자작 부인을 들였다더군."

"제네바 부인은 황성에서 본 것 같아. 굉장히 어린 여자였는데."

"당신보다 세 살 어려."

"으음. 부인은 귀족 출신이 아닌 건가. 잠깐 봐서 잘 기억나지는 않지만 귀부인들과 못 어울리는 것 같았어."

"하녀의 딸이라더군. 자작의 아들은 부인보다 두 살 어리던가."

"여러모로 놀랍구나."

부모로부터 물려받은 영지로 그럭저럭 먹고사는 변방의 귀족 가문에선 종종 일어나는 일이었다. 중앙의 뼈대 굵은 귀족들은 대개 가문의 체면을 개인의 행복보다 중요시 여기기 때문에 정부를 열 명 둘지언정 결혼은 급이 맞는 귀족과 치른다. 하지만 제네바처럼 중앙에서 벗어나 자신들만의 섬을 이루고 폐쇄적으로 살아가는 가문은 체면보다는 영주 개인의 욕구가 더 큰 힘을 지닌 경우가 잦았다. 때문에 변방에서 이따금 들려오는 소문은 귀족들의 귀와 입을 즐겁게 하곤 했다.

제네바 별장은 아담했다. 잉고르드 가문의 별장에 비하면 부지는 반의반도 못 했고, 저택의 외관을 보아하니 관리가 썩 잘되어 있지도 않았다. 문을 두드리자 경계 서린 눈의 늙은 집사가 나타나 리히튼을 위아래로 훑었다.

"누구십니까?"

리히튼은 날이 날카롭게 선 물음에 아그레인을 등 뒤로 숨기며 신분을 밝혔다.

"잉고르드의 리히튼 잉고르드요. 귀향하는 길에 마차가 망가져 문제가 생겼는데, 나와 내 부인이 이틀 정도 실례할 수 있을까 싶어 이렇게 찾아왔소."

초대받지 못한 방문자치고는 지나치게 고압적인 어투였다. 하지만 그들은 다행히, 아니 어쩌면 당연한 일인지도 모르겠지만 리히튼과 아그레인의 방문을 몹시 기꺼워했다. 한걸음에 불려 나온 아들과 자작 부인은 조금은 경직된 표정으로 응접실을 찾아왔다.

"이쪽이 제 부인인 티아, 그 옆이 아들인 벤허튼입니다."

"잉고르드 리히튼이오. 이렇게 갑작스레 실례하게 되어 면목이 없소."

고개를 숙인 여자는 그의 생각보다 더 어려 보였다. 제네바 자작의 취향에 대해 왈가왈부할 생각은 없지만 뿌듯한 표정이 되어 보란 듯이 부인을 끌고 오는 꼴을 보자니 우스웠다. 누가 보더라도 부인의 짝은 자작이 아닌 그 옆의 아들로 알 것이다. 얼마 지나지 않아 하녀가 조심스러운 걸음으로 찾아왔다.

"물을 다 데웠다고 합니다, 자작님."

"아. 그렇다면…."

제네바 자작이 말끝을 흐리자, 리히튼의 시선이 아그레인에게로 향했다.

"나는 됐고 부인을 부탁하오. 몸이 약해서 감기에 들지 않을까 걱정이라."

"물론입니다. 티아?"

"예. 잉고르드 부인? 괜찮으시다면 제가 부인을 모시겠습니다."

자작 부인의 목소리는 작고 가냘팠다. 겁먹은 시선과 움츠러든 어깨 때문에 부인이 아그레인을 이끄는 게 아닌 그 반대로 느껴질 정도였다. 그런 부인의 뒷모습을 연신 확인하는 벤허튼의 옆얼굴을 보고 있으려니 피곤한 기분이 들었다. 탐욕스러운 아버지와 젊다 못해 어린 어머니, 그리고 아들. 지극히 개인적일 제네바 가정의 사정은 궁금하지 않았다. 리히튼은 그저 한시라도 빨리 이곳을 벗어나 아그레인과 함께 잉고르드로 돌아갔으면 하는 바람이었다.

"여름 연회가 끝나고 귀향하는 길이셨습니까? 하하. 저희는 올해 피곤한 일이 연신 들이닥쳐 제네바에서 벗어나질 못했지 뭡니까."

리히튼은 손님 된 자격으로 제네바 자작과 짧지 않은 잡담을 나누었다. 그의 대화는 구 할이 하소연이었는데, 그런 것치고는 방으로 돌아가기 직전까지 긴장한 낯이었다. 리히튼을 앞에 두고 그 같은 태도를 취한 자는 여태껏 한둘이 아니었다. 아마 길고 길었던 하소연을 해소할 무언가를 부탁하고 싶었던 것이겠지. 하지만 자작이 먼저 입을 떼지 않는 이상 리히튼 또한 먼저 입에 담을 마음은 없었다.

혹시나 하는 기대에도 다음날 하늘은 어두웠다. 빗줄기가 가늘어지기는 했지만 언제 다시 비바람이 몰아칠지 모를 일이었다. 잉고르드도 그렇고, 이 지역 영지들은 여름마다 몰아치는 태풍에 늘 골머리를 앓고 있었다. 제네바 자작의 하소연도 대개 해마다 늘어나는 낙과에 대해서였으니.

불운은 겹쳐서 일어난다던 옛말에 걸맞게 아침부터 아그레인의 몸 상태가 좋지 못했다. 불사의 육체를 지닌 그녀가 미약한 몸살감기에 걸릴 정도니, 범인이었으면 필히 생명을 위협할 수준의 지독한 열 감기를 앓았을 터였다. 감기에 익숙하지 않은 아그레인은 한참 뒤척인 끝에 제대로 된 잠에 빠졌다. 얼마 지나지 않아서 제네바 자작이 조심스럽게 리히튼을 불렀다. 그는 술 몇 가지를 꺼내 소모적인 대화를 나누다가 해가 지고 나서야 진정한 목적을 입에 담았다. 낙과를 활용한 2차 산업에 투자를 제안한 것이다.

"각하께도 좋은 사업이 될 수 있을 거라 확신합니다."

이 사업이 과연 성공했었던가? 리히튼은 머릿속 깊은 곳에 잠들어 있는 먼지투성이의 쾌쾌한 기억을 더듬었다. 몇 번째 생이었는지는 금방 떠오르지 않았다. 반역을 위한 자금을 긁어모으던 시절, 그가 대금업으로 집어삼켰던 땅에 제네바가 포함되어 있기는 했다. 당시 제네바는 과일 초콜릿 등 이전에 시도한 적 없는 사업을 시도하다가 가세가 뒤집혔었는데, 아마 낙과를 처리하기 위한 사업이었던 듯했다. 제네바 영지는 잉고르드, 지오르타 등 쟁쟁한 가문 사이에 끼인 소박한 영지였고 연줄도 없어 유통 문제로 골머리를 앓다가 결국 실패했던 것으로 안다. 겉으로는 번지르르해 보여도 몇 년을 내리 들이닥친 태풍에 영지 전체가 파산 위기에 놓였을 수도 있다. 그랬으니 급히 사업을 벌이다 한입에 삼켜진 것일 테지.

리히튼은 아그레인을 떠올렸다. 아그레인은 초콜릿과 같은 단 음식을 좋아하는 편이 아니었다. 아니, 정확하게 표현해서 아그레인은 음식이 얼마나 달고 쓴지, 또 얼마나 비리고 느끼한지에 대해 별 관심이 없었다. 가리는 음식도 없었고 특별히 선호하는 음식도 없었다. 과일 초콜릿을 한 아름 안긴다고 해서 기뻐할 것 같지는 않았다.

"정확하게 말했으면 하는군. 지금 내게 투자를 요청하는 건가, 아니면 돈을 빌리겠다는 건가?"

"아니, 아닙니다. 각하께 빚을 질 생각은 없습니다. 저는 땅과 영지민만 내어 드리는 것이고 수익의 일부분만 가져갈 뿐, 사업에 대해서도 일절 관여하지 않겠습니다. 직원의 관리나 급여와 같은 세세한 부분은 신경 쓰실 필요 없습니다. 해당 사항은 제게 일임하신다면…."

일부의 수익은 물론 영지민의 급여까지 자신의 배를 불리는 데 이용하겠다는 뜻이었다. 물론 자작이 누구의 배를 불리든지 리히튼이 알 바는 아니었다. 그 역시 살아남기 위해 벌였던 악행을 하나하나 열거하기 위해서는 하루의 시간으로도 부족했다. 죄책감을 느끼거나, 느껴야 한다고 스스로를 채찍질했던 시기도 너무 오래전에 지나가 버렸다. 아그레인 외에는 모든 것이 지루하고 고루하고 불필요하며 소모적인 행위로밖에 느껴지지 않았다.

"도와주신다면 이 은혜는 절대 잊지 않겠습니다."

은혜라는 건 세상에서 가장 잘 잊히는 감정 중 하나다. 그가 수십 번의 회귀를 반복하면서 가장 먼저 배운 계책이 바로 배신이라는 행위였다. 따라서 납작 엎드린 제네바 자작의 태도에는 감동하려야 할 수가 없었다.

대신 그는 아그레인을 떠올렸다. 작년 말, 페사 영애가 잉고르드와 유독 먼 땅으로 시집간 후 혼자 보내는 시간이 부쩍 늘어난 그녀였다. 이러한 사업에 재미를 붙이면 조금 더 활기가 붙지는 않을까, 싶은 기대가 들었다. 관심이 생기면 그 먼 황성에 발붙이는 시간도 줄겠지. 거기까지 생각이 미치니 마음의 추가 긍정적인 방향으로 기울어졌다.

"시간이 조금 필요할 것 같군."

"무, 물론입니다. 고려해 주시는 것만으로도 그저 감사할 따름입니다."

말을 마친 제네바 자작이 물 한 잔을 한입에 들이켰다. 이마를 훔치며 웃음만 보이던 자작은 어색하게 화두를 돌렸다.

"부인께서 제네바 저택을 불편해 하지는 않으신지요? 얼굴을 못 뵈어서 따로 필요한 건 없을지 묻지 못했습니다."

리히튼은 멍한 눈으로 얌전히 누워 있던 아그레인의 붉은 낯을 상기했다. 아그레인은 늦은 아침까지 리히튼의 품을 벗어나려 하지 않았다. 그렇게 한참 동안 그의 옷깃을 붙잡고 뒹굴다가 정오가 되어서야 다시 잠들었다. 예전의 그녀였다면 상상도 못 할 어리광이었다. 격렬한 고민 끝에 제 가슴에 얼굴을 묻는 뒤통수를 볼 때면 까맣게 그늘진 만족감이 내면 깊숙한 곳에서 피어났다. 그에게 매달리는 아그레인의 얼굴만큼 흥분을 돋우는 풍경이 또 없었다. 그녀의 모두를, 작은 것 하나 빼먹지 않고 전부 빼앗아 가는 것에 대한 죄책감이 아예 없는 건 아니었으나 어쩌겠는가. 그래야만 하는 것을.

리히튼은 습관처럼 몰려오는 폭력적인 정복욕을 가라앉히며, 뻐근해지려는 몸을 느긋하게 일으켰다. 그로선 아그레인을 잉고르드 저택에 결박해 두지 않는 것 그 자체만으로도 가진 모든 인내심을 소모한 것이나 마찬가지였다. 빈세르크 3세와 모리타트 잭까지는 웃어넘길 수 있다고 해도, 그 외의 인물을 아그레인의 곁에 둘 마음은 추호도 없었다.

"마음은 이해하나 관심 둘 필요 없네. 그쪽도 무언가를 더 바라진 않을 테니까."

차가운 대답이었음에도 제네바 자작은 오히려 밝은 웃음을 지었다.

"하하. 그렇다면 다행입니다. 리히튼 각하와 달리 부인께서는 방 안에만 계시는 듯하여서…."

"그게 편할 테니까."

앓는 몸으로 이곳저곳을 쑤시고 다닌다면 두고 보지 않았을 것이다. 부인을 여기저기 내보이기 바쁜 제네바 자작은 이해할 수 없겠지만. 짧은 상념과 함께 리히튼의 시선이 제네바 부인에게로 향했다. 그 찰나를 놓치지 않은 자작의 눈이 기름 때에 둘러싸인 냄비처럼 번들거렸다.

"제 부인도 썩 괜찮다고 생각합니다만."

제네바 자작의 목소리는 작지 않았고, 새에게 모이를 주던 부인의 손이 딱딱하게 굳었다.

"물론 잉고르드 부인께 비할 바는 아니나, 티아 정도면 태생치고 손도 고우며 천박하지 않은 편이지요. 하녀들은 다 좋은데 손과 발이 거친 게 흠이라서 말이지요."

제네바 부인은 입술을 악물고 수치심을 삼켰다. 익숙한 대우인 듯 몇 번 숨을 고르고 아무렇지 않게 하던 일을 계속했다. 그녀와 달리 리히튼은 눈한 번 깜빡하지 않고 제네바 자작의 얼굴을 응시했다. 자작의 말인즉슨 그가 아그레인의 손을 훔쳐봤다는 소리였다. 그것도 유심히. 순간 눈알을 뽑아 버릴까, 하는 고민이 일었다.

"눈치채셨을지 모르겠습니다만, 제 거처에는 쓸 만한 하녀가 많습니다. 여러모로요."

리히튼은 눈을 감은 채 콧등을 쓸며 심신을 가다듬었다. 굳이 나서서 피곤해질 건 없다. 이제는 적어도 아그레인이 '왜 그랬어?'라고 물었을 때 마땅히 고개를 끄덕일 만한 짓거리만 벌여야 했다. 아마 '네 손을 훔쳐보기에 죽였어.'라고 대답한다면 짐승을 보는 눈이 되지 않을까? 다그치기 위해 잠자리라도 갈라진다면 아주, 몹시 외로울 것 같았다. 그의 묵언을 긍정적인 의미로 해석했는지 제네바 자작의 입꼬리가 음습하게 올라갔다.

"제게 따로 언질만 해 주시면 조용한 침실에 보내 두겠습니다. 시중을 들게 하는 건 별일 아니니까요. 오히려 하녀 따위에겐 영광이지요."

제네바 자작이 납득하기 어려울 정도로 멍청한 짓거리를 하는 건 아니었다. 결혼 전까지만 해도 리히튼은 매 계절 새로운 여자와 엮였다. 그들 중에는 정치적인 이용을 위해 접근한 인물도 있었으나 반 이상은 소문만 무성했을 뿐, 실제로는 면식만 익힌 관계인 경우가 파다했다. 미혼의 젊은 공작이었던 당시, 그는 숨만 쉬어도 곤욕스러운 소문에 치일 수밖에 없는 위치에 있었다.

이는 결혼 후에도 크게 달라지지 않았다. 이유는 간단명료했다, 후계가 없기 때문에. 리히튼 공작에게는 신부가 없는 것도 아니었고, 있다고 해서 신혼인 것도 아니었다. 리히튼은 무려 수년 전에 혼인했으나 여태까지 자식 한 명 낳지 못했다.

이러한 사실은 사교계에 무궁무진한 소문을 흩뿌렸다. 얼마나 무궁무진하면 그와 정을 통한 진정한 상대가 빈세르크 3세라는 소문이 돌 정도였다. 아그레인이 코웃음도 치지 않는 이야기들이었기에 리히튼 역시 크게 신경쓰지 않았다. 그래서인지 종종 이런 식으로 번거로운 상황이 벌어지곤 했다.

"각하를 위해서라면 누구든 상관없습니다. 정말, 누구든지 말입니다."

말미에 움직인 눈동자는 정확히 제네바 부인을 가리키고 있었다. 누구든지, 라.

"그렇다면 자작은 어떤가?"

이따위 짓거릴 몇 번 겪어 온 탓일까? 리히튼은 꽤 효과적인 버러지 퇴치법을 터득하게 되었다. 열에 아홉은 얌전히 입을 다물도록 하는 획기적인 대처법을. 그의 말에 제네바 자작이 멍청한 표정으로 되물었다.

"예?"

"조용한 방에서 내 시중을 들 창녀로 말일세. 손과 발도 거칠지 않을 테니 눈살 찌푸릴 틈도 없겠어."

"…예?"

"누구든 괜찮다고 호언장담하지 않았던가?"

제네바 자작의 숨이 가빠졌다. 파란 눈동자는 리히튼의 대답이 농인지 진담인지 판별하지 못해 당혹감에 젖어 있었다.

"설마 농담이라 여기지는 않을 테지?"

그 말이 끝나자마자 자작이 곧바로 자리에서 일어섰다.

"가, 각하. 제가 주제넘는 소리를 하였습니다. 부디 잊어 주십시오."

리히튼은 혀에 담는 것 그 자체만으로도 번거롭다는 얼굴과 함께 입술을 떼었다.

"천박하군."

제네바 자작의 안색이 창백해졌지만, 리히튼은 그의 얼굴 쪽으론 눈길도 주지 않았다.

아이는 중요하지 않다. 잉고르드를 증오하는 리히튼에게 평생 사랑할 수 있는 존재는 단 한 명의 여자만으로도 차고 넘쳤다. 이따금 아그레인이 후계를 갖지 못한다는 죄책감에 우울해 하는 얼굴을 보이곤 했지만, 리히튼에겐 그 죄책감조차 이용할 거리에 불과했다. 아그레인을 감정적으로 더 옭아 맬 수 있는 이용거리. 얻지도 못할 아이가 주는 가치치고는 아주 유용했다.

"앞서 말했듯, 제안은 고민해 보겠네. 자작이 천박한 것과 사업을 하고 말고는 엄연히 다른 일이니까."

"예, 예. 감사합니다."

응접실을 나서면서 마주친 제네바 부인의 눈빛에는 옅은 공포가 서려 있었다. 부인은 홀린 듯 그를 바라보며, 제네바 자작의 감사 인사를 앵무새처럼 따라했다.

"가, 감사합니다."

등에 박힌 여자의 시선은 리히튼이 응접실을 완전히 나가기 전까지 떨어질 줄 몰랐다. 침실을 향해 빠르게 이동하던 리히튼은 돌연 걸음을 멈추고 코에 소매를 가져다 댔다. 제네바 자작이 풍기는 장미 향수의 지독한 냄새가 밴 듯한 기분이 들었다. 이런 더러운 상태로는 아그레인이 쉬고 있을 침실로 돌아가고 싶지 않았다. 잠시 고민하던 그는 침실을 고작 몇 걸음 앞에 두고 호위 기사를 불렀다. 불려온 기사는 익숙한 얼굴로 먼저 입을 떼었다.

"부인께서는 오늘 벤허튼 제네바와 담소를 몇 번 나누셨고, 침실로 돌아오신 지는 몇 분 되지 않았습니다."

"몇 번?"

뉘앙스로 봐선 한 번이 아닌 듯했다.

"길지는 않았습니다. 비가 잠시 그치고 부인께서 산책하셨을 때 길을 안내해 주겠다며 따라 왔습니다. 산책 후 함께 차를 마시고 방으로 돌아오신 참입니다."

호위 기사는 리히튼이 묻지도 않은 질문에 하나하나 상세히 대답했다. 잉고르드가 아닌 장소에선 빠짐없이 반복되어 온 순간이었다. 리히튼은 떨어져 있는 시간이 단 십 분에 불과하더라도 아그레인의 모든 일과를 알아 두려 했다. 그녀의 발걸음이 닿은 공간, 만난 인물, 오간 선물…. 옷에 밴 향수 냄새를 불쾌하게 여겼던 순간이 무색하게, 리히튼은 지체 없이 침실 안으로 발을 디뎠다.

"몸은?"

"이제 멀쩡…."

셔츠를 벗어 아무렇게나 내던진 그는 아그레인의 허리를 당겨 안았다. 의문으로 커다래졌던 눈동자가 이내 평온을 되찾고 느릿하게 감겼다. 리히튼은 분홍빛으로 물든 뺨 위로 깃털처럼 사뿐히 내려앉은 속눈썹을 핥듯이 응시했다.

저 사이사이를 온전히 씹어 삼켜 그의 것으로 만들고 싶었다. 설탕보다 달콤한 눈물이 맺히도록 자극하고, 괴롭히고 싶었다. 그리하면 왼쪽 귓불 뒤에 박힌 자그마한 점, 미세하게 내려간 입꼬리, 참고 참다가 겨우 터지는 밭은 숨을 포함한 아그레인 잉고르드의 전부가 그에게 속했음을 확인받을 수 있을 것 같았다.

하지만 리히튼은 인내했다. 어느 누구와 대면했든, 아그레인이 아무런 감흥도 느끼지 못했으리라는 걸 앎으로. 뜨거운 피가 복부 아래로 한데 몰렸지만, 그 피가 리히튼의 머릿속과 손아귀 힘을 더 거칠게 만들었지만, 결국은 참아냈다. 그는 자신의 전신을 빨아 당기는 아그레인의 몸에서 아주 힘겹게 손을 떼었다. 마지막까지 여자의 혀 위를 탐하던 입술도 이성에 이성을 붙잡아 겨우 떨어뜨렸다.

"평소보다 혀가 뜨거워."

숨이 달뜨는지 아그레인의 얼굴은 불그스름하게 달아올라 있었다. 열 오른 몸을 괴롭혔다는 사실에 양심의 가책을 느끼다가도 거부 없이 받아들여준 그녀의 자애가 미치도록 사랑스러웠다.

"이럴 때마다 당신의 몸이 건강해서 다행이라는 생각을 하게 돼."

아그레인은 웃음 짓기보다는 걱정 어린 낯을 보였다.

"무슨 일 있었어?"

리히튼은 아그레인의 허벅지를 안아 들고 침대로 향했다. 틈만 나면 안아 옮긴 탓인지, 떨어질까 불안해하며 목에 매달리는 일이 줄었다. 아그레인은 리히튼이 그녀를 침대 위에 부드럽게 눕히는 순간까지 편안히 그에게 안겨 있었다.

"내게 가장 큰 문제는…."

리히튼은 제 덩치에 비해 반이나 될까 하는 아그레인의 몸을 쓰러지듯 껴안았다.

"하나뿐인 부인께서 눈이 돌아갈 정도의 미인이라는 점이지. 안타깝게도 쉬이 해결할 수 있는 문제가 아니로군."

"그런 낯부끄러운 소릴 안색 하나 변하지 않고 뱉는 것도 능력이야."

아그레인은 갈수록 말라가고 있다. 그녀가 가진 불안은 리히튼의 과도한 보호에서 기인한 것이 아니었다. 아그레인은 그녀 본인이 누리는 심신의 편안함과 평화를 사치라 여기는 것 같았다. 적어도 그녀의 몸은 그리 말하고 있었다.

한 손에 쥐고도 한참 남는 손목을 내려다보며, 리히튼은 숨길 수 없는 위선적인 감정을 느꼈다. 아그레인이 그녀를 괴롭히는 고통과 죄악 속에서 자유로웠으면 했다. 그러나 한편으로는 영원한 악몽을 꾸며 자신의 곁에 남아 있었으면 했다. 그를 필요로 할 수밖에 없는 몸이 되길 바랐다. 그런 더러운 바람을 꿈에도 모를 아그레인은 조곤조곤한 목소리로 자신의 하루 일과를 읊었다.

"몸이 괜찮아져서 벤허튼 제네바와 잠깐 정원을 걸었어. 내게 과일 향이 나는 밀크티를 자랑했는데…. 꾸역꾸역 마시느라 고역을 좀 치렀네."

몸을 일으킨 리히튼이 침대 맡에 걸터앉았다. 그의 움직임에 따라 이동하던 아그레인의 시선에 옅은 웃음기가 서렸다.

"그건 무슨 얼굴이야?"

아무리 노력해도 아그레인 앞에서 표정 숨기는 일이 쉽지는 않다. 아그레인은 그런 리히튼의 속마음이 훤하다는 듯, 그의 등을 끌어안았다. 리히튼은 어린아이와도 같은 힘에 순순히 끌려가 주며 말했다.

"어떤 기분이었는지 말해 봐."

"기분? 벤허튼 제네바와 걷는 기분을 말하는 거야?"

으음. 짧은 신음 뒤로 아그레인의 성실한 대답이 뒤따랐다.

"젊고 유머 있는 베르크네와 걷는 기분이었지. 예의 발라서 그런가, 다소 딱딱한 분위기지만, 베르크네만큼 재미없지는 않았거든."

그의 몸을 감싼 팔이 가슴께와 목덜미를 느릿하게 타고 올라와 턱에 닿았다. 아그레인의 하얀 손이 선명하게 도드라지는 리히튼의 턱선을 쓸었다.

"그래도 나는 조금 더 잘생긴 쪽을 선호하는 것 같아."

그러고는 아무렇지 않게 가슴 근처를 더듬었다.

"몸도 마찬가지고."

마치 침대 위에서 행해지는 리히튼의 손짓을 따라하듯, 은근하면서 노골적인 행동이었다. 리히튼은 그녀의 겁 없는 장난에 웃음만 반복했다.

"제네바 부인에 대한 말은 안 하던가?"

"그쪽도 나도 딱히 화두로 삼지는 않았어. 왜? 관심 있어?"

다소 날카로워진 음성과 함께 아그레인이 그의 등을 꽈악 밀착해 껴안았다.

"어떻게 그럴 수 있지? 얼굴도 가슴도 내 쪽이 더 괜찮지 않아? 확신하건대 발도 더 예쁠걸?"

어깨 위로 얼굴을 올린 아그레인이 리히튼의 입가로 짧은 입맞춤을 거듭

남겼다. 고작 이런 애정 표현 하나만으로 심장박동이 빨라지는 게 느껴졌다. 리히튼은 아그레인의 작은 몸을 제 품 안에 바스라트리고 싶은 욕구를 참으며, 다가온 입술에 기나긴 입맞춤을 남겼다.

"목덜미는 왜 언급하지 않은 건지 의문인데. 당신은 이 목덜미 하나로 충분해."

"다 빼고 목만 남으면 되다는 거지?"

"항상 극단적이군."

미약하게 열 오른 이마가 그의 목덜미에 머문다. 리히튼은 꼼짝도 안 하고 책에만 집중했을 아그레인을 위해 몸을 일으켜 물을 따랐다. 아그레인의 집중력은 감탄할 만하지만, 지금처럼 제 몸을 제대로 챙기지 못할 때는 걱정이 일었다.

"이르면 내일 저녁, 늦으면 모레 새벽에 마차가 도착할 거다."

짙은 녹색 눈동자가 창밖을 훑었다. 거센 빗줄기에 튄 물방울이 온 창문에 무당벌레처럼 다닥다닥 붙어 있었다.

"날씨를 봐선 모레 새벽을 기대해야겠네."

쉴 새 없이 울리는 빗소리와 그 사이사이에 녹아든 아그레인의 목소리를 듣고 있자면 너무나 오래되어 반쯤 썩어 문드러진 과거의 기억과, 고작 수년이 흘렀을 뿐인 선명한 기억이 서로 상충해 리히튼을 괴롭히곤 했다. 하지만 이제 그는 한때의 끔찍했던 모든 찰나까지 포용할 수 있을 정도로, 더없이 완벽하고 완벽하며 완벽한 삶을 이룩하고야 말았다. 그래서인지 이제는 당시의 기억이 마냥 고통스럽지만은 않았다. 그에게 승리를 가져다 준 소중한 상흔에 가깝다면 모를까. 잔을 건넨 리히튼은 창가로 다가가 습기에 하얘진 유리창을 쓸었다. 심해 속 작은 유리 상자에 갇힌 듯한 기분이 느껴졌다.

"이곳에서 당신과 함께 고립된 기분도 나쁘지는 않아."

아그레인은 잠시 아무런 말도 없었다. 하지만 곧 믿기지 않는다는 듯 눈매를 새침하게 뜨곤 캐물었다.

"다 계산하고 하는 말이지?"

그녀는 가만히 서 있기만 한 리히튼의 반응을 살피곤 재차 입술을 떼었다.

"그런… 혀에서 꿀이 떨어질 듯한 달콤하고 낭만적인 소리 말이야. 밤마다 고민하고 어디 적어 두는 거 맞지?"

믿기지 않을 정도로 사랑스러운 질문이지 않은가, 라고 리히튼은 생각할 수밖에 없었다. 그는 거짓도 꾸밈도 없는 온전한 자신의 진심만을 담아 대답했다.

"그런 걸 적어 두는 건 머저리 같은 짓이야, 아그레인. 당장 입 밖으로 꺼내는 시간도 아까울 지경인데, 그럴 정신머리로 당신을 붙잡기 위한 세레나데를 부르는 게 현명하겠어."

"진담이야?"

"진담이지."

"감동적인 고백이기는 한데…. 내가 수잔이었을 때는 그런 현명한 판단을 어떻게 참은 거야?"

리히튼은 두터운 겨울용 커튼을 치고 침대로 돌아갔다. 뒤 돌고 누운 그의 곁에 바삐 다가온 아그레인이 술에 취한 건가 싶을 정도로 슬슬 웃는 낯이 되어 말을 이었다.

"아무것도 모르는 어린 내게 고약한 독이나 먹이고."

무슨 대답을 원하는지는 충분히 안다. 아니, 아마 그녀에게는 어떤 말도 필요하지 않을 것이다.

"새벽에는 몰래 찾아와 입이나 맞추고. 음흉하시기는. 못 들은 척 말고 아무 말이나 해 봐, 리히튼. 내가 이렇게 기다리고 있잖아?"

"당신을 붙잡을 말을 생각 중이야."

리히튼이 할 수 있는 대답은, 다시 돌아가도 똑같은 선택을 할 거란 소리가 전부였으니까. 현명한 아그레인은 그가 목 아래에 어떤 말을 담아 뒀는지 전부 알고도 남을 것이다.

"내가 잠들기 전에 어서 떠올려 줘, 리히튼. 모르는 척 세레나데를 불러 줘도 좋아. 아니지, 이번에는 내 쪽에서 불러 줘야겠어. 어디 보자…."

리히튼은 아그레인의 어깨를 깊이 껴안고 그녀의 음악에 빠져 꿈같은 잠에 빠져들었다.

아그레인은 그에게 있어 특별하다. 가끔은 미치도록 특별해 그 존재감에 머리가 어지러울 만큼 녹아내리고, 시궁창에 박혀 버리는 착각이 들 정도였다. 리히튼은 자신의 심장과 어쩌면 정신까지 갉아먹을지 모를 이 위대한 감옥으로부터 도망칠 마음이 추호도 없었다. 이미 제 모든 것을 바친 포로에겐 벗어날 두 다리조차 남아 있지 않음을 알고 있었다.

그래서일까? 때때로 아그레인의 존재가 자신에게만 특별하지 않음을 깨달을 땐 참을 수 없는 외로움을 느꼈다. 자유를 허락한 것에 대한 깊은 후회와 제 방에만 가두고 싶은 고약한 갈증도 느껴졌다. 그처럼 음습한 감정이 발현되는 순간은 이제 막 성인이 된 젖비린내 나는 청년을 앞에 둔다고 해서 다르지 않았다.

"저는 오늘날 이렇게 마음 맞는 친구분을 갖게 되어 무척이나 기쁩니다. 똑같이 반복되는 일상에 지루함을 느끼실 때면 언제든 다시 방문해 주십시오. 제가 감히 발 벗고 맞이하겠습니다."

즐거움이 만연한 미소로 술잔을 든 벤허튼의 시선이 리히튼을 향했다. 그는 뒤늦게 예를 치르듯 짧게 고개를 숙이며 뒷말을 붙였다.

"물론 리히튼 각하께서도."

어디로 한눈이 팔렸을지는 고민할 가치도 없다. 리히튼의 속도 모를 아그레인은 예의 밖에서나 보이는 딱딱한 미소와 함께 다소 성의 없는 대답을 남겼다.

"감사한 제안이네요."

식탁에 차려진 음식은 점심 식사치고 상당히 호화로웠다. 리히튼은 음식의 맛을 따지지 않게 된 지 시일이 꽤 흘렀지만, 웬일인지 즐겁게 식사를 만끽하는 아그레인을 보자니 답지 않게 입맛이 돌았다. 제네바 저의 가장 만족스러운 부분은 주방장의 솜씨가 대단하다는 점이었다. 물론 이같은 정보 역시 식사하는 아그레인의 반응으로 유추해낸 사실이었다. 괜찮네, 라든가, 향이 좋네, 같은 평가는 아그레인이 은연중 보이는 반응 중에 가장 좋은 평가였으니까. 제네바 부인이 조심스레 끼어들어 벤허튼을 타박했다.

"각하께 그럴 시간이 있겠니, 벤허튼. 이분을 뵙고 싶어 하는 분이 세상천지에 널렸다는구나."

하지만 세상 무서울 것 없는 젊음 앞에서 그녀의 소극적인 잔소리가 들어 먹힐 리 없었다.

"저는 말입니다. 주체적이지 못하고 그저 타인이 원하는 상에 따라 움직이다, 결국엔 후회하고 마는 수동적인 삶은 절대 좋지 못하다고 생각합니다, 어머니."

"벤허튼."

"그렇지 않습니까, 각하? 저는 원하는 게 있다면 그게 무엇이든 쟁취해서 얻어 내야 한다고 생각합니다."

"각하께 무례하게 굴지 말렴."

"어머니께서는 어린 시절의 객기로 여기실 테지만요. 나이 차이랄 것도 없는데."

거침없는 언행이었지만 제네바 자작은 그런 벤허튼을 나무랄 마음이 일 말도 없는 듯했다. 오히려 본 적 없는 기세등등한 분위기를 등에 지고 있는 것처럼 느껴지기도 했다. 마치 친자식의 혈기를 자랑하고 싶다는 양.

혈기 넘친다는 것. 젊은 사상을 가진다는 것. 자기 자신을 우주의 축으로 놓는다는 것. 한때 리히튼 역시 모두 지니고 있던 것들이다. 때문에 벤허튼을 언짢게 여길 생각은 추호도 없었다. 그에게 걸리적거리는 건 여지없이 아그레인을 향해 돌아가는, 저 찢어 버릴 눈동자가 전부였다.

"저는 더 넓은 세계로 나가고 싶습니다. 물론 제네바도 평화롭고 아름답지만…. 많은 것을 배우고 느끼기에는 좁은 감이 있다고 생각해서 말입니다. 각하처럼 더 큰 세계에서 다양한 사람들과 마주하고 싶습니다. 그런 제게 조언해 주실 말씀은 없을까요?"

"주제를 아는 것이 중요하지."

지난 생의 그였다면 어떠했을까? 아니, 지지난 생의 그였다면? 지나고 지나며 지나왔던 생의 그였다면, 눈앞의 벤허튼이 지껄이는 치기 어린 대화에 적극적으로 발을 디뎠을까? 아그레인에게 시답잖은 추파를 던지는 이 어린 청년과의 대화에? 리히튼은 과거의 자신을 돌이켜 봤다. 장담컨대 사지 멀쩡한 제네바의 후계자는 장님이 되어 골방에 처박히게 되었을 것이다. 리히튼은 감흥 없는 음성으로 말을 이었다.

"그 나이에 간과하기 쉬운 부분이지. 듣기 불편할 수도 있지만, 무엇이든 딱 본인의 주제만큼만 바랄 줄 알아야 한다고 생각하네."

벤허튼은 도통 납득할 수 없다는 반응이었다.

"하지만 두려워하지 않고 도전해야 더 높은 곳을 바라볼 수 있지 않습니까?"

"벤허튼 제네바 군의 숙적들이 멍청하다면야 그렇겠군."

"그런 어려움도 이겨내야 값진 결과를 쟁취할 수 있다고 믿습니다."

당신도 그렇게 생각하지? 호응을 요구하는 벤허튼의 눈동자가 아그레인의 뺨을 건드렸다. 그러나 아그레인은 식사에만 열중하고 있었다.

"이거 맛있네. 내가 아는 맛보다 신맛이 조금 더 강한 것 같은데, 그게 더 조화로운 것 같아."

몸이 완치되었는지 눈에 띄게 밝아진 안색으로 속삭이는데, 그런 그녀의 얼굴을 보고 있으니 오히려 답 없는 머저리는 리히튼 자신처럼 느껴졌다. 새파랗게 어린 녀석을 상대로 무슨 짓거리를 하고 있는 건지. 느리게 눈을 깜빡이던 그는 딱딱하기만 하던 태도를 잠시 거두고, 옅게 고개를 끄덕이며 벤허튼의 주장에 수긍했다.

"자네 말이 옳아. 그 패기를 응원하겠네."

벤허튼이 뿌듯한 표정으로 거칠게 나이프질을 했다. 리히튼은 기분이 묘해졌다. 아그레인이 온몸을 바쳐 자신을 사랑한단 사실을 안다. 그렇다고 해서 그녀 곁을 맴도는 수많은 기생충들을 가만히 두고 보기만 할 생각은 없었다. 당장 일 년 전이었다면 벤허튼 제네바는 장님이 되었을 것이다. 하지만 지금의 그는 인내하고 있지 않은가? 이것도 성장이라면 성장이라고 할 수 있을 것 같았다. 살인의 필요성을 조금씩 낮춰가는 성장.

"죄송합니다, 각하."

상념에 빠진 채 술을 삼키던 리히튼이 고개를 들었다. 돌연 사죄를 건넨 이는 제네바 부인이었다.

"벤허튼이 아직 혈기 왕성해서 무엇이 무례한 행동인지 아직 제대로 분간하지 못하는 것 같아요. 제가 대신 사과하겠습니다."

부인은 진정으로 안절부절못하는 얼굴이었다. 한데 그녀가 둘 사이로 끼어들기 무섭게 제네바 자작이 굳게 닫고 있던 입을 떼었다.

"하하, 부인."

새파랗게 질렸던 제네바 부인의 얼굴이 순식간에 회색으로 변했다.

"각하께서도 벤허튼을 응원해 주셨잖소. 부인이 벤허튼을 대신해 사과하는 건 오히려 각하께 실례되는 행동일 수 있소."

제네바 부인은 자작과 논쟁할 마음이 추호도 없다는 듯, 곧장 고개를 주억였다.

"새, 생각해 보니 당신 말이 옳아요. 저야말로 주제넘었군요."

유쾌하게 웃은 벤허튼이 제 어머니에 이어서 리히튼에게 사과했다.

"어머니께서 이런 자리에 익숙하지 않으십니다. 각하께서 너그럽게 여겨 주십시오."

딱히 누군가와 언쟁한 것도 아니고, 자극적인 의논거리를 공유한 것도 아닌데 몇 번째 사과를 받는 건지. 그즈음 되니 리히튼은 대꾸조차 귀찮아 대강 고개만 끄덕였다. 그때 가만히 식사를 끝마쳐 가던 아그레인이 자의로는 처음으로 입을 열었다.

"오늘 식사는."

그녀는 특별한 감정이 느껴지지 않는, 지극히 평화로운 표정으로 말했다.

"어쩐지 자리가 조금 불편하네요. 체하지는 않을까 걱정이 될 정도로."

이 자리의 그 누구도 그 말의 저의를 알아채지 못할 만큼 눈치 없지 않았다. 얼굴이 다소 굳어진 채, 벤허튼이 급히 그녀에게 물었다.

"어느 부분이 불편하셨는지 말씀해 주실 수 있겠습니까? 저희 가족이 너무 긴장한 모양입니다."

"아니요. 오히려 남의 가족 사정을 너무 깊게 알게 된 독이죠. 혹시나 싶어 말씀드리지만, 또 사과할 필요는 없습니다."

그녀 역시 리히튼과 마찬가지로 끊임없는 사과에 질린 모양이었다. 리히튼은 그런 아그레인의 노골적이면서도 소극적인 태도가 조금은 놀라웠다. 본래의 그녀였다면 상대가 누구든 제 부정적인 감상을 가감 없이 설명했을 텐데, 손님의 위치니 예를 차리는 건가 싶었다. 리히튼은 그 점이 눈에 거슬렸다. 그의 시선이 자연스럽게 벤허튼과 제네바 부인 사이를 오갔다. 어느 쪽을 신경 쓰는 것일지 궁금했다. 어느 쪽도 신경 쓰지 않는 결과가 최선이 기는 했지만.

식사가 끝난 직후, 아그레인과 잠시 떨어진 사이 제네바 부인이 그를 찾아왔다.

"죄송했습니다, 각하."

점심 식사 때의 일을 언급하는 게 분명했다. 리히튼은 행동 하나하나에 의미를 두고 필요 이상으로 눈치를 살피는 그녀가 번거롭게 느껴졌다. 무엇이 죄송하냐고 반문해야겠지만 목구멍 안으로 삼켰다.

"괜찮습니다."

짧은 대답에 죽어 가는 생쥐처럼 창백한 제네바 부인의 낯이 훨씬 나아졌다.

"잉고르드 부인께서 마음의 상처를 입지는 않으셨을까 걱정이에요."

그보다는 제네바 부인의 얇은 입술에서 아그레인의 이름이 언급됐다는 게 더욱 불편했다. 제네바 가문은 어찌 된 게 구성원 전원이 짜증스럽다. 특히나 벤허튼 제네바. 뺀질거리는 얼굴부터 어떻게 해서든 아그레인의 관심을 끌려는 행동거지까지 모든 게 마음에 들지 않는다.

그럼에도 속으로만 삭히는 이유는 아그레인이 이렇다 할 반응을 보이지 않아서였다. 그녀는 벤허튼의 노골적인 신호를 파리 내쫓듯 아무렇지 않게 쳐냈다. 그 사실이 이 작고 답답한 저택에 갇혀 버린 그에게 있어 가장 커다란 위안이었는데, 산책이나 가벼운 티타임에 함께하는 건 완벽히 납득하기 어려웠다. 아마 아그레인 입장에선 단순히 지루한 제네바에서의 시간을 버틸 작은 유희에 불과할지도 모른다.

하지만 리히튼은 그조차 싫었다. 마땅한 이유 없이 벤허튼의 요구나 구애에 맞춰 주는 것이라 할지라도 충분히 신경에 거슬렸다. 이렇듯 상대가 이성이든 동성이든 귀족이든 노예이든 간에 아그레인과 엮이면 신경이 날카로워지고 오감이 피곤해진다.

리히튼은 어떤 날카로운 문장을 뱉어낼지 모를 입을 다문 후 숨을 가다듬었다. 가끔은 이 정도로 예민하게 구는 스스로가 정신병자처럼 느껴졌다.

"걱정할 필요 없습니다. 그녀는 사소한 일을 마음에 담아 두는 여자가 아니니까."

늘 바닥만 바라보던 제네바 부인이 고개를 들어 물끄러미 그를 응시했다. 그리고는 다소 명한 표정으로 입을 떼었다.

"서로를 잘 아시는 것 같아요."

그 말에서 리히튼이 깨달은 점은, 제네바 부인의 입술색이 어제보다 훨씬 붉다는 점이었다.

"마, 말이 조금 이상했나요? 물론 각하의 부인이시니 누구보다 잘 아시겠지만…"

"하실 말씀은 끝났습니까?"

조금도 상냥하지 않는 질문에 제네바 부인이 당혹스러운 눈으로 고개를 끄덕였다.

"아, 예."

리히튼은 미련 없이 등을 돌렸다.

"저…!"

여덟 발자국 즈음 옮겼을 때, 제네바 부인이 커다란 목소리로 그를 불렀다. 소심하고 조심스러운 몸가짐을 지닌 여자에게서 나온 목소리라곤 생각지도 못할 만큼 큰 부름이었다. 리히튼이 슬쩍 고개만 돌리자, 제네바 부인은 입술만큼이나 붉어진 얼굴로 황급히 손을 내저었다.

"아, 아니에요."

멀어지는 제네바 부인의 등을 보며, 리히튼은 하루빨리 마차가 도착했으면 하는 마음이 들었다.

늦은 오후가 되자 지겹도록 퍼붓던 비도 소강상태가 되었다. 리히튼과 아그레인은 제네바 가족과 함께 영지의 대부분을 차지한다는 과일 농장을 구경했다. 아그레인이 농장 안쪽에 쌓아 올린 낙과를 퍽 아까워하는 눈치라 제네바 자작이 제안한 사업에 긍정적인 방향으로 마음이 기울었다. 어떻게 보자면 제네바 자작의 의도대로 생각이 바뀌었다고 볼 수 있겠다.

제네바 저택으로 돌아온 후 리히튼이 근 십 년간의 날씨 및 수확량 등 농업 관련 자료를 살펴보고 싶다고 요구하자, 벤허튼은 기다렸다는 듯 아그레인을 데려갔다. 아그레인이 억지로 끌려가는 기색이 역력한 얼굴로 사라졌기에 불쾌했던 기분도 금방 가라앉았다.

그는 작고 조용한 서재에 홀로 앉아 먼지 쌓인 책과 자료를 살폈다. 오늘 처음 찾아 들어온 제네바 저택의 서재는 이 우울하고 습기 찬 영지에서 유일하게 만족스러운 공간이었다. 낡은 종이와 먼지 냄새는 오래전, 『태양이 흐르는 강』과 얽힌 비화를 조사하기 위해 밤낮을 잉고르드 서재에서 지내던 시절을 떠올리게 했다. 그 시절만큼 괴롭고 활기찼던 날은 다시 오지 않을 것이다. 흐릿했던 하늘이 완전히 어두워질 즈음 그를 제외하곤 아무도 없던 서재에 한 사람이 찾아왔다.

"남편이 말하기를, 도움이 필요하시다면 언제든 불러 주시라고 했어요."

이제는 부인까지 보내는 건가. 하녀가 대신해야 할 일에 굳이 나서겠다고 한 건지, 아니면 억지로 보내진 건지는 모르겠지만 리히튼의 관심은 금방 돌아갔다.

"그러겠습니다."

제네바 부인은 리히튼이 앉은 탁자에 몇 가지의 과자와 차를 놓았다. 이내 리히튼은 다시 서적으로 시선을 돌렸다. 몇 분 전부터 다시 비가 쏟아지기 시작해, 서재의 인기척이 조용한 빗소리에 잠식됐다.

"각하."

그래서 제네바 부인이 여태 서재에 남아 있었단 사실을 뒤늦게야 눈치챘다. 리히튼은 아직 그곳에 있었냐는 눈빛으로 고개를 돌렸다.

"제가, 불편하신가요?"

제네바 부인은 찻잔을 내려놨던 그 자리에 그대로 서 있었다. 손가락 사이로는 드레스의 천이 꽉 움켜져 있었다. 그녀는 더듬더듬 말을 이었다.

"제 출신이 귀부인답지 않으니까…. 혹시, 말을 섞기 불쾌하신 건가요?"

리히튼이야말로 묻고 싶었다. 내가 네 출신을 불쾌하게 여길 정도의 관심을 가져야 하는지.

"그런 생각은 해 본 적 없습니다. 나는 이미 부인을 둔 몸이니, 다른 귀부인의 출신 같은 건 그리 중요하지 않습니다."

"진심이세요?"

"예."

긴장으로 굳어 있던 제네바 부인의 얼굴이 천천히 녹아내렸다.

"리히튼 각하는 다정하신 분 같아요. 귀족들에게 결혼은 후계를 얻기 위한 의무에 불과한데…. 그래도, 나름대로 충실하신 것 같아서…."

아그레인의 이름이 언급되기라도 할까, 주의를 기울이며 눈을 얇게 떴으나 다행히 그런 기색은 없었다. 제네바 부인은 울긋불긋해진 얼굴에 열심히 손으로 부채질하며 고개를 푹 숙였다.

"죄송합니다. 저도 모르게 횡설수설…. 각하의 눈에도 제가 한심하게 보이죠?"

한심? 리히튼은 어쩌면 생에 가장 큰 용기를 내고 있을 눈앞의 제네바 부인을 응시했다. 그녀가 어떤 새로운 의복을 걸치든, 그로 인해 꽁꽁 감추어져 있던 어깨와 쇄골이 훤히 비치든 말든 리히튼은 일말의 새로운 감정도 느낄 이유가 없었다. 다만 제네바 부인이 뱉은 짧은 한마디에는 조금 관심이 갔다. 한심이라는 단어에 대해서는 그 누구보다 리히튼 본인이 가장 잘 안다고 자부했으니까.

그의 삶에도 놀랍도록 평화로웠던 생이 있었다. 모든 불운을 내던지고 아주 먼 곳으로 도망쳤던 생이. 그 오랜 과거 속의 리히튼은 황성으로부터 아그레인을 돌려받은 뒤, 약속과 의무를 내팽개치고 잉고르드에서 벗어났었다. 마차에 올라 수십 일을 달려 그렌페르크 제국에서 가장 먼 땅을 밟았다.

그러나 피에 새겨진 증오와 복수로부터 도망친 건 오직 리히튼뿐이었다. 그는 아그레인의 삶이 복수와 분리될 수 없다는 사실을 그 누구보다 잘 알고 있었다. 아그레인이 증오를 버리고 그를 선택할 방법은 오직 한 가지, 끔찍했던 과거를 완전히 잊는 것뿐이었다. 때문에 리히튼은 달리는 마차 안에서 아그레인이 과거의 구속으로부터 벗어날 수 있도록 '그 약'을 먹였다.

이슬라의 뿌리. 이슬라의 잎은 이슬라의 환청이라 불리며 대개 마약이나 치료제 따위로 사용되지만, 그 뿌리를 달여 얻은 액체는 단 한 잔만으로 사람의 목숨을 빼앗을 수 있는 극독이었다. 이 극독을 물에 희석해 보관하면 잉고르드 가문의 비독인 잉고르드의 독이 된다. 잉고르드의 독은 얼마나 희석하는가에 따라 약간의 기억만 잃는 데서부터 영원히 백치가 되기까지 중독 현상의 편차가 심했다. 부디 마지막 삶이길 바랐던 이번 생에서, 리히튼이 아그레인을 트리비아체 가문에 보내기 전에 사용했던 독이기도 했다.

하지만 리히튼이 아그레인에게 선물한 독은 희석된 독이 아닌 뿌리의 원액이었다. 불사의 저주는 아그레인의 육체를 죽음으로부터 보호했으나, 그녀의 기억만은 지키지 못했다. 독을 마신 아그레인은 열흘을 내내 앓다가 눈을 떴고, 말만 겨우 할 줄 아는 백치로 다시 태어났다. 리히튼이 몇 번째로 반복했을지 모를 삶에서 고대하고 고대했던 순간이었다.

'리히튼. 하늘이 붉어.'

어린아이로 퇴화된 아그레인이 말을 다시 배우기 시작한 건 그로부터 일 년이 흐른 뒤였다. 둘은 가까운 마을이라곤 걸어서 이틀이 걸리는, 인적 하나 없는 깊은 산속에서 오직 둘만 바라보며 살았다. 언어를 배운 후 아그레인의 감정 표현은 더욱 풍부해졌다. 나뭇가지에 오른 파란 새 한 마리로 반나절을 웃고 울던 그녀는 이제 더 이상 숲속에 갇힌 백치가 아니었다.

'리히튼. 네가 나를 만지면 내 안쪽이 너무… 뜨거운 것 같아.'

행복했다. 아그레인이 다시 말을 배우고, 사랑을 알며, 그와 감정을 교류하던 그 시간은 리히튼이 지나온 삶 중에 가장 평화롭고 행복했던 시간이었다. 오직 둘만이 존재하는 공간에서 영원한 사랑을 맹세했고, 영원한 동반자가 되기로 약속했으며, 영원히 행복할 것임을 서약했다. 리히튼은 이 꿈만 같은 시간이 죽을 때까지 계속되기를 바랐다.

'리히튼. 나도 아이를 갖고 싶어.'

하지만 모든 시간이 완벽할 순 없었다. 아그레인은 백 일에 한 번 마을로 내려갈 때마다, 골목 이곳저곳을 누비는 아이들을 보며 우울한 낯을 하곤 했다. 가질 수 없는 아이는 아그레인이 지닌 유일한 욕망이었다. 반복되어 온 삶에서 그녀가 잉태의 욕구를 보인 건 처음 있는 일이었다.

그제야 리히튼은 비인도적이고 고역스러운 삶이 그녀의 인간적인 모든 바람을 앗아 갔음을 알게 되었다. 아그레인은 지옥에서 도망친 후에야 평범한 여자가 된 것이다. 나무에 오른 새를 사랑하고, 리히튼을 사랑하며, 아이를 사랑하는… 그런 평범한 여자가….

그랬기에 리히튼은 모르는 척했다. 소소한 이유를 명목으로 마을에 내려가는 횟수가 점차 늘어나도, 아그레인을 위해 묵묵히 참았다. 아그레인은 종일 아이들과 어울렸다. 아이들을 위해 사탕을 샀고, 아이들을 위해 옷을 샀으며 아이들을 위한 요리를 배웠다. 그렇게 가지지 못할 존재에 대한 집착이 감당하기 힘들 정도로 커져갈 즈음.

'리히튼.'

그날이 도래하고 말았다.

'내, 내가 잘못했어. 제발 용서해 줘. 이 기억을 지워 줘.'

중독된 육체가 회복기에 접어들어, '태양의 힘'이 발현하기 시작한 그날이. 아그레인은 밤낮을 앓았다. 리히튼이 호우를 뚫고 마을에서 해열제를 구해 돌아왔을 때, 아그레인은 열이 펄펄 끓는 몸으로 집 밖에 나와 있었다. 그녀는 금방이라도 울음을 터트릴 얼굴로, 아니, 이미 눈물로 엉망이 된 얼굴로 그의 어깨에 매달렸다. 아이를 갖지 못한다는 사실을 알렸을 때도 이보다 더 고통스러워하지는 않았다.

'이건 내 기억이 아니야, 그렇지? 지금 내게 벌을 내린 거지? 말을 듣지 않았다고 벌을 주는 거잖아. 미안해, 리히튼. 이제 멋대로 굴지 않을게. 이 기억을 다시 꺼내 줘. 내 것이 아닌 기억을 다시 지워 줘….'

그때, 리히튼은 불꽃보다 뜨거운 빗물을 맞으며 그런 생각을 했다. 아그레인은 이런 나약한 소리를 하지 않아. 이 여자는 아그레인이 아니야. 내가 내 손으로 그녀를 죽였어. 복수와 증오로부터 도망치기 위해 아그레인 캐롤드를 죽여 버리고 말았어. 아그레인을 텅 비어 버리도록 만들었어.

그는 서랍의 가장 안쪽, 잉고르드에서 도망쳐 온 그날부터 보관해 둔 여분의 독약을 꺼내 들었다. 이 독을 사용한다면 그들에겐 다시 평화가 찾아올 것이다. 아그레인은 그녀의 바람대로 끔찍한 과거의 기억을 잃을 것이며, 리히튼은 또다시 백치가 된 아그레인과 안온한 여름을 보낼 수 있을 것이다. 원한다면 영원히. 이 독만 그의 손에 남아 있다면, 그가 바라는 한 영원히.

'리히튼.'

침대에 누운 아그레인은 눈도 제대로 못 뜬 채 허공에 팔을 휘저었다.

'어디로 가지 마. 손을 잡아 줘.'

리히튼은 그녀의 손을 잡았다. 금방이라도 바스라질 것처럼 약했다. 며칠 전까지만 해도 열 살 남짓의 어린아이를 들어 올릴 정도로 건강했는데, 지금은 아니었다.

'한심해.'

'리히튼, 리히튼…'

'나는 너무 한심한 것 같아, 아그레인.'

행복할 수 있을 거라 생각했다. 그를 감싼 세상이 너무 매정하고 아파서, 그것들로부터 도망치면 행복해질 거라 생각했다. 그리 여긴 스스로가 미치도록 한심해 죽고 싶었다. 세상에 도망칠 수 있는 건 없다. 그가 등진 모든 것은 결국 새까만 그림자가 되어 턱 위까지 차오르고 말았다.

아그레인, 나는 이게 우리를 위한 선택이라고 생각했어. 그게 자위라는 걸 알면서도 괜찮다고 여겼어. 내일이 기대되고 모레가 기다려졌으니까. 네가 오직 나를 위해서 순수하게 웃어 줬으니까. 나와 사랑했으니까.

하지만 이토록 한심한 삶은 지속될 가치가 없다. 만들어진 허구는 결국 파도에 부딪힌 모래성처럼 무너지기 마련이다. 그날 밤, 리히튼은 이 숲속에 다신 발을 딛지 않으리라 스스로 맹세했다. 그리고 영원히 돌아가지 않을 거라 여겼던 나락의 수레바퀴 속으로 다시 몸을 던졌다.

한심이란 그런 것이지. 옳다고 생각했던 길이 제 바람과 정반대의 길이었음을 깨닫게 하는 감정. 하지만 그 부정적인 감정과 깨달음이 리히튼을 지금의 이 시간대로 이끌었다. 그런 면에서, 리히튼에게 스스로가 한심하다는 감상은 자위에서 벗어날 수 있게 한 가장 확실한 사다리였다. 그는 오랜 과거의 회상을 끝내며 제네바 부인의 한탄에 지나가듯 대답했다.

"한심하지 않습니다. 지금의 그 기분을 잊지 않는다면 언젠가는 부인도 원하는 바를 얻을 수 있을 겁니다. 경험자인 제가 확신합니다."

접점이라곤 지극히 우연뿐인 인물과 이 정도로 사적인 대화를 나누는 건 오랜만의 일이었다. 아마 그 시절의 기억이 불현듯 떠오르지 않았다면 이런 말도 남기지 않았을 터였다. 그는 따뜻한 차를 입가에 가져가며 마지막 한마디를 건넸다.

"나는 부인이 꽤 용기 있다고 생각합니다. 다만 부인의 시간은 더할 나위 없이 소모적이니…. 후회하고 고민하는 데는 최소한의 시간만 들이라 말하고 싶군요."

리히튼이 할 말은 그것으로 끝이었다. 내일 새벽에 마차가 도착한다면 잉고르드로 돌아갈 테고 제네바 자작이라면 몰라도 부인과의 인연은 이것으로 끝일 것이다. 이후로 제네바 부인이 어떤 표정을 지었는지 모르겠지만, 서재가 내내 고요했던 것을 보아 조용히 나간 듯했다.

그날의 늦은 밤. 아그레인이 평소에 하지 않던 잠투정을 했다.

"밝아서 잠을 못 자겠어."

일그러진 그녀의 시선은 침실 안쪽에 밝게 켜진 등불을 향했다. 리히튼은 저녁 동안 미처 확인하지 못한 자료들을 한창 정리하던 중이었다. 그는 긴 시간 앉아 있던 몸을 일으키고 아그레인에게 다가갔다. 불빛을 가리고 침대 맡에 앉자, 아그레인이 기다렸다는 듯 그의 허리를 껴안고 앓는 소리를 했다.

"며칠 내리 잠을 잘 못 잤더니 신경이 예민해졌나 봐. 게다가 장마가 길어서 공기가 습하니까 낮이고 밤이고 불편해. 잉고르드로는 언제 돌아갈 수 있을까?"

"새벽에. 불을 끌 테니까 걱정 말고 자."

"자려고?"

"옆방에서 빠르게 정리만 하고 돌아올게."

고개를 주억인 아그레인이 그의 볼에 입을 맞추었다. 리히튼은 등불을 끄고 침실 옆의 작은 방으로 향했다. 아그레인은 웬만해선 그에게 투정을 부리지 않는다. 계속 잠을 뒤척였다고 했으니, 실제로는 제네바에 온 이래 며칠 동안 얕은 잠만 잔 모양이었다. 아그레인은 워낙 잠귀가 밝고 잠자리에 예민해 자주 방문하는 황성에서조차 깊은 잠에 들지 못했다. 더군다나 제네바 저택은 연식이 오래돼 나무 삐걱거리는 소리가 잦고 습하니, 아그레인이 고역스러워하는 것도 십분 이해가 갔다.

거기까지 생각이 미치자 남은 자료는 대충 훑기만 하고 침실로 돌아가야겠다는 마음이 들었다. 방 안에 들리는 건 빠른 속도로 넘어가는 책장의 소음과 미약하게 흔들리는 등불의 소리가 전부였다.

그러던 와중에 굳게 닫혀 있던 문이 조심스럽게 열렸다. 고개를 돌리자 이전에 없던, 침대 앞에 작고 유려한 선을 지닌 여자가 보였다. 하루 사이에 붉어졌던 입술은 밤이 되자 장미 꽃잎을 댄 듯 더 붉어졌고, 조금은 차분했던 복장마저 이제는 가슴과 허리가 훤히 내보이는 나이트가운이 되어 있다. 여자의 얼굴을 확인한 리히튼은 다시 책으로 시선을 돌렸다. 그리고 담담한 음성으로 입을 떼었다.

"제네바 자작이 보냈나?"

"…아니에요."

"그렇다면 벤허튼 제네바?"

여자는 깊게 숨을 몰아쉬었다. 들리지 않는 대답에 리히튼의 고개가 다시 그쪽을 향했다. 조금은 설레는 감정이 느껴졌던 직전의 눈빛과 다르게, 그로부터 한 번 간과된 탓인지 바짝 긴장된 얼굴을 하고 있었다. 여자, 제네바 부인은 드러난 목덜미가 움직이는 게 보일 만큼 크게 침을 삼키고 대답했다.

"아니요. 저는 억지로… 억지로 보내진 게 아니에요."

그건 더욱 마음에 들지 않는 답이다. 제네바 부인은 맨발로 그에게 다가왔다. 어깨에 걸치고 있던 천을 자의로 내려 리히튼 앞에 섰다. 그리고 은근한 손길로 그의 어깨를 쓸어내렸다.

"이런 제 선택을 혐오하셔도 좋아요. 더럽다면 잊으셔도 돼요. 저는, 저는 그저…."

리히튼은 잠시 눈을 감고, 벌레가 기는 것 같은 이 감각을 어떻게 떨쳐 낼지 고민했다. 당장 옆방에는 아그레인이 선잠에 든 채였고, 저택은 고요했으며, 제네바 부인의 발걸음은 아주 비밀스러운 방문이었다. 부인은 떨림이 여실히 전달되는 목소리로 속삭였다.

"제가 바라는 대로, 원하는 사람과 사랑이라는 것을 해 보고 싶었을 뿐이에요."

그 순간, 서재에서 제네바 부인과 나눈 찰나의 대화가 이 사건의 주범일수 있다는 사실을 깨달았다. 여자가 그에게 호감을 갖고 있었다는 것쯤이야 진작 눈치챈 바였다. 하지만 소심하고 조심스러워 보이는 그녀가 고작 말 한마디에 이런 식으로 대담한 짓거리를 마음먹을 줄은 몰랐다.

"하룻밤만이라도 좋아요. 저를 가져 주세요, 리히튼."

이래서 쓸데없는 친절은 골치 아픈 결과를 이끌고 오지. 이는 리히튼이 아그레인과 외부인이 사소한 몇 마디를 나누는 것에도 학을 떼는 이유이기도 했다. 아그레인은 황홀할 정도로 아름답고 혼미할 정도로 매력 있는 여자였다. 숨 쉬는 것만으로도 그의 목을 옥죄는데 다른 남자는 눈이 마주치는 것만으로도 밤잠을 설칠 게 뻔했다.

이런 이야기는 아그레인과 예전에도 나눈 적이 있었다. 그녀는 오히려 리히튼에게 '당신이 반죽되다 만 밀가루처럼 생겼다면 내가 조금 더 마음이 놓였을 텐데.'라며 그런 얼굴로는 친절하든 매정하든 누구나 홀릴 테니 차라리 입을 닫고 벙어리처럼 지내라는 소리를 했었다.

리히튼이 그런 귀여운 경고를 마냥 웃어넘기지 않은 이유는 오늘 같은 일이 아그레인의 귀에 들어가지 않았으면 하는 마음에서였다. 그가 아그레인을 얻기 위해 도달한 작금의 위치엔 더럽고 같잖은 날파리가 몹시 자주 꼬였다. 아그레인 역시 그 사실을 알고 나름의 방식으로 제 마음을 내보인 것일 터였다.

속이 쓰렸던 리히튼은 그 이후 능력의 유무와 상관없이 방탕한 인물과는 무조건 거리를 벌렸다. 여자와는 가능한 대화랄 것도 나누지 않았으며 미혼의 여자는 더더욱 멀리했다. 한데 고작 서재에서의 한마디가 또 이런 식으로 그를 귀찮게 하고 만 것이다. 오래전의 리히튼이었다면 제네바 부인을 벌레만도 못한 취급 하며 자진해 침실을 벗어났을 것이다. 그만큼 지독하게 당해 온 역사가 기니까.

하지만 오늘은 조금 달랐다. 점심 식사 자리에서 불편함을 표했던 아그레인의 목소리가 떠올랐기 때문이다. 리히튼이 서재에서 굳이 한마디 한 데는 그런 이유도 작용했다. 아그레인이 이 여자에게 신경 쓰고 있는 건가, 싶은 마음에. 리히튼은 점점 대담해지는 손길을 쳐내고 의자에서 일어났다. 그리고 문을 활짝 열며 그 앞에 섰다.

"내가 기혼이란 걸 알고 있습니까?"

"모를… 모를 수가 없지요."

"알면 나가십시오."

"리히튼."

제네바 부인은 뻔뻔하다 못해 애절해 보였다. 리히튼은 어느새 방 안에 가득 풍기기 시작한 지독한 향수 냄새에 머리가 지끈거리는 것을 느꼈다.

"내 부인이 오늘 일을 알면 어찌 행동할 것 같습니까?"

"그분의 명예를 더럽히지 않게 조용히 사라질게요."

"이미 더럽혀졌습니다. 당신은 그녀의 숭고한 사랑과 나의 끔찍한 사랑을 충분히 더럽히고도 남았지."

제네바 부인은 이해할 수 없다는 얼굴로 고개를 저었다.

"사, 사랑 있는 정략결혼이 어디 있나요? 이런 말씀 드리고 싶지 않았지만, 그분도 벤허튼…."

"말대답하지 마십시오. 내가 지금 최대한 친절하게 굴고 있는 게 안 보이는 건가?"

리히튼은 찔려도 피 한 방울 안 나올 것 같은 얼굴로 제네바 부인을 노려봤다. 그제야 꼼짝도 않던 여자의 두 다리가 느릿하게 움직였다. 겁을 줘야 말을 듣는 것도 이제는 질색이었다. 제네바 부인은 눈물이 그렁그렁 맺힌 눈으로 리히튼 앞에 섰다.

"한 번쯤은… 단 한 번은 괜찮잖아요. 이렇게 매정하게 굴지 말아 주세요. 전부 잊을게요. 없었던 일로 할게요."

억지도 이런 억지가 없다. 리히튼은 제네바 부인이 나이트가운 차림으로 그를 찾아온 후부터 제네바 저택에 방문했던 과거의 선택을 무려 열 번 이상 후회하고 있었다.

"고기를 써는 나이프로 찔려 본 적 있습니까?"

"무슨…."

"경험해 보고 싶지 않다면 돌아가십시오. 다음은 없으니까."

우습게도 궁금하기는 했다. 고루한 치정극에서 아그레인은 어떤 반응을 보일까? 일단 리히튼은 상대 남자의 목숨을 끊어 놔야 마음이 놓일 것 같기는 했다.

"리히튼! 내게 수치를 안겨 줄 셈인가요?"

"한 번만 더 내 이름을 입에 담으면…."

그는 뒷말을 삼켰다. 대신 복도로 나와 옆방 앞에 섰다. 가볍게 문을 두드리자, 아그레인을 지키고 있던 호위 기사가 침실에서 나왔다. 리히튼은 기사에게 명령했다.

"제네바 부인이 길을 잃은 모양이다. 방으로 모셔라."

기사는 다소 혼란스러운 눈이었다. 그는 아그레인의 호위 기사가 되기 전까지 오랜 시간 리히튼과 함께해 온 기사였다. 때문에 오늘 같은 해프닝의 뒤처리는 수도 없이 해 왔다. 리히튼은 무례하게 구는 귀족들에게 퍽 자애로운 편이었지만, 이런 식으로 음습하게 관심을 갈구하는 귀족이나 귀부인들에겐 가차 없었다. 남녀 할 것 없이 그따위 더러운 일만 평생 하게 해 주겠다며 사창가에 내던진 적도 적잖았다. 그렇다면 제네바 부인은 어떤 식으로? 호위 기사의 의문을 눈치챈 리히튼이 재차 입을 열었다.

"다른 곳이 아닌 방으로."

"예."

그즈음 제네바 부인은 모멸감을 이기지 못하고 얼굴이 거무죽죽해 있었다. 이따위 친절은 고맙지 않다며 제 발로 돌아가려는 부인의 뒤를 호위 기사가 뒤따랐다. 그들이 시야에 사라진 후, 참았던 피로감이 리히튼의 전신을 덮쳤다.

또 더러워졌군. 이런 역겨운 향에 더럽혀진 꼴로는 아그레인에게 돌아갈 수 없다. 리히튼은 호위 기사가 돌아올 때까지 침실의 문을 지키다가 다시 옆방으로 돌아갔다. 아그레인이 곁에 없는 밤은 지겨우리만치 길었다.

리히튼은 다음날 이른 아침이 되어서야 눈을 떴다. 방 안에 진동하는 향수 냄새를 지우기 위해 창문을 열어 두고 잠들었더니 바닥이 빗물로 흥건했다. 다행히 셔츠에 미미하게 배어 있던 냄새가 모두 빠져나가 있었다.

그는 구겨진 옷깃을 펴고 침실로 향했다. 분명 마땅한 침구도 없이 소파에 엎어져 잠든 것 같은데, 푹신한 담요가 어깨를 덮고 있었던 것을 봐선 해가 뜨자마자 아그레인이 찾아왔던 것 같다. 지금쯤 가볍게 아침 식사를 하고 있으려나. 문을 밀어낸 그는 챙겨 온 담요를 의자에 걸쳐 두려 했다.

한데, 그보다 앞서 아그레인을 찾아온 방문자가 있었다. 벤허튼 제네바였다. 벤허튼과 아그레인은 다소 과격한 자세로 서로를 마주 보고 있었는데, 특히 아그레인이 오른손에 쥔 물건은 아침 햇빛을 받아 은색으로 번뜩였다. 리히튼을 돌아본 아그레인이 답지 않게 당황하며 두 손을 들었다.

"이 나이프는, 그러니까…. 오해야. 늦은 점심을 하려던 중이었어."

오해. 아그레인이 말하는 오해가 어떤 의미인지 안다. 고작 오전 여덟 시밖에 되지 않는 시각에, 여자 혼자 남아 있는 침실을 방문한 청년 귀족과 그 귀족을 마주 보고 선 부인 사이에 피어날 수 있는 오해를 뜻하는 것이겠지. 아니면 단순히 사람 대 사람으로서 가해자와 피해자가 생겨나는 상황이라거나.

벤허튼의 표정은 아그레인만큼이나, 혹은 보다 훨씬 더 당혹스러워 보였다. 그는 무얼 노리고 잉고르드 내외의 침실을 찾아온 것인가. 그것도 공교롭게 아그레인만 남은 침실에. 어젯밤 지극히 자의로 그를 찾아 왔다던 제네바 부인의 목소리가 떠올랐다. 무엇이 진실인지는 알 수 없었다. 그리고 전혀 궁금하지 않았다.

"리히튼."

재차 그를 부르는 목소리에 리히튼이 천천히 아그레인에게로 다가갔다.

"그 점심이 벤허튼 제네바였던 건 아니겠지."

그리고 고기가 아닌 사람에게 휘두르는 용도의 물건과는 전혀 어울리지 않는 손에서 나이프를 가져갔다. 아그레인은 순순히 물건을 내놓고 그의 뒤에 섰다. 그녀는 이 저돌적이고 멍청한 청년에게 일말의 관심도 없을 것이다. 모든 건 그저 벤허튼 제네바의 우발적인, 혹은 계획적인 접근에 벌어진 상황이었을 터였다. 그걸 알면서도 머릿속 한편에선 한 폭의 못마땅한 상상화가 펼쳐졌다.

아그레인이 익숙하다는 듯 입에 담는 벤허튼 제네바의 이름. 점심 식사 자리에서 불편함은 언급해도 크게 나무라지 않던 아그레인. 그 이유가 벤허튼에게 있을 수도 있다는 막연한 불안. 귀찮은 티를 내도 거절하지는 않던 산책과 티타임. 리히튼은 점점 최악으로 치닫는 망상을 털어 내려 고개를 저었다. 그는 아그레인에게 전황을 물었다. 아니, 묻기 전에 아그레인이 먼저 설명했다.

"당신이 걱정할 만큼 큰 문제는 아니었어."

"나이프를 든 게?"

"그건…. 몸에 밴 습관 같은 거라. 당신도 알잖아. 벤허튼 제네바가 내 몸에 손을 대려 했어."

"그건…!"

황급히 변명하려는 벤허튼의 목소리를 리히튼이 막아섰다.

"입 닥쳐."

"가, 각하. 각하께서 생각하시는 의도가 아닙니다."

"지금부터 내 허락 없이 입을 연다면 네 부모가 작금의 상황을 알기 전에 창문 밖으로 떨어뜨려 고깃덩이로 만들어 주마."

리히튼의 눈이 어젯밤과는 비교도 불가할 만큼 싸늘하게 식었다. 그의 시선은 빌어먹을 벤허튼 제네바가 아닌 호위 기사에게로 향했다. 그 눈길을 알아챈 아그레인이 리히튼의 턱을 다시 원 상태로 돌려놓았다.

"그를 탓하지 마. 요 며칠 그에게 당부했었어. 나와 벤허튼 사이를 끼어들 땐… 내가 참지 못하고 이자를 죽이려 들 때만 끼어들라고."

"저 개새끼가 틈만 나면 당신을 건드렸다는 소리야?"

"그럴 리가! 으음. 일단 추파를 던지는 것에 그치기는 했네. 그런데 오늘은 무슨 바람이 불었는지 아침부터 찾아오더니, 너무 곱다는 이유로 내 손을 한 번만 잡아보고 싶다는 거야. 은근슬쩍 내 옆자리에 앉아 어깨에 손을 두르기에….'

뒷말은 없었다.

"벤허튼 제네바."

벤허튼이 다 죽어 가는 얼굴로 입술을 깨물었다.

"예, 예. 각하."

"내 부인을 찾아온 이유는?"

"더러운 마음은 일절 품지 않았습니다. 저는 그저 좋은 친구를 사귀었다고 생각해, 가볍게 차를 마실 생각으로…."

"그렇다면 내 부인께서 남기신 증언에 대해 어찌 생각하나?"

"맹세컨대 각하, 저는…."

"참고로 나는 네가 무슨 소리를 지껄이든 신뢰할 마음이 없다."

조금도 말장난처럼 느껴지지 않는 단호함에 벤허튼이 눈을 질끈 감았다가 떴다.

"부디 제 말을…."

"게다가 당부한 것과 달리 내 허락도 없이 입을 여는군."

리히튼이 주먹을 휘둘렀다. 그는 벤허튼이 나뒹구는 꼴을 눈 하나 깜짝하지 않고 내려다봤다. 이 정도면 그로서도 많이 참은, 몹시 신사적인 응대라고 할 수 있었다. 고작 주먹 한 번 휘두르는 것에 불과하지 않은가.

"네 친부가 내게 사업 투자를 부탁했다. 다 죽어 가는 영지를 살리기 위해서였지. 수완이 좋지는 않으나, 무엇이 중요한지는 확실하게 아는 남자야. 하지만 그런 제네바 자작도 발정 난 아들 때문에 모든 일이 수포로 돌아갈 줄은 상상도 못 했겠군."

그 말에 앓는 소리를 내며 바닥을 나뒹굴던 벤허튼이 전광석화처럼 몸을 일으켰다. 성공. 투쟁. 도전. 벤허튼의 바람이 순항하기 위해선 자금과 사람이 필요하며, 그 과정에서 제네바 영지의 난관은 반드시 타파되어야 했다. 자신 때문에 가문에 위기가 닥쳤음을 깨달은 벤허튼이 무릎을 꿇고 애원했다.

"각하! 아, 아니… 잉고르드 부인! 모두 제 잘못입니다! 제가 주제를 모르고…."

"오늘 제네바 자작에게 긍정적인 대답을 남기고 떠날 거다. 한 달이 흐른 후에는 벤허튼 제네바가 감히 나의 부인을 상대로 욕정했으니, 그 대가로 제안을 거절하겠단 서신을 보낼 예정이지. 나를 포함한 그렌페르크 제국의 그 어느 귀족과 자본가도 제네바 영지에 투자하지 않을 것이다. 제네바 자작이 직접 네 목을 베어 영지에 걸어 놓지 않는 이상, 오늘부로 제네바 영지는 그 누구의 도움도 받을 수 없을 거라 맹세한다."

"각…!"

"알아들었으면 꺼져. 아무리 화가 나도 내 부인 앞에서 이 이상의 폭력은 휘두르고 싶지 않으니까. 셋을 세기 전까지 나가지 않는다면 한쪽 다리부터 잘라 주마. 내 손에 멸문한 가문이 한둘이 아님은 알고 있겠지? 하나, 둘…."

호위 기사에게 다가간 리히튼이 보란 듯이 검을 빼들었다. 그의 무위는 그렌페르크 제국민 중에 모르는 이가 없을 정도로 뛰어났다. 창백하게 질린 벤허튼이 꼴사납게 비틀거리며 줄행랑을 쳤다. 멀어져 가는 뒷모습을 확인한 리히튼이 호위 기사의 귓가에 작은 목소리로 속삭였다.

"하던 대로 해."

기사는 짧게 고개를 주억이고 침실을 나갔다. 벤허튼 제네바는 사흘 후 거세될 것이다. 상대도 못 봐가며 욕정을 보이니 아예 지니지 않고 살아가는 것이 더 유익한 일생을 보내는 데 보탬이 되리라 확신했다. 문이 닫히고, 적막이 내려앉은 방 안에서 아그레인이 리히튼의 등을 껴안았다.

"역시, 나의 멋진 왕자님. 한걸음에 달려와서 벤허튼의 손가락을 구해 주셨네. 황홀할 만큼 멋져서 또 한 번 반해 버렸어."

"손가락?"

"당신이 오지 않았다면 내가 잘라 버렸을지도 모르잖아."

농담이라고 느껴지지 않았다. 아그레인은 그대로 리히튼을 이끌고 소파에 자리를 잡았다. 그리고 다 식어 버린 아침 식사를 마무리하기 시작했다. 리히튼의 눈동자가 뚫어져라 아그레인만을 향하자, 차를 홀짝이던 아그레인이 그를 돌아봤다.

"왜 그래?"

리히튼은 참고 참았던 의문을 입에 담았다.

"벤허튼 제네바를 이름으로 부르는 이유가 뭐야?"

"질투해?"

"어서."

아그레인은 대뜸 바람 빠지듯 푸흐흐 웃음을 터트리곤 리히튼의 어깨에 얼굴을 비볐다.

"당신의 그런 표정을 다 보다니. 그래도 벤허튼 제네바의 이름을 부른 보람이 있네. 정말 유일한 보람이야…"

리히튼은 어색해진 기분으로 제 눈가를 쓰다듬었다. 당장 멀지 않은 곳에 화장대가 있었으나 자신의 표정을 확인할 용기는 생기지 않았다. 아그레인은 짧은 한숨과 함께 속삭였다.

"그 꼬마 녀석의 역겨운 앙탈을 차마 보고 있을 수가 있어야지."

"앙탈?"

예상했던 것보다 훨씬 마음에 들지 않는 대답이었다.

"자기를 친한 동생처럼 여기래. 이름으로 부르지 않으면 내 뒤를 강아지처럼 따라다닐 거라지 뭐야? 이 표현도 물론 제네바 벤허튼에게서 나온 소리야. 글쎄, 제 입으로 자기를 강아지라 묘사했다니까? 어린 나이에 머리라도 덥수룩했다면 이런 의문을 갖지도 않았겠지!"

"그렇게 마음에 들지 않으면서 잘도 받아 줬군."

아그레인이 이해할 수 없다는 눈으로 그를 응시했다. 그 얼굴에 대고 차마 벤허튼과 함께 차를 마시거나 산책을 하거나 하는 둥 즐겁게 놀던데, 하고 물을 수 없었다. 그녀에게 느끼는 소유욕이 아이의 소유욕보다 어리고 치기 없다 느껴졌기 때문이다.

"말했잖아? 상대하지 않으려 하면 되도 않는 앙탈을 자꾸 부린다고. 나는 그자의 그런 꼴은 절대 보고 싶지 않았어. 그래서 에둘러 욕하거나 면전에 대고 수치를 줬는데도 오히려 흥분하니까…."

그 순간 리히튼은 반사적으로 아그레인의 어깨를 붙잡았다. 그리고 그녀의 몸 이곳저곳을 만지며 몸 상태를 확인했다. 그러던 와중에 가슴께까지 옷을 들추려 하자 아그레인이 간지럽다는 듯 웃음을 터트리며 소파 위로 무너졌다.

"그런 흥분이 아니야! 아닌가? 비슷한가? 하지만 흥분했어도 당신처럼 굴진 않았을 거야…. 내 말은 거칠게 대응할수록 더 사랑에 빠진 얼굴을 했다는 거야. 당신에게 말하지는 못 했지만 정말, 참기 힘들었지. 정말! 은근슬쩍 그만 만져, 리히튼. 할 거면 차라리 제대로 하든가. 하여간 처음에는 방에만 숨어 있으려 했는데, 계속 찾아오니 차라리 조금씩 상대해 주는 게 낫겠다는 쪽으로 생각을 바꿨어. 어차피 우리는 손님이고 곧 잉고르드로 돌아갈 테니까. 그리고 평생 볼 일 없겠지…."

"그러다가 나이프까지 쥐게 되었고?"

"잘 아네."

아그레인은 근래 드물게 열성적으로 입술을 움직였다. 그녀의 존재를 기개 있으나 고요하며 파문 없는 호수로 여기는 자들에겐 상상도 할 수 없을 모습일 터였다.

어린 귀부인들은 물론, 젊은 귀족들 중에는 은근히 아그레인 특유의 냉철하면서 언뜻 무례하게 느껴지는 언행을 동경하는 이가 많았다. 물론 황제의 총애를 받는 아그레인을 폄하하고 싶으면서도 리히튼과의 결혼을 사랑 없는 정략결혼 즈음으로 여기는 자들은 은연중 아그레인에 대해 '저리도 기가 세고 딱딱하니 사랑을 주고받고 싶은 매력은 없다'라고 지껄이는 이도 있었다. 그 소리를 코앞에서 들은 리히튼이 술잔을 집어던지고 발길질한 뒤부터는 그와 털끝만큼도 유사한 뒷말이 돌게 되지 않았다. 중앙 권력에서 먼, 순진한 귀족들 정도나 리히튼과 아그레인의 사이가 소원하다고 여겼다.

"당신이 잉고르드에서 평생 벗어나지 않는다면…."

그런 일들도 일어나지 않을 텐데. 뜬소문처럼 너의 이야기가 세상에 돌다가, 어느 순간부터는 존재하지도 않는 듯 사라질 텐데. 영원히. 모두들 네 아름다움을 동경하고 또 질투하는 거야.

그러나 리히튼은 그 동경과 질투조차 마음에 들지 않았다. 그들이 아그레인으로부터 느끼는 수백, 수천 가지의 감상 또한 모두 자신 혼자 소유하고 싶었다. 털끝만큼도 양보하고 싶지 않다. 아그레인이라는 이름조차 그의 재산으로 두고 싶은 욕망으로 간절했다. 훔치면 벌하고, 욕심내면 복수할 수 있도록.

"리히튼."

아그레인이 자신의 위로 쏟아진 리히튼의 얼굴을 손으로 감쌌다. 장미꽃보다 붉고 산딸기보다 탐스러운 적색의 머리칼이 하얀 어깨 위로 흐트러진 모습은 마치 불에 타오르는 나비와도 같았다.

"겁먹지 마. 당신이 원한다면 그럴 수 있어."

네 새장 안에서만 숨 쉴 수 있어. 네 눈에 밟히는 공간에만 발을 둘 수 있어. 아무와도 만나지 않을 수 있어. 아그레인은 리히튼의 등을 껴안고 끊임없이 속삭였다.

"나는 당신을 위해 살아. 이런 나를 책임지기로 했잖아."

그녀는 조금만 힘을 줘도 힘없이 꺾일 것 같은 얇은 손목에 스스로 족쇄를 채웠다. 그리고 위로하듯 부드럽게 입을 맞추었다. 그에 차분해지려던 리히튼의 숨이 가라앉기는커녕 더 거세졌다. 그는 손에 잡히는 무엇이든 제 몸에 더 가까이 두고 입술에 닿는 모든 살결을 씹어 먹을 기세로 깊게 빨아들였다.

코끝으로 밀려오는 아그레인의 향기가 그를 미치게 했다. 그녀는 리히튼을 이성의 끈으로부터 자유롭게 하는 유일한 존재였고, 리히튼은 그런 감각이 싫지 않았다. 자극받을수록 더 난폭하게 굴어 아그레인의 몸 곳곳에 자신의 흔적을 남기고 싶었다. 모두가 알아볼 부위에 그의 이름을 새기고 싶다가도, 그 어떤 이도 열어 볼 수 없게 자물쇠를 채우고 싶었다.

"사람들의 눈을 도려내고 싶어. 네 목소리를 듣는 귀도, 네 이름을 부르는 혀도 네 체취를 맡는 코도."

때때로, 이런 넘치는 감정을 감당하기에는 그의 그릇이 너무 작다고 느껴졌다. 그럴 때면 참을 수 없는 지독한 외로움이 몰아쳤다. 수백 년을 지켜온 사랑과 집착과 고통은 그 혼자 버티기엔 너무나 거대한 감정으로 성장해 있었다. 언젠가 이 감정을 담아 둔 둑이 무너질 수도 있을 거라고 생각했다. 그런 날이 와도 나는 너를 사랑할 수 있을까? 사랑만 할 수 있을까? 우리의 이 평화가 지속될 수 있을까?

"네가 아름답지 않았으면 좋겠어, 아그레인."

나는 이보다 더한 상상도 해. 아그레인은 그 어떤 바람도 이해한다는 듯 리히튼의 몸을 더 깊이 끌어안았다.

"그런 말을 하는 당신이 사랑스러워."

정오가 되기 전에 잉고르드로부터 마차가 도착했다. 살면서 이보다 더 잉고르드의 마차가 반가웠던 적이 없었다. 그들은 제네바 가족의 배웅 아닌 배웅을 받으며 제네바 저택을 떠났다. 세 명의 제네바 중에서 오직 제네바 자작만이 기대에 부푼 웃음을 짓고 있었다. 벤허튼 제네바는 죄인이 된 듯 바닥만 바라봤고, 그나마 제네바 부인만이 아무 일도 없었던 양 차분하게 인사했다.

며칠 지내지도 않았는데 그사이 많은 일이 일어났다. 리히튼은 제네바 쪽으론 침도 뱉지 않을 거라 다짐하며, 제네바 영지를 떠나는 동안 절대 고개를 돌리지 않았다.

"아그레인."

"응."

"어제 식사 자리에서 마지막 말은 왜 남겼던 거야?"

어쩐지 불편하다는, 답지 않게 딱 절반만 솔직했던 그 감상. 리히튼의 질문에 아그레인은 새삼스러운 소리를 다 듣는다는 듯 어깨를 으쓱였다.

"나는 원래 그래."

"알아. 하지만 어제는 조금 달랐지."

"그랬나?"

아닌 척해도 은연중 묻어 나오는 목소리가 다소 음울하다. 아그레인은 마치 변명이라도 하듯 말을 이었다.

"대단한 이유는 아니야. 그냥, 제네바 부인이… 내가 아는 사람과 많이 닮아 있었어. 머리색도, 눈동자 색도, 얼굴형도 모두. 아마 그 사람이 죽지 않고 살아서 평범하게 나이를 먹었다면 그런 얼굴을 하고 있었을 것 같아."

"누구를?"

"당신은 잘 모를 거야."

억지로 캐물을 의도는 없었다. 그 진심을 알아주길 바라며, 리히튼은 가볍게 고개만 주억이고 창밖으로 눈길을 돌렸다. 그는 스쳐 지나가는 여름 나무를 바라보며 느긋하게 기다리기로 했다. 오늘, 혹은 십 년 후, 혹은 그보다 더 긴 시간이 지난 후에라도 자신이 모르는 이야기를 들려주기를.

얼마 지나지 않아서 아그레인의 작은 한숨 소리가 들렸다. 그녀는 리히튼의 어깨에 머리를 기대곤 조곤조곤 이야기를 시작했다. 리히튼이 잘 알지 못한다는 그녀의 이야기를.

"잉고르드에서 황성으로 도망쳤을 때 만난 하녀가 있어. 발레리아라는 이름을 가진 예쁘장한 하녀였지…"

비가 멈춘 하늘은 눈이 아플 정도로 화사했다.

-마침-

작가 후기

안녕하세요, 박귀리입니다.

두 번째 외전을 끝으로 『조연의 반격은 없다』가 완결되었습니다. 아직 시원하게 풀어 내지 못한 설정들이 남아 있는 듯해 아쉬움이 남으나, 돌이켜 보면 풀어 내지 않는 것 역시 의도한 바였던 것 같습니다. 늘 생각하지만 장르 소설을 쓸 때 작가가 바라는 것과 독자가 바라는 것 사이에서 균형을 맞추는 게 가장 중요한 듯합니다. 『조연의 반격은 없다』를 쓰면서 그 부분에 대해 다시 한번 배우는 좋은 기회를 가질 수 있었습니다.

해당 작품은 2018년 여름에 처음으로 무료 연재를 시작했습니다. 그로부터 쭈욱 시간이 흘러 유료 연재는 2019년 겨울에 완결했고, 종이책 외전까지 더해서 2020년 봄에 완전히 완결이 되었네요. 장장 2년에 걸쳐 쓴 글이라 그런지 후기를 작성하는 기분이 새로워요. 물론 후기 작성이 처음이라 그런 것도 있겠지만요.

작품 집필에 도움 주신 편집자님, 동료 작가분, 친구 모두에게 고맙지만 역시 가장 감사드리는 건 독자분들입니다. 한 작품씩 완결할 때마다 독자분들이 없으면 내 글도 아무 의미 없구나, 하고 깨닫게 됩니다. 아마 다음 작품도 마찬가지겠지요. 더 재미있는 글로 보답드리고 싶은 마음뿐인데, 바람대로 되었으면 좋겠습니다.

글솜씨가 없어서 후기에 뭘 더 적어야 할지 모르겠네요. 부족한 글 끝까지 함께해 주셔서 정말 감사합니다. 저는 그럼 다음 작품으로 찾아뵙겠습니다.

2020년 6월.
박귀리 드림.